ハリー・ポッターと秘密の部屋

J・K・ローリング

松岡佑子 訳

静山社

ハリー・ポッターと秘密の部屋　目次

主な登場人物

ハリー・ポッター
主人公。ホグワーツ魔法魔術学校の二年生。緑の目に黒い髪、額には稲妻形の傷

ロン・ウィーズリー
ハリーの親友。大家族の末息子

ハーマイオニー・グレンジャー
ハリーの親友。マグルの子なのに、魔法学校の優等生

ドラコ・マルフォイ
スリザリン寮の生徒。ハリーのライバル

アルバス・ダンブルドア
ホグワーツ魔法魔術学校の校長先生

ミネルバ・マクゴナガル
ホグワーツの副校長先生。変身術の先生

セブルス・スネイプ
魔法薬学の先生。なぜかハリーを憎んでいる

ルビウス・ハグリッド
ホグワーツの鍵と領地を守る番人

ジニー・ウィーズリー
ロンの妹。ホグワーツの一年生

コリン・クリービー
ハリーに憧れている一年生の少年

ルシウス・マルフォイ
ハリーのライバル、ドラコの父親

ギルデロイ・ロックハート
「闇の魔術に対する防衛術」の新しい先生

嘆きのマートル
ホグワーツの女子トイレに取り憑いているゴースト

ドビー
謎の屋敷しもべ妖精

ダーズリー一家（バーノンおじさん、ペチュニアおばさん、ダドリー）
ハリーの親戚で育ての親とその息子。まともじゃないことを毛嫌いする

ヴォルデモート（例のあの人）
最強の闇の魔法使い。多くの魔法使いや魔女を殺した

車で私を脱出させてくれた、
気が滅入ったときの友だち、
ショーン.P.F. ハリスに

Original Title: HARRY POTTER AND THE CHAMBER OF SECRETS

First published in Great Britain in 1998
by Bloomsburry Publishing Plc, 50 Bedford Square, London WC1B 3DP

Japanese edition first published in 2000

This book is published in Japan by arrangement with
the author through The Blair Partnership

第1章　最悪の誕生日

プリベット通り四番地。朝食の席で今朝もまたいざこざが始まった。バーノン・ダーズリー氏は、甥《おい》のハリーの部屋から聞こえるホーホーという大きな鳴き声で、早々と起こされてしまったのだ。

「今週に入って三回目だぞ！」テーブル越しにおじさんのどなり声が飛んできた。「あのふくろうめをだまらせられないなら、始末してしまえ！」

「**うんざり**してるんだよ。いつも外を飛びまわっていたんだもの」ハリーはまた同じ言い訳をくり返した。「夜にちょっとでも外に放してあげられたらいいんだけど……」

「わしがそんなまぬけに見えるか？　あのふくろうめを外に出してみろ。どうなるか目に見えておるわ」

バーノンおじさんは、巨大な口ひげの先に卵焼きをちょっぴりぶら下げたまま唸《うな》った。そして、とんでもないとばかりにペチュニアおばさんと顔を見合わせた。

ハリーは言い返そうとしたが、ゲーップーッという長い大きな音が、出かかったハリーの言葉をのみ込んでしまった。ダーズリー家の息子、ダドリーだ。

「もっとベーコンが欲しいよ」

「フライパンにたくさん入ってるわよ。かわい子ちゃん」

ペチュニアおばさんは巨大な息子をうっとりと眺めた。

「せめて、うちにいる間は、たくさん食べさせてあげなくちゃ……学校の食事はなんだかひどそう……」

「バカな。ペチュニアや、このわしがスメルティングズ校にいたころは、空腹なんてことはなかった」おじさんは満足げに言った。「ダドリーは充分食べているはずだ。息子や、ちがうかね？」

ダドリーの大きいことといったら、尻がキッチンの椅子の両脇からはみ出して垂れ下がっていた。ダドリーはニタッと笑い、ハリーに向かって「フライパンを取ってよこせよ」と言った。

「君、あの魔法の言葉をつけ加えるのを忘れたようだね」ハリーがいらいらと答えた。

ハリーはごく普通のことを言っただけなのに、それがダーズリー一家に信じられないような効き目をあらわした。ダドリーは息を詰まらせ、椅子からドスンと落ち、キッチンがグラグラッと揺れた。ダーズリー夫人はキャッと悲鳴を上げ、両手で口をパチッと押さえた。ダーズリー氏ははじかれたように立ち上がった。こめかみの青筋がピクピクしている。

ハリーはあわてて言った。

「僕、『どうぞ』って言葉のことを言ったんだ。べつに僕……」

「**おまえに言ったはずだな？**」

おじさんの雷が落ちた。

「**この家の中で『ま』のつく言葉を言ったらどうなるか**」

おじさんはテーブルのあちこちにつばを吐き散らしながらわめいた。

「でも、僕——」

「**ダドリーを脅すとは、ようもやってくれたもんだ！**」

バーノンおじさんは拳でテーブルをバンバンたたきながら吠《ほ》えた。

「僕、ただ——」

「**言ったはずだぞ！　この屋根の下でおまえがまともじゃないことを口にするのは、この**

わしが許さん!」

ハリーは真っ赤なおじさんの顔と真っ青なおばさんの顔をじっと見た。おばさんはダドリーを助け起こそうとしてウンウン唸っていた。

「わかったよ。**わかってるんだ……**」ハリーがつぶやいた。

バーノンおじさんはまた椅子に腰を下ろしたが、息切れしたサイのようにフーッフーッと言いながら、小さな鋭い目でハリーを横目でにらみつけた。

ハリーが夏休みで家に帰ってきてからずっと、バーノンおじさんはハリーをいつ爆発するかわからない爆弾のようにあつかった。何しろハリーは**普通の**少年ではない。それどころか、思いっきりまともではないのだ。

ハリー・ポッターは魔法使いだ——ホグワーツ魔法魔術学校の一年生を終えたばかりのほやほやだ。ハリーが学年末休暇で家に戻ってきて、ダーズリー一家はがっかりしただろうが、ハリーのほうがもっとずっとがっかりしていた。

ホグワーツが恋しくて、ハリーはまるで絶え間なく胃がシクシク痛むような気持ちだった。あの城、秘密の抜け道、ゴーストたち、教室での授業(スネイプ先生の「魔法薬」の授業だけは別だが)、ふくろうが運んでくる郵便、大広間でのパーティのごちそう。塔の中の寮で天蓋つきのベッドで眠ったり、「禁じられた森」の隣の丸太小屋まで森番のハグリッドを訪ねたり、それに、なんていったって、あの魔法界一の人気スポーツ、クィディッチ(高いゴールが六本、空飛ぶボールが四個、箒《ほうき》に乗った十四人の選手たち)……。

ハリーの呪文の教科書も、魔法の杖《つえ》も、ローブも、鍋も、最高級の箒ニンバス2000も、家に帰ったとたん、バーノンおじさんが階段下の物置に押し込んで鍵をかけてしまった。夏休み中一度もクィディッチの練習ができないせいで、ハリーが寮のチーム選手からはずされようが、ダーズリー一家にとっては知ったこっちゃない。宿題を一つもやらずに学校に戻ったって、ダーズリー一家はへっちゃらだ。ダーズリー一家は、魔法族から「マグル（魔法の血が一滴も流れていない）」と呼ばれる人種で、この一家にしてみれば家族の中に魔法使いがいるなんて、この上なく恥ずかしいことなのだ。バーノンおじさんはハリーのふくろう、ヘドウィグを鳥かごに閉じ込め、南京錠までかけて、魔法界の誰かに手紙を運んだりできないようにしてしまった。

ハリーはこの家族の誰とも似ていなかった。バーノンおじさんは大きな図体に首がめり込んで、巨大な口ひげが目立っていた。ペチュニアおばさんはやせこけて、馬のように長い顔だし、ダドリーはブロンドでピンクの豚のようだった。ハリーは、小柄で細身、輝く緑の目、いつもくしゃくしゃな真っ黒な髪。丸いめがねをかけ、額にはうっすらと稲妻形の傷痕があった。

ハリーが特別なのは――魔法界でさえ特別なのは――この傷のためだった。この傷こそ、謎に包まれたハリーの過去の唯一の手がかりであり、十一年前、ダーズリー一家の戸口にハリーが置き去りにされた理由を知る、唯一の手がかりでもあった。

一歳のとき、ハリーは、史上最強の闇の魔法使い、ヴォルデモート卿《きょう》の呪いを破って生き残った。多くの魔法使いや魔女が、いまだにその人の名を口にすることさえ恐れている。ハリーの両親はヴォルデモートに襲われて死んだ。しかし、ハリーは生き延び、稲妻形の傷が残った。ハリーを殺しそこねたとき、なぜか――そのなぜかは誰にもわからないが――ヴォルデモートの力が打ち砕かれたのだ。

こうしてハリーは母方のおば夫婦に育てられることになった。ダーズリー一家と過ごした最初の十年間、ハリーは自分ではそんな気はないのに、しょっちゅうおかしな出来事を引き起こし、自分でも不思議に思っていた。額の傷は、両親が自動車事故で死んだときにできたのだという、ダーズリー夫婦の話を信じていた。

ところが、ちょうど一年前、ホグワーツからハリー宛の手紙が届き、すべてが明るみに出た。ハリーは魔法学校に入学し、そこでは額の傷もハリー自身も有名だった……なのに、学年末の夏休みにダーズリー家に戻ったとたん、また以前と同じように、臭いものの中を転がってきた犬ころのようにあつかわれていた。

今日がハリーの十二歳の誕生日だということさえ、ダーズリー一家はまるで覚えていない。別に高望みはしない。まともな贈り物の一つももらったことはないんだし、ましてや誕生日のケーキなんか無理――だけど、こんなに完全に無視されるなんて……。

まさにその時、バーノンおじさんが重々しく咳払《せき》いした。

「さて、みんなも知ってのとおり、今日は非常に大切な日だ」

ハリーは自分の耳を疑って顔を上げた。

「今日こそ、わが人生最大の商談が成立するかもしれん」

ハリーはまた下を向いてトーストに目を落とした。

――やっぱり――ハリーは苦い思いをかみしめた――バーノンおじさんはあのばかげた接待パーティのことを言ったんだ――。この二週間、おじさんはそのことしか話さなかった。どこかの金持ちの建築屋が、奥さんを連れて夕食にやってくる。バーノンおじさんは山のように注文が取れると踏んでいた(おじさんの会社は穴あけドリルを作っている)。

「そこで、もう一度みんなで手順を復習しようと思う。八時に全員位置につく。ペチュニア、おまえはどの位置だね?」

「応接間に」おばさんが即座に答えた。「お客様をていねいにお迎えするよう、待機してます」

「よし、よし。ダドリーは？」

「玄関のドアを開けるために待ってるんだ」ダドリーはばかみたいな作り笑いを浮かべてセリフを言った。「メイソンさん、奥様、コートをお預かりいたしましょうか？」

「お客様はダドリーに**夢中**になるわ！」ペチュニアおばさんは狂喜して叫んだ。

「ダドリー、上出来だ」

バーノンおじさんは、突然、荒々しくハリーのほうに向きなおった。「それで、**おまえ**は？」

「僕は自分の部屋にいて、物音を立てない。いないふりをする」ハリーは一本調子で答えた。

「そのとおりだ」バーノンおじさんがいやみったらしく言った。

「わしがお客を応接間へと案内して、そこで、ペチュニア、おまえを紹介し、客人に飲み物をおつぎする。八時十五分――」

「私がお食事にいたしましょうと言う」とペチュニアおばさん。

「そこで、ダドリーのセリフは？」

「奥様、食堂へご案内させていただけますか？」

ダドリーはブクッと太った腕を女性に差し出すしぐさをした。

「なんてかわいい私の完璧なジェントルマン！」ペチュニアおばさんは涙声だ。

「それで、**おまえ**は？」

「自分の部屋にいて、物音を立てない。いないふりをする」ハリーは気のない声で答えた。

「それでよし。さて、夕食の席で気のきいたお世辞の一つも言いたい。ペチュニア、何かあるかな？」

「バーノンから聞きましたわ。メイソンさんは**すばらしい**ゴルファーでいらっしゃるとか……まあ、奥様、そのすてきなお召し物は、いったいどこでお求めになりましたの……」

「完璧だ……ダドリー？」

「こんなのどうかな、『学校で尊敬する人物について作文を書くことになって、メイソンさん、ぼく、**あなた**のことを書きました』」

このセリフは出来過ぎだった。ペチュニアおばさんは感激で泣きだし、わが子を抱きしめたし、ハリーはテーブルの下にもぐりこんで、大笑いするところを誰にも見られないようにした。

「それで、小僧、おまえは？」

ハリーは必死で普通の顔を装ってテーブルの下から出てきた。

「僕は自分の部屋にいて、物音を立てない。いないふりをする」

「まったくもって、そのとおりにしろ」バーノンおじさんの声に力がこもった。

「メイソンご夫妻はおまえのことを何もご存じないし、知らんままでよい。夕食が終わったら、ペチュニアや、おまえはメイソン夫人をご案内して応接間に戻り、コーヒーを差し上げる。わしは話題をドリルのほうにもっていく。運がよけりゃ、『十時のニュース』が始まる前に、商談成立で署名、捺印しておるな。明日のいまごろは買い物だ。マジョルカ島の別荘をな」

ハリーはことさらうれしいとも思わなかった。ダーズリー一家がマジョルカ島に行ったたって、いまのプリベット通りと打って変わってハリーをかわいがるとは思えなかった。

「よーし、と――わしは街へ行って、わしとダドリーのディナー・ジャケットを取ってくる。それで、**おまえは**……」

おじさんはハリーに向かってすごみをきかせた。

「……おまえは、おばさんの掃除の邪魔をするな」

ハリーは裏口から庭に出た。まぶしいほどのいい天気だった。芝生を横切り、ガーデン・ベンチにドサッと座り込み、ハリーは小声で口ずさんだ。

「ハッピ・バースデー、ハリー……、ハッピ・バースデー、ハリー……」

カードもプレゼントもない。夜にはいないふりだ。ハリーはみじめな気持ちで生け垣を見つめた。さびしかった。いままでになく。ホグワーツはなつかしいし、クィディッチもやりたい。でもそれよりも一番なつかしいのは、親友のロン・ウィーズリーとハーマイオニー・グレンジャーだ。それなのに、二人はハリーに会いたいとも思っていないらしい。どちらも夏休みに入って一度も手紙をくれない。ロンは泊まりに来いって、ハリーを招待するはずだったのに……。

魔法でヘドウィグの鳥かごの鍵をはずし、手紙を持たせてロンとハーマイオニーの所へ送ろうかと、何度も何度も考えた。でも、危険はおかせない。卒業前の半人前魔法使いは、学校の外で魔法を使うことを許されてはいない。ハリーはこのことをダーズリーたちに話していなかった。おじさんたちは、フンコロガシに変えられては大変、とハリーを怖がっていた。だからこそ、杖や箒と一緒に**ハリーまでも**階段下の物置に閉じ込めようとはしなかったのだ。

家に戻ってから数週間は、ハリーは低い声で口から出まかせの言葉をつぶやいて、ダドリーがでっぷり太った足を動かせる限り速く動かして、部屋から逃げ出すのを見ては楽しんだ。

でも、ロンからもハーマイオニーからもずうっと連絡がない。ハリーは魔法界から切り離されたような気になり、ダドリーをからかうことさえどうでもよくなっていた。──その上、ロンもハーマイオニーもハリーの誕生日まで忘れている。

ホグワーツから一つでも連絡が来さえしたら、あとは何もいらない。どんな魔法使いからでも魔女からでも、誰からだっていい。宿敵ドラコ・マルフォイでさえ、いま、姿を見せてくれたなら、すべてが夢ではなかったと、そう思えるだけでもどんなにうれしいか……。

とはいっても、ホグワーツでの一年間、楽しいことばかりではなかった。学年末に、誰あろう、あのヴォルデモート卿と一対一の対決もした。ヴォルデモートは見る影もなく衰えてはいたものの、いまだに恐ろしく、いまだに狡猾《こうかつ》で、いまだに権力を取り戻そうと執念を燃やしていた。

ハリーはヴォルデモートの魔の手を、二度目のこのときも辛くも逃れたが、危機一髪だった。何週間もたったいまでも、ハリーは寝汗をびっしょりかいて夜中に何度も目が覚める。ヴォルデモートはいまどこにいるんだろう。あの鉛色の顔、あの見開かれた恐ろしい目……。

ぼんやりと生け垣を見ていたハリーは、突然ベンチから身を起こした。――**生け垣が見つめ返したのだ**。葉っぱの中から、二つの大きな緑色の目が現れた。

ハリーがはじかれたように立ち上がったとたん、小ばかにしたような声が芝生のむこうから漂ってきた。

「今日が何の日か、知ってるぜ」

ダドリーがこっちに向かってボタボタ歩きながら、歌うように節をつけて言った。

巨大な緑の目がパチクリして消えた。

「え？」ハリーは生け垣の目があった所から目を離さずに言った。

「今日は何の日か、知ってるぜ」

ダドリーはそうくり返しながらハリーのすぐそばにやってきた。

「そりゃよかった。やっと曜日がわかるようになったってわけだ」

「今日はおまえの**誕生日**だろ」ダドリーが鼻先で笑った。「カードが一枚も来ないのか？　あのへんてこりんな学校で、おまえは友達もできなかったのかい？」

「僕の学校のこと口にするなんて、君の母親には聞かれないほうがいいだろうな」

ハリーは冷ややかに言った。

ダドリーは、太っちょの尻から半分落ちそうになっていたズボンをずり上げた。

「なんで生け垣なんか見つめてたんだ？」

ダドリーがいぶかしげに聞いた。

「あそこに火を放つにはどんな呪文が一番いいか考えてたのさ」

ダドリーはとたんによろよろっとあとずさりした。ブクッとした顔に恐怖が走っていた。

「そ、そんなこと、できるはずない——パパがおまえに、ま、魔法なんて使うなって言ったんだ——パパがこの家から放り出すって言った——そしたら、おまえなんかどこも行く所がないんだ——おまえを引き取る**友達**なんて一人もいないんだ——」

「**デマカセー　ゴマカセー！**」

ハリーは激しい声を出した。

「**インチキー　トンチキー……スクイグリー　ウィグリー……**」

「**ママーアアアアア！**」

家の中に駆け込もうとして、自分の足につまずきながらダドリーが叫んだ。

「**ママーアアア！**　あいつがあれをやってるよう！」

ハリーの一瞬の楽しみは、たいそう高くついた。ダドリーがけがしたわけでも、生け垣がどうかなったわけでもないので、おばさんは、ハリーがほんとうに魔法を使ったのではないとわかっていたはずだ。それでも、洗剤の泡だらけのフライパンが、ハリーの頭めがけてヘビーブローをかけてきたので、身をかわさなければならなかったし、仕事を言いつけられ、終わるまでは食事抜きというおまけまでついた。

ダドリーがアイスクリームをなめながら、のらくらとハリーを眺めている間に、ハリーは窓をふき、車を洗い、芝を刈り、花壇をきれいにし、バラの枝を整え、水やりをし、ガーデン・ベンチのペンキ塗りをした。

焦げつくような太陽がハリーの首筋をジリジリ焼いた。腹を立ててダドリーの餌に引っかかってはいけないと、よくわかっていたのに。まさにハリー自身が気にしていたことを、ダドリーにずばりと言われて、つい……もしかしたらほんとうに、ホグワーツに一人も友達がいなかったのかも……。

「あの有名なハリー・ポッターのこのざまを、見せてやりたいよ」

ハリーは吐き捨てるように言った。花壇に肥料をまきながら、背中が痛み、汗は顔を滴り落ちた。

七時半、つかれはてたハリーの耳にやっと、ペチュニアおばさんの呼ぶ声が聞こえてきた。

「お入り！　新聞の上を歩くんだよ！」

ハリーは日陰に入れるのがうれしくて、ピカピカに磨き上げられたキッチンに入った。冷蔵庫の上には今夜のデザートがのっていた。たっぷりと山盛りのホイップクリームと、スミレの砂糖漬けだ。骨つきのローストポークがオーブンでジュージューと音を立てていた。

「早くお食べ！　メイソンさんたちがまもなくご到着だよ！」

ペチュニアおばさんがピシャリと言った。指差した先のテーブルの上に、パンがふた切れとチーズがひとかけらのっていた。おばさんはもう、サーモンピンク色のカクテル・ドレスに着替えていた。

ハリーは手を洗い、情けなくなるような夕食を急いで飲み込んだ。食べ終わるか終わらないうちにおばさんがさっさと皿を片づけてしまった。「早く！　二階へ！」

居間の前を通り過ぎるとき、ドアのむこうに、蝶《ちょう》ネクタイにディナー・ジャケットの正装に身を包んだ、おじさんとダドリーの姿がちらりと見えた。ハリーが二階に上がる途中の、階段の踊り場に着いたとき、玄関のベルが鳴り、バーノンおじさんのすさまじい顔が階段下に現れた。

「いいな、小僧――ちょっとでも音を立ててみろ……」

ハリーは忍び足で自分の部屋にたどり着き、スッと中に入り、ドアを閉め、ベッドに倒れ込もうとした。

しかし――ベッドには先客が座り込んでいた。

第2章　ドビーの警告

ハリーは危うく叫び声を上げるところだったが、やっとのことでこらえた。ベッドの上にはコウモリのような長い耳に、テニスボールぐらいの緑の目がぎょろりと飛び出した小さな生き物がいた。今朝、庭の生け垣から自分を見ていたのはこれだ、とハリーはすぐに気づいた。互いにじっと見つめているうちに、玄関ホールのほうからダドリーの声が聞こえてきた。

「メイソンさん、奥様、コートをお預かりいたしましょうか？」

生き物はベッドからスルリとすべり下りて、カーペットに細長い鼻の先がくっつくぐらい低くおじぎをした。ハリーはその生き物が、手と足が出るように裂け目がある古い枕カバーのようなものを着ているのに気づいた。

「あ――こんばんは」

ハリーは不安げに挨拶した。

「ハリー・ポッター！」

生き物がかん高い声を出した。きっと下まで聞こえた、とハリーは思った。

「ドビーめはずっとあなた様にお目にかかりたかった……とっても光栄です……」

「あ、ありがとう」

ハリーは壁伝いに机のほうににじり寄り、崩れるように椅子に腰かけた。椅子のそばの大きな鳥かごでヘドウィグが眠っていた。ハリーは「君は何？」と聞きたかったが、それではあんまり失礼だと思い、

「君は誰？」と聞いた。

「ドビーめにございます。ドビーと呼び捨ててください。『屋敷しもべ妖精』のドビーです」

と生き物が答えた。

「あ――そうなの。あの――気を悪くしないでほしいんだけど、でも――僕の部屋にいま『屋敷しもべ妖精』がいると、とっても都合が悪いんだ」

ペチュニアおばさんのかん高い作り笑いが居間から聞こえてきた。しもべ妖精はうなだれた。

「知り合いになれてうれしくないってわけじゃないんだよ」

ハリーがあわてて言った。

「だけど、あの、何か用事があってここに来たの？」

「はい、そうでございますとも」

ドビーが熱っぽく言った。

「ドビーめは申し上げたいことがあって参りました……複雑でございまして……ドビーめはいったい何から話してよいやら……」

「座ってよ」ハリーはベッドを指差してていねいにそう言った。

しもべ妖精はワッと泣きだした――ハリーがはらはらするようなうるさい泣き方だった。

「す――**座ってなんて！**」妖精はオンオン泣いた。「**これまで一度も……一度だって……**」

ハリーは階下の声が一瞬たじろいだような気がした。

「ごめんね」ハリーはささやいた。「気にさわることを言うつもりはなかったんだけど」

「このドビーめの気にさわるですって！」妖精はのどを詰まらせた。

「ドビーめはこれまでたったの一度も、魔法使いから座ってなんて言われたことがございません――まるで**対等みたいに**——」

ハリーは「シーッ！」と言いながらも、なだめるようにドビーをうながして、ベッドの上に座らせた。ベッドでしゃくりあげている姿は、とても醜い大きな人形のようだった。しばらくするとドビーはやっとおさまってきて、大きなぎょろ目を尊敬でうるませ、ハリーをひしと見ていた。

「君は礼儀正しい魔法使いに、あんまり会わなかったんだね」

ハリーはドビーを元気づけるつもりでそう言った。

ドビーはうなずいた。そして突然立ち上がると、なんの前触れもなしに窓ガラスに激しく頭を打ちつけはじめた。

「ドビーは**悪い子**！　ドビーは**悪い子**！」

「やめて——いったいどうしたの？」

ハリーは声をかみ殺し、飛び上がってドビーを引き戻し、ベッドに座らせた。ヘドウィグが目を覚まし、ひときわ大きく鳴いたかと思うと、鳥かごの格子にバタバタと激しく羽を打ちつけた。

「ドビーめは自分でおしおきをしなければならないのです」

妖精は目をくらくらさせながら言った。

「自分の家族の悪口を言いかけたのでございます……」

「君の家族って？」

「ドビーめがお仕えしているご主人様、魔法使いの家族でございます……ドビーは屋敷しもべです——一つの屋敷、一つの家族に一生お仕えする運命なのです……」

「その家族は君がここに来てること知ってるの？」ハリーは興味をそそられた。

ドビーは身を震わせた。

「めっそうもない……ドビーめはこうしてお目にかかりに参りましたことで、きびしーく自分をおしおきしないといけないのです。ドビーめはオーブンのふたで両耳をバッチンしないといけないのです。ご主人様にばれたら、もう……」

「でも、君が両耳をオーブンのふたにはさんだりしたら、それこそご主人が気づくんじゃない？」

「ドビーめはそうは思いません。ドビーめは、いっつもなんだかんだと自分におしおきをしていないといけないのです。ご主人様は、ドビーめに勝手におしおきをさせておくのでございます。ときどきおしおきが足りないとおっしゃるのです……」

「どうして家出しないの？　逃げれば？」

「屋敷しもべ妖精は解放していただかないといけないのです。ご主人様はドビーめを自由にするはずがありません……ドビーめは死ぬまでご主人様の一家に仕えるのでございます……」

ハリーは目を見張った。

「僕なんか、あと四週間もここにいたらとっても身がもたないと思ってたけれど、君の話を聞いてるうちに、ダーズリー一家でさえ人間らしいって思えてきた。誰か君を助けてあげられないのかな？　僕に何かできる？」

そう言ったとたん、ハリーは「しまった」と思った。ドビーはまたしても感謝の雨あられと泣きだした。

「お願いだから」ハリーは必死でささやいた。「頼むから静かにして。おじさんたちが聞きつけたら……君がここにいることが知れたら……」

「ハリー・ポッターが『何かできないか』って、ドビーめに聞いてくださった……ドビーめはあなた様が偉大な方だとは聞いておりましたが、こんなにおやさしい方だとは知りませんでした……」

ハリーは顔がポッと熱くなるのを感じた。

「僕が偉大だなんて、君が何を聞いたか知らないけど、くだらないことばかりだよ。僕なんか、ホグワーツの同学年でトップというわけでもないし。ハーマイオニーが――」

それ以上は続けられなかった。ハーマイオニーのことを思い出しただけで胸が痛んだ。

「ハリー・ポッターは謙虚でいばらない方です」

ドビーはボールのような目を輝かせてうやうやしく言った。

「ハリー・ポッターは『名前を言ってはいけないあの人』に勝ったことをおっしゃらない」

「ヴォルデモート？」

「あぁ、その名をおっしゃらないで。おっしゃらないで」

ドビーはコウモリのような耳を両手でパチッと覆い、うめくように言った。

ハリーはあわてて「ごめん」と言った。

「その名前を聞きたくない人はいっぱいいるんだよね――僕の友達のロンなんか……」

またそれ以上は続かなかった。ロンのことを考えても胸がうずいた。

ドビーはヘッドライトのような目を見開いて、ハリーのほうに身を乗り出してきた。

「ドビーめは聞きました」ドビーの声がかすれていた。「ハリー・ポッターが闇の帝王と二度目の対決を、ほんの数週間前に……。ハリー・ポッターが**またしても**その手を逃れたと」

ハリーがうなずくと、ドビーの目が急に涙で光った。

「あぁ」ドビーは着ている汚らしい枕カバーの端っこを顔に押し当てて涙をぬぐい、感嘆の声を上げた。

「ハリー・ポッターは勇猛果敢！　もう何度も危機を切り抜けていらっしゃった！　でも、ドビーめはハリー・ポッターをお護《まも》りするために参りました。警告しに参りました。あとでオーブンのふたで耳をバッチンとしなくてはなりませんが、それでも……。**ハリー・ポッターはホグワーツに戻ってはなりません**」

一瞬の静けさ――。階下でナイフやフォークがカチャカチャいう音と、遠い雷鳴のようにゴロゴロというバーノンおじさんの声が聞こえるだけだった。

「な、なんて言ったの？」言葉がつっかえた。「僕、だって、戻らなきゃ――九月一日に新学期が始まるんだ。それがなきゃ僕、耐えられないよ。ここがどんな所か、君は知らないんだ。ここには**身の置き場**がないんだ。僕の居場所は君と同じ世界――ホグワーツなんだ」

「いえ、いえ、いえ」

ドビーがキーキー声を立てた。あんまり激しく頭を横に振ったので、耳がパタパタいった。

「ハリー・ポッターは安全な場所にいないといけません。あなた様は偉大な人、やさしい人。失うわけには参りません。ハリー・ポッターがホグワーツに戻れば、死ぬほど危険でございます」

「どうして？」ハリーは驚いて尋ねた。

ドビーは突然全身をわなわな震わせながらささやくように言った。

「罠《わな》です、ハリー・ポッター。今学期、ホグワーツ魔法魔術学校で世にも恐ろしいことが起こるよう仕掛けられた罠でございます。ドビーめはそのことを何か月も前から知っておりました。ハリー・ポッターは危険に身をさらしてはなりません。ハリー・ポッターはあまりにも大切なお方です！」

「世にも恐ろしいことって？」ハリーは聞き返した。「誰がそんな罠を？」

ドビーはのどをしめられたような奇妙な声を上げ、壁にバンバン頭を打ちつけた。

「わかったから！」ハリーは妖精の腕をつかんで引き戻しながら叫んだ。

「言えないんだね。わかったよ。でも君はどうして**僕に**知らせてくれるの？」

ハリーは急にいやな予感がした。

「もしかして――それ、ヴォル――あ、ごめん――『例のあの人』と関係があるの？」

ドビーの頭がまた壁のほうに傾《かし》いでいった。

「首を縦に振るか、横に振るかだけしてくれればいいよ」ハリーはあわてて言った。

ゆっくりと、ドビーは首を横に振った。

「いいえ――**『名前を言ってはいけないあの人』**ではございません」

ドビーは目を大きく見開いて、ハリーに何かヒントを与えようとしているようだったが、ハリーにはまるで見当がつかなかった。

「『あの人』に兄弟なんていたかなぁ？」

ドビーは首を横に振り、目をさらに大きく見開いた。

「それじゃ、ホグワーツで世にも恐ろしいことを引き起こせるのは、ほかに誰がいるのか、全然思いつかないよ。だって、ほら、ダンブルドアがいるからそんなことはできないんだ――君、ダンブルドアは知ってるよね？」

ドビーはおじぎをした。

「アルバス・ダンブルドアはホグワーツ始まって以来、最高の校長先生でございます。ドビーめはそれを存じております。ドビーめはダンブルドアが『名前を言ってはいけないあの人』の最高潮のときの力にも対抗できるお力をお持ちだと聞いております。しかし、でございます」

ドビーはここで声を落として、切羽詰まったようにささやいた。

「ダンブルドアが使わない力が……正しい魔法使いならけっして使わない力が……」

ハリーが止める間もなく、ドビーはベッドからポーンと飛び下り、ハリーの机の上の電気スタンドを引っつかむなり、耳をつんざくような叫び声を上げながら自分の頭をなぐりはじめた。

一階が突然静かになった。次の瞬間、バーノンおじさんが玄関ホールに出てくる音が聞こえた。ハリーの心臓は早鐘のように鳴った。

「ダドリーがまたテレビをつけっぱなしにしたようですな。しょうがないやんちゃ坊主で！」

とおじさんが大声で話している。

「早く！　洋服だんすに！」

ハリーは声をひそめてそう言うと、ドビーを押し込み、戸を閉め、自分はベッドに飛び込んだ。まさにその時、ドアがカシャリと開いた。

「いったい――きさまは――**ぬぁーにを**――やって――おるんだ？」

バーノンおじさんは顔をいやというほどハリーの顔に近づけ、食いしばった歯の間からどなった。

「日本人ゴルファーのジョークのせっかくの落ちを、きさまがだいなしにしてくれたわ……今度音を立ててみろ、生まれてきたことを後悔するぞ。わかったな！」

おじさんはドスンドスンと床を踏み鳴らしながら出ていった。

ハリーは震えながらドビーをたんすから出した。

「ここがどんな所かわかった？　僕がどうしてホグワーツに戻らなきゃならないか、わかっただろう？　あそこにだけは、僕の――つまり、**僕のほうはそう思ってる**んだけど、僕の友達がいるんだ」

「ハリー・ポッターに**手紙もくれない**友達なのにですか？」ドビーが言いにくそうに言った。

「たぶん、二人ともずうっと――え？」

ハリーはふと眉をひそめた。

「僕の友達が手紙をくれないって、どうして**君が**知ってるの？」

ドビーは足をもじもじさせた。

「ハリー・ポッターはドビーのことを怒ってはダメでございます――ドビーめはよかれと思ってやったのでございます……」

「**君が、僕宛の手紙をストップさせてたの？**」

「ドビーめはここに持っております」

妖精はスルリとハリーの手の届かない所へ逃れ、着ている枕カバーの中から分厚い手紙の束を引っ張り出した。見覚えのあるハーマイオニーのきちんとした字、のたくったようなロンの字、ホグワーツの森番ハグリッドからと思われる走り書きも見える。

ドビーはハリーのほうを見ながら心配そうに目をパチパチさせた。

「ハリー・ポッターは怒ってはダメでございますよ……ドビーめは考えました……ハリー・ポッターが友達に忘れられてしまったと思って……ハリー・ポッターはもう学校には戻りたくないと思うかもしれないと……」

ハリーは聞いてもいなかった。手紙をひったくろうとしたが、ドビーは手の届かない所に飛びのいた。

「ホグワーツには戻らないとドビーに約束したら、ハリー・ポッターに手紙をお返しします。あぁ、どうぞ、あなた様はそんな危険な目にあってはなりません！　どうぞ、戻らないと言ってください」

「いやだ」ハリーは怒った。「僕の友達の手紙だ。返して！」

「ハリー・ポッター、それではドビーはこうするほかありません」妖精は悲しげに言った。

ハリーに止める間も与えず、ドビーは矢のようにドアに飛びつき、パッと開けて――階段を全速力で駆け下りていった。

ハリーも全速力で、音を立てないように、あとを追った。口の中はカラカラ、胃袋はひっくり返りそう。最後の六段は一気に飛び下り、猫のように玄関ホールのカーペットの上に着地し、ハリーはあたりを見回して、ドビーの姿を目で探した。食堂からバーノンおじさんの声が聞こえてきた。

「……メイソンさん、ペチュニアに、あのアメリカ人の配管工の笑い話をしてやってください。妻ときたら、聞きたくてうずうずしてまして……」

ハリーは玄関ホールを走り抜けキッチンに入った。とたんに胃袋が消えてなくなるかと思った。

ペチュニアおばさんの傑作デザート、山盛りのホイップクリームとスミレの砂糖漬けが、なんと天井近くを浮遊している。戸棚のてっぺんの角にドビーがちょこんと腰かけていた。

「あぁ、ダメ」ハリーの声がかすれた。「ねぇ、お願いだ……僕、殺されちゃうよ……」

「ハリー・ポッターは学校に戻らないと言わなければなりません――」

「ドビー、お願いだから……」

「どうぞ、戻らないと言ってください……」

「僕、言えないよ！」

ドビーは悲痛な目つきでハリーのために、ハリーを見た。

「では、ハリー・ポッターのために、ドビーはこうするしかありません」

デザートは心臓が止まるような音を立てて床に落ちた。皿が割れ、ホイップクリームが、窓やら壁やらに飛び散った。ドビーは鞭《むち》を鳴らすような、パチッという音とともにかき消えた。

食堂から悲鳴が上がり、バーノンおじさんがキッチンに飛び込んできた。そこにはハリーが、頭のてっぺんから足の先までペチュニアおばさんのデザートをかぶって、ショックで硬直して立っていた。

ひとまずは、バーノンおじさんがなんとかその場を取りつくろって、うまくいったように見えた（「甥《おい》でしてね――ひどく精神不安定で――この子は知らない人に会うと気が動転するので、二階に行かせておいたんですが……」)。

おじさんはぼうぜんとしているメイソン夫妻を「さあ、さあ」と食堂に追い戻し、ハリーには、メイソン夫妻が帰ったあとで、虫の息になるまで鞭で打ってやると宣言し、それからモップを渡した。ペチュニアおばさんは、フリーザーの奥からアイスクリームを引っ張り出してきた。ハリーは震えが止まらないまま、キッチンの床をモップでこすりはじめた。

それでも、バーノンおじさんにはまだ商談成立の可能性があった――ふくろうのことさえなければ。ペチュニアおばさんが、食後のミントチョコが入った箱をみんなに回していたとき、巨大なふくろうが一羽、食堂の窓からバサーッと舞い降りて、メイソン夫人の頭の上に手紙を落とし、またバサーッと飛び去っていった。メイソン夫人はギャーッと叫び声を上げ、ダーズリー一家は狂っている、とわめきながら飛び出していった。

――妻は鳥と名がつくものは、どんな形や大きさだろうと死ぬほど怖がる。いったい君たち、なんの冗談のつもりかね――メイソン氏もダーズリー一家にそれだけの文句をあびせるなり、出ていった。

おじさんが小さい目に悪魔のような炎を燃やして、ハリーのほうに迫ってきた。ハリーはモップにすがりついて、やっとの思いでキッチンに立っていた。

「読め！」

おじさんが押し殺した声で毒々しく言った。ふくろうが配達した手紙を振りかざしている。

「いいから――読め！」

ハリーは手紙を手にした。誕生祝いのカード、ではなかった。

ポッター殿

今夕九時十二分、貴殿の住居において「浮遊術」が使われたとの情報を受け取りました。

ご承知のように、卒業前の未成年魔法使いは、学校の外において呪文を行使することを許されておりません。貴殿が再び呪文を行使すれば、退校処分となる可能性があります。（一八七五年制定の未成年魔法使いの妥当な制限に関する法令C項）

念のため、非魔法社会の者（マグル）に気づかれる危険性がある魔法行為は、国際魔法戦士連盟機密保持法第十三条の重大な違反となります。

休暇を楽しまれますよう！

敬具

魔法省魔法不適正使用取締局

マファルダ・ホップカーク

ハリーは手紙から顔を上げ、生つばをゴクリとのみ込んだ。

「おまえは、学校の外で魔法を使ってはならんということを、だまっていたな」

バーノンおじさんの目には怒りの火がメラメラ踊っていた。

「言うのを忘れたというわけだ……なるほど、つい忘れていたわけだ……」

おじさんは大型ブルドッグのように牙を全部むき出して、ハリーに迫ってきた。

「さて、小僧、知らせがあるぞ……わしはおまえを閉じ込める……おまえはもうあの学校には戻れない……けっしてな……戻るために魔法で逃げようとすれば——連中がおまえを退校にするぞ！」

狂ったように笑いながら、ダーズリー氏はハリーを二階へ引きずっていった。

バーノンおじさんは言葉どおりに容赦なかった。翌朝、人を雇い、ハリーの部屋の窓に鉄格子をはめさせた。ハリーの部屋のドアには自ら「餌差入口」を取りつけ、一日三回、わずかな食べ物をそこから押し込むことができるようにした。朝と夕にトイレに行けるよう部屋から出してくれたが、それ以外は一日中、ハリーは部屋に閉じ込められた。


三日たった。ダーズリー一家はまったく手をゆるめる気配もなく、ハリーには状況を打開する糸口さえ見えなかった。ベッドに横たわり、窓の鉄格子のむこうに陽《ひ》が沈むのを眺めては、みじめな気持ちで、いったい自分はどうなるんだろうと考えた。

魔法を使って部屋を抜け出したとしても、そのせいでホグワーツを退校させられるなら、なんにもならない。しかし、いまのプリベット通りでの生活は最低の最低だ。ダーズリー一家は「目が覚めたら大きなフルーツコウモリになっていた」という恐れもなくなり、ハリーは唯一の武器を失った。ドビーはホグワーツでの世にも恐ろしい出来事から、ハリーを救ってくれたのかもしれないが、このままでは結果は同じだ。きっとハリーは餓死してしまう。

餌差入口の戸がガタガタ音を立て、ペチュニアおばさんの手がのぞいた。缶詰スープが一杯差し入れられた。ハリーは腹ペコで胃が痛むほどだったので、ベッドから飛び起きてスープ椀《わん》を引っつかんだ。冷めきったスープだったが、半分をひと口で飲んでしまった。それから部屋のむこうに置いてあるヘドウィグの鳥かごにスープを持って行き、からっぽの餌入れに、スープ椀の底に張りついていた、ふやけた野菜を入れてやった。ヘドウィグは羽を逆立て、恨みがましい目でハリーを見た。

「くちばしをとがらせてツンツンしたってどうにもならないよ。二人でこれっきりなんだもの」

ハリーはきっぱり言った。

からの椀を餌差入口のそばに置き、ハリーはまたベッドに横になった。なんだかスープを飲む前より、もっとひもじかった。

たとえあと四週間生き延びても、ホグワーツに行かなかったらどうなるんだろう？　なぜ戻らないかを調べに、誰かをよこすだろうか？　ダーズリー一家に話して、ハリーを解放するようにできるのだろうか？

部屋の中が暗くなってきた。つかれはてて、グーグー鳴る空腹を抱え、答えのない疑問を何度もくり返し考えながら、ハリーはまどろみはじめた。

夢の中でハリーは動物園の檻《おり》の中にいた。「**半人前魔法使い**」と掲示板がかかっている。鉄格子のむこうから、みんながじろじろのぞいている。

ハリーは腹をすかせ、弱って、藁《わら》のベッドに横たわっている。見物客の中にドビーの顔を見つけて、ハリーは助けを求めた。しかし、ドビーは「ハリー・ポッターはそこにいれば安全でございます！」と言って姿を消した。

ダーズリー一家がやってきた。ダドリーが檻の鉄格子をガタガタ揺すって、ハリーのことを笑っている。

「やめてくれ」ガタガタという音が頭に響くのでハリーはつぶやいた。

「ほっといてくれよ……やめて……僕、眠りたいんだ……」

ハリーは目を開けた。

月明かりが窓の鉄格子を通して射《さ》し込んでいる。誰かが**ほんとうに**鉄格子の外からハリーをじろじろのぞいていた。そばかすだらけの、赤毛の、鼻の高い誰かが。
ロン・ウィーズリーが窓の外にいた。

第3章　隠れ穴

「ロン!」

ハリーは声を出さずに叫んだ。窓際に忍び寄り、鉄格子越しに話ができるように窓ガラスを上に押し上げた。

「ロン、いったいどうやって?——なんだい、これは?」

窓の外の様子が全部目に入ったとたん、ハリーはあっけにとられて口がポカンと開いてしまった。ロンはトルコ石色の旧式な車に乗り、後ろの窓から身を乗り出していた。その車は、**空中**に駐車している。前の座席からハリーに笑いかけているのは、ロンの双子の兄、フレッドとジョージだ。

「よう、ハリー、元気かい?」

「いったいどうしたんだよ」ロンだ。

「どうして僕の手紙に返事くれなかったんだい?　手紙を一ダースぐらい出して、家に泊まりにおいでって誘ったんだぞ。そしたらパパが家に帰ってきて、君がマグルの前で魔法を使ったから、公式警告を受けたって言うんだ……」

「僕じゃない——でも君のパパ、どうして知ってるんだろう?」

「パパは魔法省に勤めてるんだ。学校の外では、僕たち魔法をかけちゃいけないって、**君も知ってるだろ**——」

「自分のこと棚に上げて」ハリーは浮かぶ車から目を離さずに言った。

「あぁ、これはちがうよ。パパのなんだ。借りただけさ。**僕たちが**魔法をかけたわけじゃない。君の場合は、一緒に住んでるマグルの前で魔法をやっちゃったんだから……」

「言ったろう、僕じゃないって――でも話せば長いから、いまは説明できない。ねぇ、ホグワーツのみんなに説明してくれないかな、おじさんたちが僕を監禁して学校に戻れないようにしてるって。当然、魔法を使って出ていくこともできないよ。そんなことしたら、魔法省は僕が三日間のうちに二回も魔法を使ったと思うだろ。だから――」

「ごちゃごちゃ言うなよ」ロンが言った。「僕たち君を家に連れていくつもりで来たんだ」

「だけど魔法で僕を連れ出すことはできないだろ――」

「そんな必要ないよ。僕が誰と一緒に来たか、忘れちゃいませんか、だ」

ロンは運転席のほうをあごで指して、ニヤッと笑った。

フレッドがロープの端をハリーに放ってよこした。

「それを鉄格子に巻きつけろ」

「おじさんたちが目を覚ましたら、僕はおしまいだ」

ハリーが、ロープを鉄格子にかたく巻きつけながら言った。

「心配するな。下がって」フレッドがエンジンを吹かした。

ハリーは部屋の暗がりまで下がって、ヘドウィグの隣に立った。ヘドウィグは事の重大さがわかっているらしく、じっと静かにしていた。エンジンの音がだんだん大きくなり、突然バキッという音とともに、鉄格子が窓からすっぽりはずれた。フレッドはそのまま車を空中で直進させた――ハリーが窓際に駆け戻ってのぞくと、鉄格子が地上すれすれでぶらぶらしているのが見えた。ロンが息を切らしながらそれを車の中まで引っ張り上げた。ハリーは耳をそばだてたが、ダーズリー夫婦の寝室からはなんの物音も聞こえなかった。

鉄格子がロンと一緒に後部座席に無事収まると、フレッドは車をバックさせて、できるだけハリーのいる窓際に近づけた。

「乗れよ」とロン。

「だけど、僕のホグワーツのもの……杖《つえ》とか……箒《ほうき》とか……」

「どこにあるんだよ?」

「階段下の物置に。鍵がかかってるし、僕、この部屋から出られないし――」

「任せとけ」ジョージが助手席から声をかけた。「ハリー、ちょっとどいてろよ」

フレッドとジョージがそうっと窓を乗り越えて、ハリーの部屋に入ってきた。

ジョージがなんでもない普通のヘアピンをポケットから取り出して鍵穴にねじ込んだのを見て、ハリーは舌を巻いた――この二人には、まったく負けるよな――。

「マグルの小技なんて、習うだけ時間のムダだってバカにする魔法使いが多いけど、知ってても損はないぜ。ちょっとトロいけどな」とフレッド。

カチャッと小さな音がして、ドアがパッと開いた。

「それじゃ――僕たちはトランクを運び出す――君は部屋から必要なものを片っぱしからかき集めて、ロンに渡してくれ」ジョージがささやいた。

「一番下の階段に気をつけて。きしむから」

踊り場の暗がりに消えていく双子の背中に向かって、ハリーがささやき返した。

ハリーは部屋を飛び回って持ち物をかき集め、窓のむこう側のロンに渡した。それからフレッドとジョージが重いトランクを持ち上げて階段を上ってくるのに手を貸した。バーノンおじさんが咳《せき》をするのが聞こえた。

フーフー言いながら、三人はやっと踊り場までトランクを担ぎ上げ、それからハリーの部屋の中を通って窓際に運んだ。フレッドが窓を乗り越えて車に戻り、ロンと一緒にトランクを引っ張り、ハリーとジョージは部屋の中から押した。じりっじりっとトランクが窓の外に出ていった。

バーノンおじさんがまた咳をしている。

「もうちょい」車の中から引っ張っていたフレッドが、あえぎながら言った。「あとひと押し……」

ハリーとジョージがトランクを肩の上にのせるようにしてぐっと押すと、トランクは窓からすべり出て車の後部座席に収まった。

「オーケー。行こうぜ」ジョージがささやいた。

ハリーが窓枠をまたごうとしたとたん、後ろから突然大きな鳴き声がして、それを追いかけるようにおじさんの雷のような声が響いた。

「あのいまいましいふくろうめが！」

「ヘドウィグを忘れてた！」

ハリーが部屋の隅まで駆け戻ったその時、パチッと踊り場の明かりがついた。ハリーは鳥かごを引っつかんで窓までダッシュし、かごをロンにパスした。それから急いでたんすをよじ登ったが、その時、すでに鍵のはずれているドアをおじさんがドーンとたたき——ドアがバターンと開いた。

一瞬、バーノンおじさんの姿が額縁の中の人物のように、四角い戸口の中で立ちすくんだ。次の瞬間、おじさんは怒れる猛牛のように鼻息を荒らげ、ハリーに飛びかかり、足首をむんずとつかんだ。

ロン、フレッド、ジョージがハリーの腕をつかんで、力のかぎり、ぐいと引っ張った。

「ペチュニア！」おじさんがわめいた。「やつが逃げる！　**やつが逃げるぞー！**」

ウィーズリー三兄弟が満身の力でハリーを引っ張った。ハリーの足がおじさんの手からスルリと抜けた。ハリーが車に乗り、ドアをバタンと閉めたと見るやいなや、ロンが叫んだ。

「フレッド、いまだ！　アクセルを踏め！」

そして車は月に向かって急上昇した。

自由になった――ハリーはすぐには信じられなかった。車のウィンドウを開け、夜風に髪をなびかせ、後ろを振り返ると、プリベット通りの家並みの屋根がだんだん小さくなっていくのが見えた。バーノンおじさん、ペチュニアおばさん、ダドリーの三人が、ハリーの部屋の窓から身を乗り出し、ぼうぜんとしていた。

「来年の夏にまたね！」ハリーが叫んだ。

ウィーズリー兄弟は大声で笑い、ハリーも座席に収まって、顔中をほころばせていた。

「ヘドウィグを放してやろう」ハリーがロンに言った。「後ろからついてこられるから。ずーっと、一度も羽を伸ばしてないんだよ」

ジョージがロンにヘアピンを渡した。まもなく、ヘドウィグはうれしそうに窓から空へと舞い上がり、白いゴーストのように車に寄り添って、すべるように飛んだ。

「さあ――ハリー、話してくれるかい？　いったい何があったんだ？」

ロンが待ちきれないように聞いた。

ハリーはドビーのこと、自分への警告のこと、スミレの砂糖漬けデザート騒動のことなどを全部話して聞かせた。話し終わると、しばらくの間、ショックでみんなだまりこくってしまった。

「そりゃ、くさいな」

フレッドがまず口を開いた。

「まったく、怪しいな」ジョージがあいづちを打った。「それじゃ、ドビーは、いったい誰がそんな罠《わな》を仕掛けてるのかさえ教えなかったんだな？」

「教えられなかったんだと思う。いまも言ったけど、もう少しで何かもらしそうになるたびに、ドビーは壁に頭をぶっつけはじめるんだ」とハリーが答えた。

「もしかして、ドビーが僕にうそついてたって言いたいの？」

フレッドとジョージが顔を見合わせたのを見て、ハリーが聞いた。

「ウーン、なんと言ったらいいかな」フレッドが答えた。「『屋敷しもべ妖精』ってのは、それなりの魔力があるんだ。だけど、普通は主人の許しがないと使えない。ドビーのやつ、君がホグワーツに戻ってこないようにするために、送り込まれてきたんじゃないかな。誰かの悪い冗談だ。学校で君に恨みをもってるやつ、誰か思いつかないか？」

「いる」ハリーとロンがすかさず同時に答えた。

「ドラコ・マルフォイ。あいつ、僕を憎んでる」ハリーが説明した。

「ドラコ・マルフォイだって？」ジョージが振り返った。

「ルシウス・マルフォイの息子じゃないのか？」

「たぶんそうだ。ざらにある名前じゃないもの。だろ？　でも、どうして？」とハリー。

「パパがそいつのこと話してるのを、聞いたことがある。『例のあの人』の大の信奉者《しんぽうしゃ》だったって」とジョージ。

「ところが、『例のあの人』が消えたとなると」今度はフレッドが前の席から首を伸ばして、ハリーを振り返りながら言った。「ルシウス・マルフォイときたら、戻ってくるなり、すべて本心じゃなかったって言ったそうだ。嘘《うそ》八百さ――パパはやつが『例のあの人』の腹心の部下だったと思ってる」

ハリーは前にもマルフォイ一家のそんなうわさを聞いたことがあったし、うわさを聞いても特に驚きもしなかった。マルフォイを見ていると、ダーズリー家のダドリーでさえ、親切で、思いやりがあって、感じやすい少年に思えるぐらいだ。

「マルフォイ家に『屋敷しもべ』がいるかどうか、僕知らないけど……」ハリーが言った。

「まあ、誰が主人かは知らないけど、魔法族の旧家で、しかも金持ちだね」とフレッド。

「ああ、ママなんか、アイロンかけする『しもべ妖精』がいたらいいのにって、しょっちゅう言ってるよ。だけど家にいるのは、やかましい屋根裏お化けと庭に巣食ってる小人だけだもんな。『屋敷しもべ妖精』は、大きな館とか城とかそういう所にいるんだ。俺たちの家なんかには、絶対に来やしないさ……」とジョージ。

ハリーはだまっていた。ドラコ・マルフォイがいつも最高級のものを持っていることから考えても、マルフォイ家には魔法使いの金貨が唸《うな》っているのだろう。マルフォイが大きな館の中をいばって歩いている様子が、ハリーには目に浮かぶようだった。「屋敷しもべ」を送ってよこし、ハリーをホグワーツに戻れなくしようとするなんて、まさにマルフォイならやりかねない。ドビーの言うことを信じたハリーがばかだったんだろうか？

「とにかく、迎えにきてよかった」ロンが言った。「いくら手紙を出しても返事をくれないんで、僕、ほんとに心配したぜ。初めはエロールのせいかと思ったけど――」

「エロールって誰？」

「うちのふくろうさ。彼はもう化石だよ。何度も配達の途中でへばってるし。だからヘルメスを借りようとしたけど――」

「**誰を？**」

「パーシーが監督生になったとき、パパとママが、パーシーに買ってやったふくろうさ」フレッドが前の座席から答えた。

「だけど、パーシーは僕に貸してくれなかったろうな。自分が必要だって言ってたもの」とロン。

「パーシーのやつ、この夏休みの行動がどうも変だ」ジョージが眉をひそめた。

「実際、山ほど手紙を出してる。それに、部屋に閉じこもってる時間も半端じゃない……考えてもみろよ、監督生バッジを磨くったって限度があるだろ……。フレッド、西にそれすぎだぞ」

ジョージが計器盤のコンパスを指差しながら言った。フレッドがハンドルを回した。

「じゃ、お父さんは、君たちがこの車を使ってること知ってるの？」

ハリーは聞かなくても答えはわかっているような気がした。

「ン、いや」ロンが答えた。「パパは今夜仕事なんだ。僕たちが車を飛ばしたことをママに気づかれないうちに、車庫に戻そうって仕掛けさ」

「お父さんは、魔法省でどういうお仕事なの？」

「一番つまんないとこさ」とロン。「マグル製品不正使用取締局」

「**マグル何局**だって？」

「マグルの作ったものに魔法をかけることに関係があるんだ。つまり、それがマグルの店や家庭に戻されたときの問題なんだけど。去年なんか、あるおばあさん魔女が死んで、持ってた紅茶セットが古道具屋に売りに出されたんだ。どこかのマグルのおばさんがそれを買って、家に持って帰って、友達にお茶を出そうとしたのさ。そしたら、ひどかったなあ――パパは何週間も残業だったよ」

「いったい何が起こったの？」

「お茶のポットが大暴れして、熱湯をそこいら中に噴き出して、そこにいた男の人なんか砂糖つまみの道具で鼻をつままれて、病院に担ぎ込まれてさ。パパはてんてこまいだったよ。同じ局には、パパともう一人、パーキンズっていう年寄りしかいないんだから。二人して記憶を消す呪文とかいろいろもみ消し工作だよ……」

「だけど、君のパパって……この車とか……」

フレッドが声を上げて笑った。

「そうさ。親父《おやじ》ったら、マグルのことにはなんでも興味津々で、家の納屋なんか、マグルのものがいっぱい詰まってる。親父はみんなバラバラにして、魔法をかけて、また組み立てるのさ。もし親父が自分の家を抜き打ち調査したら、たちまち自分を逮捕しなくちゃ。母さんはそれが気が気でないのさ」

「大通りが見えたぞ」ジョージがフロントガラスから下をのぞき込んで言った。「十分で着くな……よかった。もう夜が明けてきたし……」

東の地平線がほんのり桃色に染まっていた。

フレッドが車の高度を下げ、ハリーの目に、畑や木立の茂みが黒っぽいパッチワークのように見えてきた。

「僕らの家は」ジョージが話しかけた。「オッタリー・セント・キャッチポールっていう村から少しはずれたとこにあるんだ」

空飛ぶ車は徐々に高度を下げた。木々の間から、真っ赤な曙光《しょこう》が射《さ》し込みはじめた。

「着地成功！」

フレッドの言葉とともに、車は軽く地面を打ち、一行は着陸した。着陸地点は小さな庭のぼろぼろの車庫の脇だった。初めて、ハリーはロンの家を眺めた。

かつては大きな石造りの豚小屋だったかもしれない。あっちこっちに部屋をくっつけて、数階建ての家になったように見えた。くねくねと曲がっているし、まるで魔法で支えているようだった（きっとそうだ、とハリーは思った）。赤い屋根に煙突が四、五本、ちょこんとのっかっている。入口近くに看板が少し傾いて立っていた。「隠れ穴」と書いてある。玄関の戸の周りに、ゴム長靴がごたまぜになって転がり、思いっきりさびついた大鍋が置いてある。まるまると太った茶色の鶏が数羽、庭で餌をついばんでいた。

「たいしたことないだろ」とロンが言った。

「**すっごいよ**」ハリーは、プリベット通りをちらっと思い浮かべ、幸せな気分で言った。

四人は車を降りた。

「さあ、みんな、そーっと静かに二階に行くんだ」フレッドが言った。「母さんが朝食ですよって呼ぶまで待つ。それから、ロン、おまえが下に飛びはねながら下りて行って言うんだ。『ママ、夜の間に誰が来たと思う！』そうすりゃハリーを見て母さんは大喜びで、俺たちが車を飛ばしたなんてだーれも知らなくてすむ」

「了解。じゃ、ハリーおいでよ。僕の寝室は——」

ロンはサーッと青ざめた。目が一か所に釘《くぎ》づけになっている。あとの三人が急いで振り返った。

ウィーズリー夫人が、庭のむこうから鶏を蹴散らして猛然と突き進んでくる。小柄な丸っこい、やさしそうな顔の女性なのに、鋭い牙をむいたサーベルタイガーにそっくりなのは、なかなか見ものだった。

「**アチャ！**」とフレッド。

「こりゃ、ダメだ」とジョージ。

ウィーズリー夫人は四人の前でぴたりと止まった。両手を腰に当てて、バツの悪そうな顔を一つ一つずいーっとにらみつけた。花柄のエプロンのポケットから魔法の杖がのぞいている。

「**それで？**」と一言。

「おはよう、ママ」ジョージが、自分ではほがらかに愛想よく挨拶したつもりだった。

「母さんがどんなに心配したか、あなたたち、わかってるの？」ウィーズリー夫人の低い声はすごみが効いていた。

「ママ、ごめんなさい。でも、僕たちどうしても――」

三人の息子はみんな母親より背が高かったが、母親の怒りが爆発すると、三人とも縮こまった。

「**ベッドはからっぽ！　メモも置いてない！　車は消えてる……事故でも起こしたのかもしれない……心配で心配でいても立ってもいられなかったわ……わかってるの？**　……こんなことは初めてだわ……**お父さまがお帰りになったら覚悟なさい。ビルやチャーリーやパーシーは、こんな苦労はかけなかったのに……**」

「完璧・パーフェクト・パーシー」フレッドがつぶやいた。

「**パーシーの爪のあかでもせんじて飲みなさい！**」ウィーズリー夫人はフレッドの胸に指を突きつけてどなった。「あなたたち**死んでしまったかもしれない**のよ。姿を**見られたかもしれない**のよ。お父さまが**お仕事を失う**ことになったかもしれないのよ――」

この調子がまるで何時間も続くかのようだった。ウィーズリー夫人は声がかれるまでどなり続け、それからふとハリーのほうに向きなおった。ハリーはたじたじと、あとずさりした。

「まあ、ハリー、よく来てくださったわねえ。家へ入って、朝食をどうぞ」

ウィーズリー夫人はそう言うと、くるりと向きを変えて家のほうに歩きだした。ハリーはどうしようかとロンをちらりと見たが、ロンが大丈夫というようにうなずいたので、あとについていった。

台所は小さく、かなり狭苦しかった。しっかり洗い込まれた木のテーブルと椅子が、真ん中に置かれている。ハリーは椅子の端っこに腰かけて周りを見渡した。魔法使いの家に入ったのは初めてだった。

ハリーの反対側の壁にかかっている時計には針が一本しかなく、数字が一つも書かれていない。そのかわり、「お茶をいれる時間」「鶏に餌をやる時間」「遅刻よ」などと書き込まれていた。暖炉の上には本が三段重ねに積まれている。『自家製魔法チーズのつくり方』『お菓子をつくる楽しい呪文』『一分間でごちそうを――まさに魔法だ！』などの本がある。流しの脇に置かれた古ぼけたラジオから、放送が聞こえてきた。ハリーの耳が確かなら、こう言っている。「次は『魔女の時間』です。人気歌手の魔女セレスティナ・ワーベックをお迎えしてお送りします」

ウィーズリー夫人は、あちこちガチャガチャいわせながら、行き当たりばったり気味に朝食を作っていた。息子たちには怒りのまなざしを投げつけ、フライパンにソーセージを投げ入れた。ときどき低い声で「おまえたちときたら、**いったい何を**考えてるやら」とか、「こんなこと、**絶対**、思ってもみなかったわ」と、ブツブツ言った。

「**あなたのこと**は責めていませんよ」

ウィーズリー夫人はフライパンを傾けて、ハリーのお皿に八本も九本もソーセージをすべり込ませながら念を押した。

「アーサーと二人であなたのことを心配していたの。昨夜も、金曜日までにあなたからロンへの返事が来なかったら、私たちがあなたを迎えにいこうって話をしていたぐらいよ。でもねぇ」

今度は目玉焼きが三個もハリーの皿に入れられた。

「不正使用の車で国中の空の半分も飛んでくるなんて――誰かに見られてもおかしくないでしょう――」

彼女があたりまえのように、流しに向かって杖をひと振りすると、中で勝手に皿洗いが始まった。カチャカチャと軽い音が聞こえてきた。

「ママ、曇り空だったよ！」とフレッド。

「ものを食べてるときはおしゃべりしないこと！」ウィーズリー夫人が一喝した。

「ママ、連中はハリーを餓死させるとこだったんだよ！」とジョージ。

「おまえもおだまり！」とウィーズリー夫人がどなった。そのあとハリーのためにパンを切って、バターを塗りはじめると、前よりややわらいだ表情になった。

その時、みんなの気をそらすことが起こった。ネグリジェ姿の小さな赤毛の女の子が、台所に現れたと思うと、「キャッ」と小さな悲鳴を上げて、また走り去ってしまったのだ。

「ジニーだ」ロンが小声でハリーにささやいた。「妹だよ。夏休み中ずっと、君のことばっかり話してた」

「ああ、ハリー、君のサインを欲しがるぜ」フレッドがニヤッとしたが、母親と目が合うと、とたんにうつむいて、あとは黙々と朝食を食べた。四つの皿がからになるまで――あっという間にからになったが――あとは誰も一言もしゃべらなかった。

「なんだかつかれたぜ」

フレッドがやっとナイフとフォークを置き、あくびをした。

「僕、ベッドに行って……」

「行きませんよ」ウィーズリー夫人の一言が飛んできた。

「夜中起きていたのは自分が悪いんです。庭に出て庭小人《にわこびと》を駆除しなさい。また手に負えないぐらい増えています」

「ママ、そんな――」

「おまえたち二人もです」夫人はロンとジョージをぎろっとにらみつけた。

「ハリー。あなたは上に行って、お休みなさいな。あのしょうもない車を飛ばしてくれって、あなたが頼んだわけじゃないんですもの」

「僕、ロンの手伝いをします。庭小人駆除って見たことがありませんし――」

ばっちり目が覚めていたハリーは、急いでそう言った。

「まあ、やさしい子ね。でも、つまらない仕事なのよ」とウィーズリー夫人が言った。

「さて、ロックハートがどんなことを書いているか見てみましょう」

ウィーズリー夫人は暖炉の上の本の山から、分厚い本を引っ張り出した。

「ママ、僕たち、庭小人の駆除のやり方ぐらい知ってるよ」ジョージが唸った。

ハリーは本の背表紙を見て、そこにでかでかと書かれている豪華な金文字の書名を読みとった。

『ギルデロイ・ロックハートのガイドブック――一般家庭の害虫』

表紙には大きな写真が見える。波打つブロンド、輝くブルーの瞳の、とてもハンサムな魔法使いだ。魔法界ではあたりまえのことだが、写真は動いていた。表紙の魔法使い――ギルデロイ・ロックハートなんだろうな、とハリーは思った――は、いたずらっぽいウィンクを投げ続けている。ウィーズリー夫人は写真に向かってニッコリした。

「あぁ、彼ってすばらしいわ。家庭の害虫についてほんとによくご存じ。この本、とてもいい本だわ……」

「ママったら、彼にお熱なんだよ」フレッドはわざと聞こえるようなささやき声で言った。

「フレッド、バカなことを言うんじゃないわよ」

ウィーズリー夫人は、ほおをほんのり紅《あか》らめていた。

「いいでしょう。ロックハートよりよく知っていると言うのなら、庭に出て、お手並みを見せていただきましょうか。あとで私が点検に行ったとき、庭小人が一匹でも残ってたら、そのときに後悔しても知りませんよ」

あくびをしながら、ブツクサ言いながら、ウィーズリー三兄弟はだらだらと外に出た。ハリーはそのあとに従った。広い庭で、ハリーにはこれこそが庭だと思えた。ダーズリー一家はきっと気に入らないだろう――雑草が生い茂り、芝生は伸び放題だった。しかし、壁の周りは曲がりくねった木でぐるりと囲まれ、花壇という花壇には、ハリーが見たこともないような植物があふれるばかりに茂っていたし、大きな緑色の池はカエルでいっぱいだった。

「マグルの庭にも飾り用の小人が置いてあるの、知ってるだろ」ハリーは芝生を横切りながらロンに言った。

「あぁ、マグルが庭小人だと思っているやつは見たことがある」

ロンは腰を曲げて芍薬《しゃくやく》の茂みに首を突っ込みながら応えた。

「太ったサンタクロースの小さいのが釣りざおを持ってるような感じだったな」

突然ドタバタと荒っぽい音がして芍薬の茂みが震え、ロンが身を起こした。

「**これぞ**」ロンが重々しく言った。「ほんとの庭小人なのだ」

「放せ！　放しやがれ！」小人はキーキーわめいた。

なるほど、サンタクロースとは似ても似つかない。小さく、ごわごわした感じで、ジャガイモそっくりのデコボコした大きなハゲ頭だ。硬い小さな足でロンを蹴飛ばそうと暴れるので、ロンは腕を伸ばして小人をつかんでいた。それから足首をつかんで小人を逆さまにぶら下げた。

「こうやらないといけないんだ」

ロンは小人を頭の上に持ち上げて――「放せ！」小人がわめいた――投げ縄を投げるように大きく円

を描いて小人を振り回しはじめた。ハリーがショックを受けたような顔をしているので、ロンが説明した。「小人を**傷つける**わけじゃないんだ――ただ、完全に目を回させて、巣穴に戻る道がわかんないようにするんだ」

ロンが小人の足首から手を放すと、小人は宙を飛んで、五、六メートル先の垣根の外側の草むらにドサッと落ちた。

「それっぽっちか！」フレッドが言った。「俺なんかあの木の切り株まで飛ばしてみせるぜ」

ハリーもたちまち小人がかわいそうだと思わないようになった。捕獲第一号を垣根のむこうにそっと落としてやろうとしたとたん、ハリーの弱気を感じ取った小人がかみそりのような歯をハリーの指に食い込ませたのだ。ハリーは振り払おうとしてさんざんてこずり、ついに――。

「ひゃー、ハリー、十五、六メートルは飛んだぜ……」

宙を舞う庭小人でたちまち空が埋め尽くされた。

「な？　連中はあんまり賢くないだろ」

一度に五、六匹を取り押さえながらジョージが言った。

「庭小人駆除が始まったとわかると、連中は寄ってたかって見物に来るんだよ。巣穴の中でじっとしているほうが安全だって、いいかげんわかってもいいころなのにさ」

やがて、外の草むらに落ちた庭小人の群れが、あちこちにだらだらと列を作り、小さな背中を丸めて歩きだした。

「また戻ってくるさ」

小人たちが草むらのむこうの垣根の中へと姿をくらますのを見ながらロンが言った。

「連中はここが気に入ってるんだから……パパったら連中に甘いんだ。おもしろいやつらだと思ってるらしくて……」

ちょうどその時、玄関のドアがバタンと音を立てた。

「うわさをすれば、だ！」ジョージが言った。「親父が帰ってきた！」

四人は大急ぎで庭を横切り、家に駆け戻った。

ウィーズリー氏は台所の椅子にドサッと倒れ込み、めがねをはずし、目をつむっていた。細身でハゲていたが、わずかに残っている髪は子供たちとまったく同じ赤毛だった。ゆったりと長い緑のローブはほこりっぽく、旅づかれしていた。

「ひどい夜だったよ」

子供たちが周りに座ると、ウィーズリー氏はお茶のポットをまさぐりながらつぶやいた。

「九件も抜き打ち調査したよ。九件もだぞ！　マンダンガス・フレッチャーのやつめ、私がちょっと後ろを向いたすきに呪いをかけようとし……」

ウィーズリー氏はお茶をゆっくりひと口飲むと、フーッとため息をついた。

「パパ、何かおもしろいもの見つけた？」とフレッドが急《せ》き込んで聞いた。

「私が押収したのはせいぜい、縮む鍵が数個と、かみつくやかんが一個だけだった」ウィーズリー氏はあくびをした。

「かなりすごいのも一つあったが、私の管轄じゃなかった。モートレイクが引っ張られて、何やらひどく奇妙なイタチのことで尋問を受けることになったが、ありゃ、**実験的呪文委員会**の管轄だ。やれやれ……」

「鍵なんか縮むようにして、なんになるの？」ジョージが聞いた。

「マグルをからかう餌だよ」ウィーズリー氏がまたため息をついた。「マグルに鍵を売って、いざ鍵を使うときには縮んで鍵が見つからないようにしてしまうんだ……もちろん、犯人を挙げることは至極難しい。マグルは鍵が縮んだなんて誰も認めないし――連中は鍵をなくしたって言い張るんだ。まったくおめでたいよ。魔法を鼻先に突きつけられたって徹底的に無視しようとするんだから……。しかし、我々魔法使いの仲間が呪文をかけたものときたら、まったくとほうもないものが――」

「**たとえば車なんか？**」

ウィーズリー夫人が登場した。長い火かき棒を刀のように握っている。ウィーズリー氏の目がパッチリ開いた。奥さんをバツの悪そうな目で見た。

「モリー、母さんや。く、くるまとは？」

「ええ、アーサー、そのくるまです」ウィーズリー夫人の目はらんらんだ。「ある魔法使いが、さびついたオンボロ車を買って、奥さんには仕組みを調べるので分解するとかなんとか言って、**実は**呪文をかけて車が**飛べる**ようにした、というお話がありますわ」

ウィーズリー氏は目をパチパチしばたたいた。

「ねえ、母さん。わかってもらえると思うが、それをやった人は法律の許す範囲でやっているんで。ただ、えー、その人はむしろ、エヘン、奥さんに、なんだ、それ、ホントのことを……。法律というのは知ってのとおり、抜け穴があって……その車を飛ばす**つもりがなければ**、その車がたとえ飛ぶ**能力を持っていたとしても**、それだけでは――」

「アーサー・ウィーズリー。あなたが法律を作ったときに、しっかりと抜け穴を書き込んだんでしょう！」ウィーズリー夫人が声を張り上げた。

「あなたが、納屋いっぱいのマグルのがらくたにいたずらしたいから、だから、そうしたんでしょう！　申し上げますが、ハリーが今朝到着しましたよ。あなたが飛ばすおつもりがないと言った車でね！」

「ハリー？」ウィーズリー氏はポカンとした。「どのハリーだね？」

ぐるりと見渡してハリーを見つけると、ウィーズリー氏は飛び上がった。

「なんとまあ、ハリー・ポッター君かい？　よく来てくれた。ロンがいつも君のことを——」

「**あなたの息子たちが、昨夜ハリーの家まで車を飛ばしてまた戻ってきたんです！**」

ウィーズリー夫人はどなり続けた。

「何かおっしゃりたいことはありませんの。え？」

「やったのか？」ウィーズリー氏はうずうずしていた。「うまくいったのか？　つ、つまりだ——」

ウィーズリー夫人の目から火花が飛び散るのを見て、ウィーズリー氏は口ごもった。

「そ、それは、おまえたち、イカン——そりゃ、絶対イカン……」

「二人にやらせとけばいい」

ウィーズリー夫人が大きな食用ガエルのようにふくれ上がったのを見て、ロンがハリーにささやいた。

「来いよ。僕の部屋を見せよう」

二人は台所を抜け出し、狭い廊下を通ってデコボコの階段にたどり着いた。階段はジグザグと上のほうに伸びていた。三番目の踊り場のドアが半開きになっていて、中から明るいとび色の目が二つ、ハリーを見つめていた。ハリーがちらっと見るか見ないうちにドアはピシャッと閉じてしまった。

「ジニーだ」ロンが言った。「妹がこんなにシャイなのもおかしいんだよ。いつもならおしゃべりばかりしてるのに——」

それから二つ、三つ踊り場を過ぎて、ペンキのはげかけたドアにたどり着いた。小さな看板がかかり、「ロナルドの部屋」と書いてあった。

中に入ると、切妻の斜め天井に頭がぶつかりそうだった。ハリーは目をしばたたいた。まるで炉の中に入り込んだように、ロンの部屋の中はほとんど何もかも、ベッドカバー、壁、天井までも、燃えるようなオレンジ色だった。よく見ると、粗末な壁紙を隅から隅までびっしりと埋め尽くして、ポスターが貼ってある。どのポスターにも七人の魔法使いの男女が、鮮やかなオレンジ色のユニフォームを着て、箒を手に、元気よく手を振っていた。

「ごひいきのクィディッチ・チームかい？」

「チャドリー・キャノンズさ」

ロンはオレンジ色のベッドカバーを指差した。黒々と大きなCの文字が二つと、風を切る砲丸の縫い取りがしてある。「ランキング九位だ」

呪文の教科書が、隅のほうにぐしゃぐしゃと積まれ、その脇のマンガの本の山は、みんな『マッドなマグル、マーチン・ミグズの冒険』シリーズだった。ロンの魔法の杖は窓枠のところに置かれ、その下の水槽の中にはびっしりとカエルの卵がついている。その脇で、太っちょの灰色ネズミ、ロンのペットのスキャバーズが日だまりでスースー眠っていた。

床に置かれた「勝手にシャッフルするトランプ」をまたいで、ハリーは小さな窓から外を見た。ずっと下のほうに広がる野原から、庭小人の群れが一匹また一匹と垣根をくぐってこっそり庭に戻ってくるのが見えた。

振り返るとロンが、緊張気味にハリーを見ていた。ハリーがどう思っているのか気にしているような顔だ。

「ちょっと狭いけど」

ロンがあわてて口を開いた。

「君のマグルのとこの部屋みたいじゃないけど。それに、僕の部屋、屋根裏お化けの真下だし。あいつ、しょっちゅうパイプをたたいたり、うめいたりするんだ……」

ハリーは思いっきりニッコリした。

「僕、こんなすてきな家は生まれて初めてだ」

ロンは耳元をポッと紅らめた。

第4章　フローリシュ・アンド・ブロッツ書店

「隠れ穴」での生活はプリベット通りとは思いっきりちがっていた。ダーズリー一家は何事も四角四面でないと気に入らなかったが、ウィーズリー家はへんてこで、度肝を抜かれることばかりだった。台所の暖炉の上にある鏡を最初にのぞき込んだとき、ハリーはどっきりした。鏡が大声を上げたからだ。

「**だらしないぞ、シャツをズボンの中に入れろよ！**」

屋根裏お化けは、家の中が静かすぎると思えばわめくし、パイプを落とすし、フレッドとジョージの部屋から小さな爆発音が上がっても、みんなあたりまえという顔をしていた。

しかし、ロンの家での生活でハリーが一番不思議だと思ったのは、おしゃべり鏡でも、うるさいお化けでもなく、みんながハリーを好いているらしいということだった。

ウィーズリーおばさんは、ハリーのソックスがどうのこうのと小うるさかったし、食事のたびに無理やり四回もおかわりさせようとした。ウィーズリーおじさんは、夕食の席でハリーを隣に座らせたがり、マグルの生活について次から次と質問攻めにし、電気のプラグはどう使うのかとか、郵便はどんなふうに届くのかなどを知りたがった。

「**おもしろい！**」

電話の使い方を話して聞かせると、おじさんは感心した。

「まさに、**独創的**だ。マグルは魔法を使えなくてもなんとかやっていく方法を、実にいろいろ考えるものだ」

「隠れ穴」に来てから一週間ほどたった、ある上天気の朝、ホグワーツからハリーに手紙が届いた。朝食をとりにロンと一緒に台所に下りていくと、ウィーズリー夫婦とジニーがもうテーブルについていた。ハリーを見たとたん、ジニーはオートミール用の深皿を、うっかりひっくり返して床に落としてしまい、皿はカラカラと大きな音を立てた。ハリーがジニーのいる部屋に入ってくるたびに、どうもジニーは物をひっくり返しがちだった。テーブルの下にもぐって皿を拾い、またテーブルの上に顔を出したときには、ジニーは真っ赤な夕日のような顔をしていた。ハリーは何も気がつかないふりをしてテーブルにつき、ウィーズリーおばさんが出してくれたトーストをかじった。

「学校からの手紙だ」

ウィーズリーおじさんが、ハリーとロンにまったく同じような封筒を渡した。黄色味がかった羊皮紙の上に、緑色のインクで宛名が書いてあった。

「ハリー、ダンブルドアは、君がここにいることをもうご存じだ――何一つ見逃さない方だよ、あの方は。ほら、おまえたち二人にも来てるぞ」

パジャマ姿のフレッドとジョージが、目の覚めきっていない足取りで台所に入ってきたところだった。みんなが手紙を読む間、台所はしばらく静かになった。ハリーへの手紙には、去年と同じく九月一日にキングズ・クロス駅の九と四分の三番線からホグワーツ特急に乗るようにと書いてあった。新学期用の新しい教科書のリストも入っていた。

二年生は次の本を準備すること。

『基本呪文集（二学年用）』　ミランダ・ゴズホーク著

『泣き妖怪バンシーとのナウな休日』　ギルデロイ・ロックハート著

『グールお化けとのクールな散策』　ギルデロイ・ロックハート著
『鬼婆《おにばば》とのオツな休暇』　ギルデロイ・ロックハート著
『トロールとのとろい旅』　ギルデロイ・ロックハート著
『バンパイアとバッチリ船旅』　ギルデロイ・ロックハート著
『狼男《おおかみおとこ》との大いなる山歩き』　ギルデロイ・ロックハート著
『雪男とゆっくり一年』　ギルデロイ・ロックハート著

フレッドは自分のリストを読み終えて、ハリーのをのぞき込んだ。

「君のもロックハートの本のオンパレードだ！『闇の魔術に対する防衛術』の新しい先生はロックハートのファンだぜ――きっと魔女だ」

ここでフレッドの目と母親の目が合った。フレッドはあわててママレードを塗りたくった。

「この一式は安くないぞ」ジョージが両親のほうをちらりと見た。「ロックハートの本は何しろ高いんだ……」

「まあ、なんとかなるわ」

そう言いながら、おばさんは少し心配そうな顔をした。

「たぶん、ジニーのものはお古ですませられると思うし……」

「あぁ、君も今年ホグワーツ入学なの？」ハリーがジニーに聞いた。

ジニーはうなずきながら、真っ赤な髪の根元の所まで顔を真っ赤にし、バターの入った皿にひじを突っ込んだ。幸運にもそれを見たのはハリーだけだった。ちょうどロンの兄のパーシーが台所に入ってきたからだ。ちゃんと着替えて、手編みのタンクトップに監督生バッジをつけていた。

「みなさん、おはよう。いい天気ですね」パーシーがさわやかに挨拶した。

パーシーはたった一つあいていた椅子に座ったが、とたんにはじけるように立ち上がり、尻の下から、ぼろぼろ毛の抜けた灰色の毛ばたき——少なくともハリーにはそう思えた——を引っ張り出した。毛ばたきは息をしていた。

「エロール！」

ロンがよれよれのふくろうをパーシーから引き取り、翼の下から手紙を取り出した。「**やっと来た**——エロールじいさん、ハーマイオニーからの返事を持ってきたよ。ハリーをダーズリーの所から助け出すつもりだって、手紙を出したんだ」

ロンは勝手口の内側にある止まり木までエロールを運んでいって、止まらせようとしたが、エロールはポトリと床に落ちてしまった。

「悲劇的だよな」とつぶやきながら、ロンはエロールを食器の水切り棚の上にのせてやった。それから封筒をビリッと破り、手紙を読み上げた。

ロン、ハリー（そこにいる？）

お元気ですか。すべてうまくいって、ハリーが無事なことを願っています。それに、ロン、あなたがハリーを救い出すとき、違法なことをしなかったことを願っています。そんなことをしたら、ハリーも困ったことになりますからね。私はほんとうに心配していたのよ。ハリーが無事なら、お願いだからすぐに知らせてね。だけど、別なふくろうを使ったほうがいいかもしれません。もう一回配達させたら、あなたのふくろうは、それでもうおしまいになってしまうかもしれないもの。

私はもちろん、勉強でとても忙しくしています。

「マジかよ、おい」ロンが恐怖の声を上げた。「休み中だぜ！」

――私たち、水曜日に新しい教科書を買いにロンドンに行きます。ダイアゴン横丁でお会いしませんか？

近況をなるべく早く知らせてね。

ではまた。

ハーマイオニー

「ちょうどいいわ。私たちも出かけて、あなたたちの分をそろえましょう」

ウィーズリーおばさんがテーブルを片づけながら言った。

「今日はみんなどういうご予定？」

ハリー、ロン、フレッド、ジョージは、丘の上にあるウィーズリー家の小さな牧場に出かける予定だった。その草むらは周りを木立で囲まれ、下の村からは見えないようになっていた。つまり、あまり高く飛びさえしなければクィディッチの練習ができるというわけだ。本物のボールを使うわけにはいかない。もしもボールが逃げ出して村のほうに飛んでいったら、説明のしようがないからだ。かわりに、四人はリンゴでキャッチボールをした。みんなで、かわりばんこにハリーのニンバス２０００に乗ってみたが、ニンバス２０００はやっぱり圧巻だった。ロンの中古の箒《ほうき》「流れ星《シューティング・スター》」は、そばを飛んでいる蝶《ちょう》にさえ追い抜かれた。

五分後、四人は箒を担ぎ、丘に向かって行進していた。パーシーも一緒に来ないかと誘ったが、忙しいと断られた。ハリーは食事のときしかパーシーを見たことがなかった。あとはずっと、部屋に閉じこもりきりだった。

「パーシーのやつ、いったい何を考えてるんだか」フレッドが眉をひそめながら言った。

「あいつらしくないんだ。君が到着する前の日に、統一試験の結果が届いたんだけど、なんと、パーシーは十二学科とも全部パスして、『十二ふくろう』だったのに、ニコリともしないんだぜ」

『ふくろう』って、十五歳になったら受ける試験で、普通（O）魔法（W）レベル（L）試験、つまり頭文字を取ってO《ふ》・W《くろ》・L《う》のことさ」

ハリーがわかっていない顔をしたので、ジョージが説明した。

「ビルも十二だったたな。へたすると、この家からもう一人首席が出てしまうぞ。俺はそんな恥には耐えられないぜ」

ビルはウィーズリー家の長男だった。ビルも次男のチャーリーもホグワーツを卒業している。ハリーは、二人にまだ会ったことはなかったが、チャーリーがルーマニアにいてドラゴンの研究をしていること、ビルがエジプトにいて魔法使いの銀行、グリンゴッツで働いていることは知っていた。

「パパもママもどうやって学用品をそろえるお金を工面するのかな」

しばらくしてからジョージが言った。

「ロックハートの本を五人分もだぜ！　ジニーだってローブやら杖《つえ》やら必要だし……」

ハリーはだまっていた。少し居心地が悪い思いがした。ロンドンにあるグリンゴッツの地下金庫に、ハリーの両親が残してくれたかなりの財産が預けられていた。もちろん、魔法界だけでしか通用しない財産だ。ガリオンだのシックルだのクヌートだの、マグルの店で使えはしない。グリンゴッツ銀行のことを、ハリーは一度もダーズリー一家に話してはいない。ダーズリーたちは魔法と名がつくものは、何もかも恐れていたが、山積みの金貨ともなれば話は別だろうから。

　ウィーズリーおばさんは、水曜日の朝早くにみんなを起こした。ベーコン・サンドイッチを一人あたり六個ずつ、一気に飲み込んで、みんなコートを着込んだ。ウィーズリーおばさんが、暖炉の上から植木鉢を取って中をのぞき込んだ。

「アーサー、だいぶ少なくなってるわ」おばさんがため息をついた。「今日、買い足しておかないとね……さぁて、お客様からどうぞ！　ハリー、お先にどうぞ！」

　おばさんが鉢を差し出した。

　みんながハリーを見つめ、ハリーはみんなを見つめ返した。

「な、何すればいいの？」ハリーは焦った。

「ハリーは煙突飛行粉《フルーパウダー》を使ったことがないんだ」ロンが突然気づいた。「ごめん、ハリー、僕、忘れてた」

「一度も？」ウィーズリーおじさんが言った。

「じゃ、去年は、どうやってダイアゴン横丁まで学用品を買いに行ったのかね？」

「地下鉄に乗りました」

「ほう？」ウィーズリーおじさんは身を乗り出した。「**エスカペーター**とかがあるのかね？　それはどうやって――」

「アーサー、その話は**あとにして**。ハリー、煙突飛行って、それよりずっと速いのよ。だけど、一度も使ったことがないとはねぇ」

「ハリーは大丈夫だよ、ママ。ハリー、俺たちのを見てろよ」とフレッドが言った。

　フレッドは鉢からキラキラ光る粉をひとつまみ取り出すと、暖炉の火に近づき、炎に粉を振りかけた。

ゴーッという音とともに炎はエメラルドグリーンに変わり、フレッドの背丈より高く燃え上がった。フレッドはその中に入り、「**ダイアゴン横丁！**」と叫ぶとフッと消えた。

「ハリー、はっきり発音しないとだめよ」

ウィーズリーおばさんが注意した。ジョージが鉢に手を突っ込んだ。

「それに、まちがいなく正しい火格子から出ることね」

「正しいなんですか？」

ハリーは心もとなさそうに尋ねた。ちょうど燃え上がった炎が、ジョージをヒュッとかき消したときだった。

「あのね、魔法使いの暖炉といっても、ほんとうにいろいろあるのよ。ね？　でもはっきり発音さえすれば――」

「ハリーは大丈夫だよ、モリー。うるさく言わなくとも」

ウィーズリーおじさんが煙突飛行粉をつまみながら言った。

「でも、あなた。ハリーが迷子になったら、おじ様とおば様になんと申し開きできます？」

「あの人たちはそんなこと気にしません。僕が煙突の中で迷子になったら、ダドリーなんか、きっと最高に笑えるって喜びます。心配しないでください」ハリーはうけ合った。

「そう……それなら……アーサーの次にいらっしゃいな。いいこと、炎の中に入ったら、どこに行くかを言うのよ――」

「ひじは引っ込めておけよ」ロンが注意した。

「それに目は閉じてね。すすが――」ウィーズリーおばさんだ。

「もぞもぞ動くなよ。動くと、とんでもない暖炉に落ちるかもしれないから――」とロン。

「だけどあわてないでね。あんまり急いで外に出ないで、フレッドとジョージの姿が見えるまで待つのよ」

なんだかんだを必死に頭にたたき込んで、ハリーは煙突飛行粉をひとつまみ取り、暖炉の前に進み出た。深呼吸して、粉を炎に投げ入れ、ずいと中に入った。炎は温かいそよ風のようだった。ハリーは口を開いた。とたんにいやというほど熱い灰を吸い込んだ。

「**ダ、ダイア、ゴン横丁**」むせながら言った。

まるで巨大な穴に渦を巻いて吸い込まれていくようだった。高速で回転しているらしい……耳が聞こえなくなるかと思うほどの轟音《ごうおん》がする。ハリーは目を開いていようと努力したが、緑色の炎の渦で気分が悪くなった……何か硬いものがひじにぶつかったので、ハリーはしっかりとひじを引いた。回る……回る……今度は冷たい手でほおを打たれるような感じがした……めがね越しに目を細めて見ると、輪郭のぼやけた暖炉が次々と目の前を通り過ぎ、そのむこう側の部屋がちらっちらっと見えた……ベーコン・サンドイッチが胃袋の中でひっくり返っている………ハリーはまた目を閉じた。止まってくれるといいのに――突然、ハリーは前のめりに倒れた。冷たい石に顔を打って、めがねが壊れるのがわかった。

くらくら、ずきずきしながら、すすだらけでハリーはそろそろと立ち上がり、壊れためがねを目にかざした。ハリーのほかには誰もいない。でも、いったいここは**どこなのか**、さっぱりわからなかった。わかったことといえば、ハリーは石の暖炉の中に突っ立っていたし、その暖炉は、大きな魔法使いの店の薄明かりの中にあった――売っているものはどう見ても、ホグワーツ校のリストにはのりそうにもないものばかりだ。

手前のショーケースには、クッションにのせられたしなびた手、血に染まったトランプ、それに義眼がぎろりと目をむいていた。壁からは邪悪な表情の仮面が見下ろし、カウンターには人骨がばら積みになっている。天井からはさびついたとげだらけの道具がぶら下がっていた。もっと悪いことに、ほこりで汚れたウィンドウの外に見える、暗い狭い通りは、絶対にダイアゴン横丁ではなかった。

一刻も早くここを出たほうがいい。暖炉の床にぶつけた鼻がまだずきずきしていたが、ハリーはすばやくこっそりと出口に向かった。が、途中まで来たとき、ガラス戸のむこう側に二つの人影が見えた。その一人は――こんなときに最悪の出会い。めがねは壊れ、すすだらけで、迷子になったハリーが最も会いたくない人物――ドラコ・マルフォイだった。

ハリーは急いで周りを見回し、左のほうにあった大きな黒いキャビネット棚の中に飛び込んで身を隠した。扉を閉め、のぞき用のすきまを細く開けた。ほんの数秒後、ベルがガラガラと鳴り、マルフォイが入ってきた。

そのあとに続いて入ってきたのは父親にちがいない。息子と同じ血の気のない顔、とがったあご、息子と瓜《うり》二つの冷たい灰色の目をしている。陳列の商品になにげなく目をやりながら店の奥まで入ってきたマルフォイ氏は、カウンターのベルを押してから息子に向かって言った。

「ドラコ、いっさいさわるんじゃないぞ」

義眼に手を伸ばしていたドラコは「何かプレゼントを買ってくれるんだと思ったのに」と言った。

「競技用の箒を買ってやると言ったんだ」父親はカウンターを指でトントンたたきながら言った。

「寮の選手に選ばれなきゃ、そんなの意味ないだろ？」

マルフォイはすねて不機嫌な顔をした。

「ハリー・ポッターなんか、去年ニンバス２０００をもらったんだ。グリフィンドールの寮チームでプレーできるように、ダンブルドアから特別許可ももらった。あいつ、そんなにうまくもないのに。単に**有名**だからなんだ……額にバカな**傷**があるから有名なんだ」

ドラコ・マルフォイはかがんで、どくろの陳列棚をしげしげ眺めた。

「……どいつもこいつもハリーが**かっこいい**って思ってる。**額に傷、手に箒**のすてきな**ポッター**――」

「同じことをもう何十回と聞かされた」

マルフォイ氏が、押さえつけるような目で息子を見た。

「しかし、言っておくが、ハリー・ポッターが好きではないようなそぶりを見せるのは、なんと言うか――賢明――ではないぞ。特にいまは、大多数の者が彼を、闇の帝王を消したヒーローとしてあつかっているのだから――。やぁ、ボージン君」

猫背の男が脂っこい髪をなでつけながらカウンターのむこうに現れた。

「マルフォイ様、また、おいでいただきましてうれしゅうございます」

ボージン氏は髪の毛と同じく脂っこい声を出した。

「恭悦至極でございます――そして若様まで――光栄でございます。手前どもに何かご用で？　本日入荷したばかりの品をお目にかけなければ。お値段のほうは、お勉強させていただき……」

「ボージン君、今日は買いにきたのではなく、売りにきたのだよ」とマルフォイ氏が言った。

「へ、売りに？」ボージン氏の顔からフッと笑いが薄らいだ。

「当然聞きおよんでいると思うが、魔法省が、抜き打ちの立入調査を仕掛けることが多くなった」マルフォイ氏は話しながら内ポケットから羊皮紙の巻紙を取り出し、ボージン氏が読めるように広げた。

「私も少しばかりの――ア――物品を家に持っておるので、もし役所の訪問でも受けた場合、都合の悪い思いをするかもしれない……」

ボージン氏は鼻めがねをかけ、リストを読んだ。

「魔法省があなた様にご迷惑をおかけするとは、考えられませんが。ねぇ、だんな様？」

マルフォイ氏の口元がニヤリとした。

「まだ訪問はない。マルフォイ家の名前は、まだそれなりの尊敬を勝ち得ている。しかし、役所はとみに小うるさくなっている。マグル保護法の制定のうわさもある——あの、しらみったかりの、マグルびいきのアーサー・ウィーズリーのバカ者が、糸を引いているにちがいない——」

ハリーは熱い怒りが込み上げてくるのを感じた。

「——となれば、見てわかるように、これらの毒物の中には、一見その手のもののように見えるものが——」

「万事心得ておりますとも、だんな様。ちょっと拝見を………」

「あれを買ってくれる？」

ドラコがクッションに置かれたしなびた手を指差して、二人の会話をさえぎった。

「あぁ、『輝きの手』でございますね！」

ボージン氏はリストを放り出してドラコのほうにせかせか駆け寄った。

「ろうそくを差し込んでいただきますと、手を持っている者だけにしか見えない灯《あか》りがともります。泥棒、強盗には最高の味方でございまして。お坊ちゃまは、お目が高くていらっしゃる！」

「ボージン、私の息子は泥棒、強盗よりはましなものになってほしいが」

マルフォイ氏は冷たく言った。ボージン氏はあわてて、「とんでもない。そんなつもりでは、だんな様」と言った。

「ただし、この息子の成績が上がらないようなら」マルフォイ氏の声が一段と冷たくなった。「行き着く先は、せいぜいそんなところかもしれん」

「僕の責任じゃない」ドラコが言い返した。「先生がみんなひいきをするんだ。あのハーマイオニー・

グレンジャーが――」

「私はむしろ、魔法の家系でもなんでもない小娘に、全科目の試験で負けているおまえが、恥じ入ってしかるべきだと思うが」

「やーい！」ハリーは声を殺して言った。ドラコが恥と怒りのまじった顔をしているのが小気味よかった。

「このごろはどこでも同じでございます」ボージン氏が脂っこい声で言った。「魔法使いの血筋など、どこでも安くあつかわれるようになってしまいまして――」

「私はちがうぞ」

マルフォイ氏は細長い鼻の穴をふくらませた。

「もちろんでございますとも、だんな様。手前もでございますよ」

ボージン氏は深々とおじぎをした。

「それなれば、私のリストに話を戻そう」マルフォイ氏はぴしっと言った。「ボージン、私は少し急いでるのでね。今日はほかでも大事な用件があるのだよ」

二人は交渉を始めた。ドラコが商品を眺めながら、だんだんハリーの隠れている所に近づいてくるので、ハリーは気が気ではなかった。ドラコは、絞首刑用の長いロープの束の前で立ち止まって、しげしげ眺め、豪華なオパールのネックレスの前に立てかけてある説明書を読んで、ニヤニヤした。

ご注意――手を触れないこと
呪われたネックレス――これまでに十九人の持ち主のマグルの命を奪った

ドラコは向きを変え、ちょうど目の前にあるキャビネット棚に目をとめた。前に進み……取っ手をつかもうと手を伸ばした……。

「決まりだ」カウンターの前でマルフォイ氏が言った。「ドラコ、行くぞ！」

ドラコが向きを変えたので、ハリーは額の冷や汗をそでぬぐった。

「ボージン君、お邪魔したな。明日、館のほうに物を取りにきてくれるだろうね」

ドアが閉まったとたん、ボージン氏のとろとろとした脂っこさが消し飛んだ。

「ごきげんよう、マルフォイ**閣下さまさま**。うわさが本当なら、あなた様がお売りになったのは、その**お館とやら**にお隠しになっているものの半分にもなりませんわ……」

ブツブツと暗い声でつぶやきながら、ボージン氏は奥に引っ込んだ。ハリーは、戻ってこないかどうか一瞬待って、それから、できるだけ音を立てずにキャビネット棚からすべり出て、ショーケースの脇を通り抜け、店の外に出た。

壊れためがねを鼻の上でしっかり押さえながら、ハリーは周りを見回した。うさんくさい横丁だった。闇の魔術に関するものしか売っていないような店が軒を連ねている。いまハリーが出てきた店、「ボージン・アンド・バークス」が一番大きな店らしい。そのむかい側の店のショーウィンドウには、気味の悪い、縮んだ生首が飾られ、二軒先には大きな檻《おり》があって、巨大な黒蜘蛛《くも》が何匹もガサゴソしていた。みすぼらしいなりの魔法使いが二人、店の入口の薄暗がりの中からハリーをじっと見て、互いに何やらボソボソ言っている。ハリーはザワッとしてそこを離れた。めがねを鼻の上にまっすぐのっかるように手で押さえながら、なんとかここから出る道を見つけなければと、ハリーは藁《わら》にもすがる思いで歩いた。

毒ろうそくの店の軒先にかかった古ぼけた木の看板が、通りの名を教えてくれた。

なんのヒントにもならない。聞いたことがない場所だ。ウィーズリー家の暖炉の炎の中で、口いっぱいに灰を吸い込んだままで発音したので、きちんと通りの名前を言えなかったのだろう。落ち着け、と自分に言い聞かせながら、ハリーはどうしたらよいか考えた。

「坊や、迷子になったんじゃなかろうね？」

すぐ耳元で声がして、ハリーは飛び上がった。

老婆が、盆を持ってハリーの前に立っていた。気味の悪い、人間の生爪のようなものが盆に積まれている。老婆はハリーを横目で見ながら、黄色い歯をむき出した。ハリーはあとずさりした。

「いえ、大丈夫です。ただ――」

「**ハリー！**　おまえさん、こんなとこで何しちょるんか？」

ハリーは心が躍った。老婆は飛び上がった。山積みの生爪が、老婆の足元にバラバラと滝のように落ちた。ホグワーツの森番、ハグリッドの巨大な姿に向かって、老婆は悪態をついた。

ハグリッドが、ごわごわした巨大なひげの中から、コガネムシのような真っ黒な目を輝かせて、二人のほうに大股で近づいてきた。

「ハグリッド！」ハリーはホッと気が抜けて声がかすれた。「僕、迷子になって……煙突飛行粉が……」

ハグリッドはハリーの襟首をつかんで、老魔女から引き離した。はずみで盆が魔女の手から吹っ飛んだ。魔女のかん高い悲鳴が、二人のあとを追いかけて、くねくねした横丁を通り、明るい陽《ひ》の光の中に出るまでついてきた。

遠くにハリーの見知った、純白の大理石の建物が見えた。グリンゴッツ銀行だ。ハグリッドは、ハリーを一足飛びにダイアゴン横丁に連れてきてくれたのだ。

「ひどい格好をしちょるもんだ！」

ハグリッドはぶっきらぼうにそう言うと、ハリーのすすを払った。あまりの力で払うので、ハリーはすんでのところで、薬問屋の前にあるドラゴンのフンの樽《たる》の中に突っ込むところだった。

「夜の闇横丁なんぞ、どうしてまたうろうろしとったか――ハリーよ、あそこは危ねえとこだ――あんなとこにいるのを、誰かに見られでもしてみろ――」

「**それは**僕にもわかったんだけど」

ハリーはハグリッドがまたすす払いをしようとしたので、ヒョイとかわしながら言った。

「言っただろ、迷子になったって――ハグリッドはいったい何してたの？」

「**俺は**『肉食ナメクジの駆除剤』を探しとった」ハグリッドは唸《うな》った。「やつら、学校のキャベツを食い荒らしとる。おまえさん、一人じゃなかろ？」

「僕、ウィーズリーさんのとこに泊まってるんだけど、はぐれちゃった。探さなくちゃ」

二人は一緒に歩きはじめた。

「俺の手紙に返事をくれなんだのはどうしてかい？」

ハリーはハグリッドに並んで小走りしていた――ハグリッドのブーツが大股に一歩踏み出すたびに、ハリーは三歩歩かなければならなかった――。ハリーはドビーのことや、ダーズリーが何をしたかを話して聞かせた。

「くされマグルめ。俺がそのことを知っちょったらなぁ」ハグリッドは歯がみした。

「ハリー！　ハリー！　ここよ！」

ハリーが目を上げると、グリンゴッツの白い階段の一番上に、ハーマイオニー・グレンジャーが立っていた。ふさふさした栗色の髪を後ろになびかせながら、ハーマイオニーは二人のそばに駆け下りてきた。

「めがねをどうしちゃったの？　ハグリッド、こんにちは……あぁ、また二人に会えて、私**とってもうれしい**……ハリー、グリンゴッツに行くところなの？」

「ウィーズリーさんたちを見つけてからだけど」

「おまえさん、そう長く待たんでもええぞ」ハグリッドがニッコリした。

ハリーとハーマイオニーが見回すと、人混みでごった返した通りを、ロン、フレッド、ジョージ、パーシー、ウィーズリーおじさんが駆けてくるのが見えた。

「ハリー」ウィーズリーおじさんがあえぎながら話しかけた。「せいぜい一つむこうの火格子まで行きすぎたくらいであればと**願って**いたんだよ……」

おじさんはハゲた額に光る汗をぬぐった。

「モリーは半狂乱だったよ――いまこっちへ来るがね」

「どっから出たんだい？」とロンが聞いた。

「夜の闇横丁」ハグリッドが暗い顔をした。

「**すっげぇ！**」フレッドとジョージが同時に叫んだ。

「僕たち、そこに行くのを許してもらったことないよ」ロンがうらやましそうに言った。

「そりゃあ、そのほうがずーっとええ」ハグリッドがうめくように言った。

今度はウィーズリーおばさんが飛びはねるように走ってくるのが見えた。片手にぶら下げたハンドバッグが右に左に大きく揺れ、もう一方の手にはジニーが、やっとの思いでぶら下がっている。

「あぁ、ハリー――おぉ、ハリー――とんでもない所に行ったんじゃないかと思うと……」

息を切らしながら、おばさんはハンドバッグから大きなはたきを取り出し、ハグリッドがたたき出し切れなかったすすを払いはじめた。ウィーズリーおじさんが壊れためがねを取り上げ、杖で軽くひとたたきすると、めがねは新品同様になった。

「さあ、もう行かにゃならん」ハグリッドが言った。

その手をウィーズリーおばさんがしっかり握りしめていた――「夜の闇横丁ですって！　ハグリッド、あなたがハリーを見つけてくださらなかったら！」――。

「みんな、ホグワーツで、またな！」

ハグリッドは大股で去っていった。人波の中で、ひときわ高く、頭と肩がそびえていた。

「『ボージン・アンド・バークス』の店で誰に会ったと思う？」

グリンゴッツの階段を上りながら、ハリーがロンとハーマイオニーに問いかけた。

「ドラコ・マルフォイと父親なんだ」

「ルシウス・マルフォイは、何か買ったのかね？」後ろからウィーズリーおじさんが厳しい声を上げた。

「いいえ、売ってました」

「それじゃ、心配になったわけだ」ウィーズリーおじさんが真顔で満足げに言った。

「あぁ、ルシウス・マルフォイのしっぽをつかみたいものだ……」

「アーサー、気をつけないと」

ウィーズリーおばさんが厳しく言った。ちょうど、小鬼《ゴブリン》がおじぎをして、銀行の中に一行を招じ入れるところだった。

「あの家族はやっかいよ。無理して火傷《やけど》しないように」

「何かね、私がルシウス・マルフォイにかなわないとでも？」

ウィーズリーおじさんはむっとしたが、ハーマイオニーの両親がいるのに気づくと、たちまちそちらに気を取られた。壮大な大理石のホールの端から端まで伸びるカウンターのそばに、二人は不安そうにたたずんで、ハーマイオニーが紹介してくれるのを待っていた。

「なんと、**マグルのお二人**がここに！」

ウィーズリーおじさんがうれしそうに呼びかけた。

「一緒に一杯いかがですか！　そこに持っていらっしゃるのはなんですか？　あぁ、マグルのお金を換えていらっしゃるのですか。モリー、見てごらん！」

おじさんはグレンジャー氏の持っている十ポンド紙幣を指差して興奮していた。

「あとで、ここで会おう」ロンはハーマイオニーにそう呼びかけ、ウィーズリー一家とハリーは一緒に小鬼に連れられて、地下の金庫へと向かった。

金庫に行くには、小鬼の運転する小さなトロッコに乗って、地下トンネルのミニ線路の上を矢のように走るのだ。ハリーは、ウィーズリー家の金庫までは猛スピードで走る旅を楽しんだが、金庫が開かれたときは、「夜の闇横丁」に着いたときより、もっとずっと気がめいった。シックル銀貨がほんのひと握りと、ガリオン金貨が一枚しかなかったのだ。ウィーズリーおばさんは隅っこのほうまでかき集め、ありったけ全部をハンドバッグに入れた。みんなが自分の金庫に来たとき、ハリーはもっと申し訳なく思った。金庫の中身がなるべくみんなに見えないようにしながら、ハリーは急いでコインをつかみ取り、革の袋に押し込んだ。

出口の大理石の階段まで戻ってからは、みんな別行動を取った。パーシーは新しい羽根ペンがいるともそもそ言い、フレッドとジョージはホグワーツの悪友、リー・ジョーダンを見つけた。ウィーズリーおばさんはジニーと二人で中古の制服を買いにいくことになった。ウィーズリーおじさんはグレンジャー夫妻に、「漏れ鍋」でぜひ一緒に飲もうと誘った。

「一時間後にみんなフローリシュ・アンド・ブロッツ書店で落ち合いましょう。教科書を買わなくちゃ」

ウィーズリーおばさんはそう言うと、ジニーを連れて歩きだした。

「それに、『夜の闇横丁』には一歩も入ってはいけませんよ」

どこかへずらかろうとする双子の背中に向かっておばさんは叫んだ。

ハリーは、ロン、ハーマイオニーと三人で曲がりくねった石畳の道を散歩した。ハリーのポケットの中で、袋いっぱいの金、銀、銅貨がチャラチャラと陽気な音を立て、使ってくれと騒いでいるようだった。ハリーは、イチゴとピーナッツバターの大きなアイスクリームを三つ買い、三人で楽しくペロペロなめながら路地を歩き回って、すてきなウィンドウ・ショッピングをした。ロンは「高級クィディッチ用具店」のウィンドウでチャドリー・キャノンズのユニフォームひとそろいを見つけ、食い入るように見つめて動かなくなったが、ハーマイオニーはインクと羊皮紙を買うのに、二人を隣の店まで無理やり引きずっていった。

「ギャンボル・アンド・ジェイプスいたずら専門店」でフレッド、ジョージ、リー・ジョーダンの三人組に出会った。手持ちが少なくなったからと、「ドクター・フィリバスターの長々花火――火なしで火がつくヒヤヒヤ花火」を買いだめしていた。

ちっぽけな雑貨屋では、折れた杖やら目盛りの狂った台秤《だいばかり》、魔法薬のしみだらけのマントなどを売っていたが、そこでパーシーを見つけた。『権力を手にした監督生たち』という小さな恐ろしくつまらない本を、恐ろしく没頭して読んでいた。

「ホグワーツの監督生たちと卒業後の出世の研究」ロンが裏表紙に書かれた言葉を読み上げた。

「こりゃ、すんばらしい……」

「あっちへ行け」パーシーがかみつくように言った。

「そりゃ、パーシーは野心家だよ。将来の計画はばっちりさ……魔法大臣になりたいんだ……」ロンがハリーとハーマイオニーに低い声で教え、三人は、パーシーを一人そこに残して店を出た。

一時間後、フローリシュ・アンド・ブロッツ書店に向かった。書店に向かっていたのは、けっして三人だけではなかったが、そばまで来てみると、驚いたことに黒山の人だかりで、表で押し合いへし合いしながら中に入ろうとしていた。その理由は、上階の窓にかかった大きな横断幕に、デカデカと書かれていた。

サイン会
ギルデロイ・ロックハート
自伝『私はマジックだ』
本日午後十二時三十分〜四時三十分

「本物の彼に会えるわ！」

ハーマイオニーが黄色い声を上げた。

「だって、彼って、リストにある教科書をほとんど全部書いてるじゃない！」

人だかりはほとんどがウィーズリー夫人ぐらいの年齢の魔女ばかりだった。ドアの所に当惑した顔で魔法使いが一人立っていた。

「奥様方、お静かに願います……押さないでください……本にお気をつけ願います……」

ハリー、ロン、ハーマイオニーは人垣を押し分けて中に入った。長い列は店の奥まで続き、その先でギルデロイ・ロックハートがサインをしていた。三人は急いで『泣き妖怪バンシーとのナウな休日』を一冊ずつ引っつかみ、ウィーズリー一家とグレンジャー夫妻が並んでいる所にこっそり割り込んだ。

「まあ、よかった。来たのね」ウィーズリーおばさんは息をはずませ、何度も髪をなでつけていた。

「もうすぐ彼に会えるわ……」

ギルデロイ・ロックハートの姿がだんだん見えてきた。座っている机の周りには、自分自身の大きな写真がぐるりと貼られ、人垣に向かって写真がいっせいにウィンクし、輝くような白い歯を見せびらかしていた。本物のロックハートは、瞳の色にぴったりの忘れな草色のローブを着ていた。波打つ髪に、魔法使いの三角帽を小粋な角度でかぶっている。

気の短そうな小男がその周りを踊り回って、大きな黒いカメラで写真を撮っていた。目のくらむようなフラッシュをたくたびに、ポッポッと紫の煙が上がった。

「そこ、どいて」カメラマンがアングルをよくするためにあとずさりし、ロンに向かって低く唸るように言った。「『日刊予言者新聞』の写真だから」

「それがどうしたってんだ」ロンはカメラマンに踏まれた足をさすりながら言った。

それが聞こえて、ギルデロイ・ロックハートが顔を上げた。まずロンを見て――それからハリーを見た。じっと見つめた。それから勢いよく立ち上がり、叫んだ。

「**もしや**、ハリー・ポッターでは？」

興奮したささやき声が上がり、人垣がパッと割れて道を開けた。ロックハートが列に飛び込み、ハリーの腕をつかみ、正面に引き出した。人垣がいっせいに拍手した。ロックハートがハリーと握手しているポーズをカメラマンが写そうとして、ウィーズリー一家の頭上に厚い雲が漂うほどシャッターを切りまくり、ハリーは顔がほてった。

「ハリー、ニッコリ笑って」ロックハートが輝くような歯を見せながら言った。

「一緒に写れば、君と私《わたくし》とで一面大見出し記事ですよ」

やっと手を放してもらったときには、ハリーの指はしびれて感覚がなくなっていた。ウィーズリー一家の所へこっそり戻ろうとしたが、ロックハートはハリーの肩に腕を回して、がっちりと自分のそばにしめつけた。

「みなさん」

ロックハートは声を張り上げ、手で、ご静粛にという合図をした。

「なんと記念すべき瞬間でしょう！　私がここしばらく伏せていたことを発表するのに、これほどふさわしい瞬間はまたとありますまい！」

「ハリー君が、フローリシュ・アンド・ブロッツ書店に本日足を踏み入れたとき、この若者は私の自伝を買うことだけを欲していたわけであります――それをいま、喜んで彼にプレゼントいたします。無料で――」

人垣がまた拍手した。

「――この彼が**思いもつかなかったこと**ではありますが――」

ロックハートの演説は続いた。ハリーの肩を揺すったので、めがねが鼻の下までずり落ちてしまった。

「まもなく彼は、私の本『私はマジックだ』ばかりでなく、もっともっとよいものをもらえるでしょう。彼もそのクラスメートも、実は、『私はマジックだ』の実物を手にすることになるのです。みなさん、ここに、大いなる喜びと、誇りを持って発表いたします。この九月から、私はホグワーツ魔法魔術学校にて、『闇の魔術に対する防衛術』の担当教授職をお引き受けすることになりました！」

人垣がワーッと沸き、拍手し、ハリーはギルデロイ・ロックハートの全著書をプレゼントされていた。重みでよろけながら、ハリーはなんとかスポットライトの当たる場所から抜け出し、部屋の隅に逃れた。そこにはジニーが、買ってもらったばかりの大鍋のそばに立っていた。

「これ、あげる」

ハリーはジニーに向かってそうつぶやくと、本の山をジニーの鍋の中に入れた。

「僕のは自分で買うから――」

「いい気持ちだったろうねぇ、ポッター？」

ハリーには誰の声かすぐにわかった。身を起こすと、いつもの薄ら笑いを浮かべているドラコ・マルフォイと真正面から顔が合った。

「**有名人**のハリー・ポッター。ちょっと書店に行くのでさえ、一面大見出し記事かい？」

「ほっといてよ。ハリーが望んだことじゃないわ！」

ジニーが言った。ハリーの前でジニーが口をきいたのは初めてだった。ジニーはマルフォイをはったとにらみつけていた。

「ポッター、**ガールフレンド**ができたじゃないか！」

マルフォイがねちっこく言った。ジニーは真っ赤になった。その時、ロンとハーマイオニーがロックハートの本をひと山ずつしっかり抱えて、人混みをかき分けて現れた。

「なんだ、君か」

ロンは靴の底にべっとりとくっついた不快なものを見るような顔でマルフォイを見た。

「ハリーがここにいるので驚いたっていうわけか、え？」

「ウィーズリー、君がこの店にいるのを見てもっと驚いたよ」マルフォイが言い返した。「そんなにたくさん買い込んで、君の両親はこれから一か月は飲まず食わずだろうね」

ロンがジニーと同じぐらい真っ赤になった。ロンもジニーの鍋の中に本を入れ、マルフォイにかかっていこうとしたが、ハリーとハーマイオニーがロンの上着の背中をしっかりつかまえた。

「ロン！」

ウィーズリーおじさんが、フレッドとジョージと一緒にこちらに来ようと人混みと格闘しながら呼びかけた。

「何してるんだ？　ここはひどいもんだ。早く外に出よう」

「これは、これは、これは――アーサー・ウィーズリー」

マルフォイ氏だった。ドラコの肩に手を置き、ドラコとそっくり同じ薄ら笑いを浮かべて立っていた。

「ルシウス」ウィーズリー氏は首だけ傾けてそっけない挨拶をした。

「お役所はお忙しいらしいですな。あれだけ何回も抜き打ち調査を……残業代は当然払ってもらっているのでしょうな？」

マルフォイ氏はジニーの大鍋に手を突っ込み、豪華なロックハートの本の中から、使い古しのすり切れた本を一冊引っ張り出した。『変身術入門』だ。

「どうもそうではないらしい。なんと、役所が満足に給料も支払わないのでは、わざわざ魔法使いの面汚しになるかいがないですねぇ？」

ウィーズリー氏はロンやジニーよりももっと深々と真っ赤になった。

「マルフォイ、魔法使いの面汚しがどういう意味かについて、私たちは意見がちがうようだが」

「さようですな」

マルフォイ氏の薄灰色の目が、心配そうになりゆきを見ているグレンジャー夫妻のほうに移った。

「ウィーズリー、こんな連中とつき合ってるようでは……君の家族はもう落ちるところまで落ちたと思っていたんですがねぇ――」

ジニーの大鍋が宙を飛び、ドサッと金属の落ちる音がした――ウィーズリー氏がマルフォイ氏に飛びかかり、その背中を本棚にたたきつけた。分厚い呪文の本が数十冊、みんなの頭にドサドサと落ちてきた。

「やっつけろ、パパ！」フレッドかジョージかが叫んだ。

「アーサー、ダメ、やめて！」ウィーズリー夫人が悲鳴を上げた。

人垣がサーッとあとずさりし、本棚にぶつかって棚がひっくり返った。

「お客様、どうかおやめを――どうか！」店員が叫んだ。そこへ、ひときわ大きな声がした。

「やめんかい、おっさんたち、やめんかい――」

ハグリッドが本の山をかき分け、かき分けやってきた。あっという間にハグリッドはウィーズリー氏とマルフォイ氏を引き離した。ウィーズリー氏は唇を切り、マルフォイ氏の目は『毒キノコ百科』でぶたれた痕があった。マルフォイ氏の手にはまだ、ジニーの変身術の古本が握られていた。目を怪しくギラギラ光らせて、それをジニーのほうに突き出しながら、マルフォイ氏が捨てゼリフを言った。

「ほら、チビ――君の本だ――君の父親にしてみればこれが精一杯だろう――」

ハグリッドの手を振りほどき、ドラコに目で合図して、マルフォイ氏はサッと店から出ていった。

「アーサー、あいつのことはほっとかんかい」

ハグリッドは、ウィーズリー氏のローブを元どおりに整えてやろうとして、ウィーズリー氏を吊《つ》るし上げそうになりながら言った。

「骨のずいまでくさっとる。家族全員がそうだ。みんな知っちょる。マルフォイ家のやつらの言うこたぁ、聞く価値がねえ。そろって根性曲がりだ。そうなんだ。さあ、みんな――さっさと出んかい」

店員は一家が外に出るのを止めたそうだったが、自分がハグリッドの腰までさえ背が届かないのを見て考えなおしたらしい。外に出て、みんなは急いで歩いた。グレンジャー夫妻は恐ろしさに震え、ウィーズリー夫人は怒りに震えていた。

「子供たちに、**なんてよい**お手本を見せてくれたものですこと……**公衆の面前で取っ組み合い**なんて……ギルデロイ・ロックハートが**いったい**どう思ったか……」

「あいつ、喜んでたぜ」フレッドが言った。「店を出るときあいつが言ってたこと、聞かなかったの？あの『日刊予言者新聞』のやつに、けんかのことを記事にしてくれないかって頼んでたよ。――なんでも、宣伝になるからって言ってたな」

なんやかやあって、一行はしょんぼりと「漏れ鍋」の暖炉に向かった。そこから煙突飛行粉で、ハリーと、ウィーズリー一家と、買い物一式が「隠れ穴」に帰ることになった。グレンジャー一家は、そこから反対側のマグルの世界に戻るので、みんなはお別れを言い合った。ウィーズリー氏は、バス停とはどんなふうに使うものなのか、質問しかかったが、奥さんの顔を見てすぐにやめた。

ハリーはめがねをはずし、ポケットにしっかりしまい、それから煙突飛行粉をつまんだ。

やっぱり、この旅行のやり方は、ハリーには苦手だった。

第5章　暴れ柳

夏休みはあまりにもあっけなく終わった。ハリーは確かにホグワーツに戻る日を楽しみにしてはいたが、「隠れ穴」での一か月ほど幸せな時間はなかった。ダーズリー一家のことや、この次にプリベット通りに戻ったとき、どんな「歓迎」を受けるかなどを考えると、ロンがねたましいぐらいだった。

最後の夜、ウィーズリーおばさんは魔法で豪華な夕食を作ってくれた。ハリーの大好物は全部あったし、最後は、よだれの出そうな糖蜜のかかったケーキだった。フレッドとジョージは、その夜のしめくくりに「ドクター・フィリバスターの長々花火」を仕掛け、台所をいっぱいに埋めた赤や青の星が、少なくとも三十分は天井と壁の間をポーン、ポーンと跳ね回った。そして最後に熱いココアをマグカップでたっぷり飲み、みんな眠りについた。

翌朝、出かけるまでにかなりの時間がかかった。鶏の時の声でみんな早起きしたのに、なぜか、やることがたくさんあった。ウィーズリーおばさんは、ソックスや羽根ペンがもっとたくさんあったはずだと、あちこち探し回ってご機嫌斜めだったし、みんな手に食べかけのトーストを持ったまま、半分パジャマのまま、階段のあちこちで何度もぶつかり合っていた。ウィーズリーおじさんは、ジニーのトランクを車に乗せるのに、庭を横切る途中、鶏につまずいて、危うく首の骨を折るところだった。

八人の乗客と大きなトランク六個、ふくろう二羽、ネズミ一匹を全部、どうやって小型のフォード・アングリアに詰め込むのか、ハリーには見当もつかなかった。もっとも、ウィーズリーおじさんが細工した、特別の仕掛けを知らなかったからなのだが――。

「モリーには内緒だよ」

おじさんはハリーにそうささやきながら、車のトランクを開き、全部のトランクがらくらく入るように魔法で広げた所を見せてくれた。

やっとみんなが車に乗り込むと、ウィーズリーおばさんは後ろの席を振り返り、ハリー、ロン、フレッド、ジョージ、パーシーが全員並んで心地よさそうに収まっているのを見て、感心したように言った。

「マグルって、私たちが考えているより**ずーっと**いろんなことを知ってるのね。そう思わないこと？」

おばさんとジニーが座っている前の席は、公園のベンチのような形に引き伸ばされていた。

「だって、外から見ただけじゃ、中がこんなに広いなんてわからないもの。ねえ？」

ウィーズリーおじさんがエンジンをかけた。車はゴロンゴロンと庭から外へ出た。ハリーは最後にもうひと目だけ家を見るつもりで振り返った。またいつ来られるのだろう、と思う間もなく、車は引き返した。ジョージがフィリバスター花火の箱を忘れたのだ。

五分後、まだ庭から出ないうちに車は急停車した。フレッドが箒《ほうき》を取りに走っていった。やっと高速道路にたどり着くころにジニーが金切り声を上げた。日記を忘れたと言う。ジニーが戻ってきて、車に這《は》い上ったころには、遅れに遅れて、みんなのいらいらが高まってきた。

ウィーズリーおじさんは、時計をちらりと見て、それからおばさんの顔をちらりと見た。

「モリー母さんや――」

「アーサー、**ダメ！**」

「誰にも見えないから。この小さなボタンは私が取りつけた『透明ブースター』なんだが――空高く上がるまで、車は透明で見えなくなる――そうしたら、雲の上を飛ぶ。十分もあれば到着だし、だーれにもわかりゃしないから……」

「**ダメって**言ったでしょ、アーサー。昼日中はダメ」

キングズ・クロス駅に着いたのは十一時十五分前だった。ウィーズリーおじさんが飛び出して、道路のむこうにあるカートを数台持ってきた。トランクをのせ、みんな大急ぎで駅の構内に入った。

ハリーは去年もホグワーツ特急に乗った。難しかったのは、マグルの目には見えない九と四分の三番線のホームにどうやって行くかだ。九番線と十番線の間にある、堅い壁を通り抜けて歩いていけばよかったのだ。痛くはないのだが、消えるところをマグルに気づかれないように、慎重に通り抜けなければならなかった。

「パーシー、先に」

おばさんが心配そうに、頭上の大時計を見ながら言った。障壁をなにげなく通り抜けて消えるのに、あと五分しかないことを針が示していた。

パーシーはきびきびと前進し、消えた。ウィーズリーおじさんが次で、フレッドとジョージがそれに続いた。

「私がジニーを連れていきますからね。二人ですぐにいらっしゃいよ」

ジニーの手を引っ張りながらおばさんはハリーとロンにそう言うと、行ってしまった。瞬《まばた》きする間に二人とも消えた。

「一緒に行こう。一分しかない」ロンが言った。

ハリーはヘドウィグのかごがトランクの上に、しっかりくくりつけられていることを確かめ、カートの方向を変えて壁のほうに向けた。ハリーは自信たっぷりだった。煙突飛行粉を使うときの気持ちの悪さに比べればなんでもない。二人はカートの取っ手の下にかがみ込み、壁をめがけて歩いた。スピードが上がった。一メートル前からは駆けだした。そして――。

ガッツーン。

二つのカートが壁にぶつかり、後ろに跳ね返った。ロンのトランクが大きな音を立てて転がり落ちた。ハリーはもんどり打って転がり、ヘドウィグのかごがピカピカの床の上で跳ねた。ヘドウィグは転がりながら怒ってギャーギャー鳴いた。周りの人はじろじろ見たし、近くにいた駅員は「君たち、一体全体何をやってるんだね？」と叫んだ。

「カートが言うことを聞かなくて」

脇腹を押さえて立ち上がり、ハリーがあえぎながら答えた。ロンはヘドウィグを拾い上げに走っていった。ヘドウィグがあんまり大騒ぎするので、周りの人垣から動物虐待だと、ブツブツ文句を言う声が聞こえてきたのだ。

「なんで通れなかったんだろう？」ハリーがヒソヒソ声でロンに聞いた。

「さあ――」

ロンがあたりをきょろきょろ見回すと、物見高い見物客がまだ十数人いた。

「僕たち汽車に遅れる。どうして入口が閉じちゃったのかわからないよ」ロンがささやいた。

ハリーは頭上の大時計を見上げてみずおちが痛くなった。

十秒前……九秒前……。

ハリーは慎重にカートを前進させ、壁にくっつけ、全力で押してみた。障壁は相変わらず堅かった。

三秒……二秒……一秒……。

「行っちゃったよ」ロンはぼうぜんとしていた。

「汽車が出ちゃった。パパもママもこっち側に戻ってこられなかったらどうしよう？　マグルのお金、少し持ってる？」

ハリーは力なく笑った。

「ダーズリーからは、かれこれ六年間、お小遣いなんかもらったことがないよ」

ロンは冷たい壁に耳を押し当てた。

「なーんにも聞こえない」ロンは緊張していた。

「どうする？　パパとママが戻ってくるまでどのぐらいかかるかわからないし」

見回すと、まだ見ている人がいる。たぶん、ヘドウィグがギャーギャーわめき続けているせいだ。

「ここを出たほうがよさそうだ。車のそばで待とう。ここは人目につきすぎるし――」とハリーが言った。

「ハリー！」ロンが目を輝かせた。「車だよ！」

「車がどうかした？」

「ホグワーツまで車で飛んで行けるよ」

「でも、それは――」

「僕たち、困ってる。そうだろ？　それに、学校に行かなくちゃならない。そうだろ？　それなら、半人前の魔法使いでも、ほんとうに緊急事態だから、魔法を使ってもいいんだよ。なんとかの制限に関する第十九条とかなんとか……」

ハリーの心の中で、パニックが興奮に変わった。

「君、車を飛ばせるの？」

「任せとけって」

出口に向かってカートを押しながらロンが言った。

「さあ、出かけよう。急げばホグワーツ特急に追いつくかもしれない」

二人は物見高いマグルの中を突き抜け、駅の外に出て、脇道に停めてある中古のフォード・アングリアまで戻った。

ロンは、洞穴のような車のトランクを、杖《つえ》でいろいろたたいて鍵を開け、フーフー言いながら荷物を押し入れ、ヘドウィグを後ろの席に乗せ、自分は運転席に乗り込んだ。

「誰も見てないかどうか、確かめて」

杖でエンジンをかけながらロンが言った。

ハリーはウィンドウから首を突き出した。前方の表通りは車がゴーゴーと走っていたが、こちらの路地には誰もいなかった。

「オッケー」ハリーが合図した。

ロンは計器盤の小さな銀色のボタンを押した。乗っている車が消えた――自分たちも消えた。ハリーは体の下でシートが振動しているのを感じたし、エンジンの音も聞こえたし、手をひざの上に置いていることも、めがねが鼻の上に乗っかっていることも感じていたが、見えるものといえば車がびっしりと駐車しているごみごみした道路だけで、その地上一メートルあたりに、自分の二つの目玉だけが浮かんでいるかのようだった。

「行こうぜ」

右のほうからロンの声だけが聞こえた。

車は上昇し、地面や車の両側の汚れたビルが見る見る下に落ちていくようだった。数秒後、ロンドン全体が、煙り輝きながら眼下に広がった。

その時、ポンと音がして車とハリーとロンが再び現れた。

「ウ、ワッ」ロンが透明ブースターをたたいた。「いかれてる――」

二人してボタンを拳でドンドンとたたいた。車が消えた。と、またポワーッと現れた。

「つかまってろ！」

ロンはそう叫ぶとアクセルを強く踏んだ。車はまっすぐに、低くかかった綿雲の中に突っ込み、あたり一面が霧に包まれた。

「さて、どうするんだい？」

ハリーは周り中から濃い雲の塊が押し寄せてくるので目をパチパチさせながら聞いた。

「どっちの方向に進んだらいいのか、汽車を見つけないとわからない」

ロンが言った。

「もう一度、ちょっとだけ下りよう――急いで――」

二人はまた雲の下におりて、座席に座ったまま体をよじり、目を凝らして地上のほうを見た。

「見つけた！」ハリーが叫んだ。「まっすぐ前方――あそこ！」

ホグワーツ特急は紅の蛇のようにくねくねと二人の眼下を走っていた。

「進路は北だ」

ロンが計器盤のコンパスで確認した。

「オーケーだ。これからは三十分ごとぐらいにチェックすればいい。つかまって……」

車はまた雲の波を突き抜けて上昇した。一分後、二人は焼けるような太陽の光の中に飛び出した。

別世界だった。車のタイヤはふわふわした雲の海をかき、まばゆい白熱の太陽の下に、どこまでも明るいブルーの空が広がっていた。

「あとは飛行機だけ気にしてりゃいいな」とロンが言った。

二人は顔を見合わせて笑った。しばらくの間、笑いが止まらなかった。まるですばらしい夢の中に飛び込んだようだった。旅をするならこの方法以外にありえないよ、とハリーは思った。

――白雪のような雲の渦や塔を抜け、車いっぱいの明るい暖かい陽《ひ》の光、計器盤の下の小物入れにはヌガーがいっぱい。それに、ホグワーツの城の広々とした芝生に、はなばなしくスイーッと着陸したときのフレッドやジョージのうらやましそうな顔が見えるようだ。

北へ北へと飛びながら、二人は定期的に汽車の位置をチェックした。雲の下にもぐるたびに、ちがった景色が見えた。ロンドンはあっという間に過ぎ去り、すっきりとした緑の畑が広がり、それも広大な紫がかった荒野に変わり、おもちゃのような小さな教会を囲んだ村々が見え、色とりどりのアリのような車が忙しく走り回っている大きな都市も見えた。

何事もなく数時間が過ぎると、さすがにハリーもあきてきた。ヌガーのおかげでのどがカラカラになってきたのに、飲む物がなかった。ロンもハリーもセーターを脱ぎ捨てたが、ハリーのTシャツは座席の背にべったり張りつき、めがねは汗で鼻からずり落ちてばかりいた。おもしろいと思っていた雲の形も、もうどうでもよくなり、ハリーは、ずうっと下を走っている汽車の中をなつかしく思い出していた。丸まっちい魔女のおばさんが押してくるカートには、ひんやりと冷たいかぼちゃジュースがあるのに……。**いったいどうして**、九と四分の三番線に行けなかったんだろう？

「まさか、もうそんなに遠くないよな？」

それから何時間もたち、太陽が雲海を茜《あかね》色に染めて、そのかなたに沈みはじめたとき、ロンがかすれ声で言った。

「そろそろまた汽車をチェックしようか？」

汽車は雪をかぶった山間《やまあい》をくねりながら、まだ真下を走っていた。雲の傘で覆われた下の世界はずっと暗くなっていた。

ロンはアクセルを踏み込み、また上昇しようとした。その時、エンジンがかん高い音を出しはじめた。

二人は不安げに顔を見合わせた。

「きっとつかれただけだ。こんなに遠くまで来たのは初めてだし……」ロンが言った。

空が確実にだんだん暗くなり、車のカンカンという音がだんだん大きくなっても、二人とも気がつかないふりをした。漆黒の中に、星がぽつりぽつりときらめきはじめた。ワイパーが恨めしげにふらふらしはじめたのを無視しながら、ハリーはまたセーターを着込んだ。

「もう遠くはない」ロンはハリーにというより車に向かってそう言った。「もう、そう遠くはないから」ロンは心配そうに計器盤を軽くたたいた。

しばらくしてもう一度雲の下に出たとき、何か見覚えのある目印はないかと、二人は暗闇の中で目を凝らした。

「**あそこだ！**」ハリーの大声でロンもヘドウィグも飛び上がった。「真正面だ！」

湖のむこう、暗い地平線に浮かぶ影は、崖の上にそびえ立つホグワーツ城の大小さまざまな尖塔《せんとう》だ。

しかし、車は震え、失速しだした。

「がんばれ」ロンがハンドルを揺すりながら、なだめるように言った。「もうすぐだから、がんばれよ――」

エンジンがうめいた。ボンネットから蒸気がいく筋もシューシュー噴き出している。車が湖のほうに流されていき、ハリーは思わず座席の端をしっかり握りしめていた。

車がグラグラッといやな揺れ方をした。ハリーが窓の外をちらっと見ると、一キロほど下に黒々と鏡のようになめらかな湖面が見えた。ロンは指の節が白くなるほどギュッとハンドルを握りしめていた。車がまたグラッと揺れた。

「**がんばれったら**」ロンが歯を食いしばった。

湖の上に来た……城は目の前だ……ロンが足を踏ん張った。

ガタン、ブスブスッと大きな音を立てて、エンジンが完全に死んだ。

「ウ、ワッ」しんとした中でロンの声だけが聞こえた。

車が鼻先から突っ込んだ。スピードを上げながら落ちていく。城の固い壁にまっすぐ向かっていく。

「**ダメエエエエエ！**」

ハンドルを左右に揺すりながらロンが叫んだ。車が弓なりにカーブを描いて、ほんの数センチのところで黒い石壁からそれ、黒い温室の上に舞い上がり、野菜畑を越えて黒い芝生の上へと、刻々と高度を失いつつ向かっていった。

ロンは完全にハンドルを放し、尻ポケットから杖を取り出した。

「**止まれ！　止まれ！**」

ロンは計器盤やウィンドウをバンバンたたきながら叫んだが、車は落下し続け、地面が見る見る近づいてきた……。

「**あの木に気をつけて！**」

ハリーは叫びながらハンドルに飛びつこうとしたが、遅すぎた。

グワッシャン。

金属と木がぶつかる耳をつんざくような音とともに、車は太い木の幹に衝突し、地面に落下して激しく揺れた。ひしゃげた車のボンネットの中から、蒸気がうねるように噴き出している。ヘドウィグは怖がってギャーギャー鳴き、ハリーは額をフロントガラスにぶつけて、ゴルフボール大のこぶがずきずきうずいた。右のほうでロンが絶望したような低いうめき声を上げた。

「大丈夫かい？」ハリーがあわてて聞いた。

「杖が」ロンの声が震えている。「僕の杖、見て」

ほとんど真っ二つに折れていた。杖の先端が、裂けた木片にすがってかろうじてだらりとぶら下がっている。

ハリーは、学校に行けばきっと直してくれるよ、と言いかけたが、一言も言わずに口をつぐまなければならなかった。しゃべりかけたとたん、ハリーの座っている側の車の脇腹に、闘牛の牛が突っ込んできたようなパンチが飛んできたのだ。ハリーはロンのほうに横ざまに突き飛ばされた。同時に、車の屋根に同じぐらい強力なヘビーブローがかかった。

「何事だ？――」

ウィンドウから外をのぞいたロンが息をのんだ。ハリーが振り返ると、ちょうど、大ニシキヘビのような太い枝が、窓めがけて一撃を食らわせるところだった。ぶつかった木が二人を襲っている。幹を「く」の字に曲げ、節くれだった大枝で、ところかまわず車になぐりかかってきた。

「ウワワァ！」

ねじれた枝のパンチでドアがへこみ、ロンが叫んだ。小枝の拳で雨あられとブローを浴びせられたフロントガラスはビリビリ震え、巨大ハンマーのような太い大枝が、狂暴に屋根を打ってへこませている――。

「逃げろ！」

ロンが叫びながら体ごとドアにぶつかっていったが、次の瞬間、枝の猛烈なアッパーカットを食らい、吹っ飛ばされてハリーのひざに逆戻りしてきた。

「もうダメだ！」

屋根が落ち込んできて、ロンがうめいた。すると、急に車のフロアが揺れはじめた——エンジンが生き返った。

「**バックだ！**」ハリーが叫んだ。

車はシュッとバックした。木は攻撃をやめない。車が急いで木から離れようとすると、木の根元がきしみ、根こそぎ地面を離れそうに伸び上がって追い討ちをかけてきた。

「まったく」ロンがあえぎながら言った。「やばかったぜ。車よ、よくやった」

しかし、車のほうはこれ以上たくさんだとばかり、ガチャ、ガチャと二回短い音を立てて、ドアをパカッと開いた。ハリーは座席が横に傾くのを感じた。気づいたときには、ハリーは湿った地面の上にぶざまに伸びていた。ドサッという大きな音は、車のトランクから荷物が吐き出された音らしい。ヘドウィグのかごが宙に舞い、戸がバッと開いた。ヘドウィグはかごから飛び出し、ギーギーと怒ったように大声で鳴きながら、城を目指して、振り返りもせずに飛んでいってしまった。デコボコ車は、傷だらけで湯気をシューシュー噴きながら、暗闇の中にゴロゴロと走り去っていった。テールランプが怒ったようにギラついていた。

「戻ってくれ！」

折れた杖を振り回し、ロンが車の後ろから叫んだ。

「パパに殺されちゃうよ！」

しかし、車は最後にプッと排気ガスを噴いて、見えなくなってしまった。

「僕たちって**信じられないぐらい**ついてないぜ」

かがんで、ネズミのスキャバーズを拾い上げながら、ロンが情けなさそうに言った。

「よりによって、大当たりだよ。当たり返しをする木に当たるなんてさ」

ロンはちらっと振り返って巨木を見た。まだ枝を振り回して威嚇していた。

「行こう。学校にたどり着かなくちゃ」ハリーがつかれはてた声で言った。

想像していたような凱旋《がいせん》とは大ちがいだった。痛いやら、寒いやら、傷だらけの二人はトランクの端をつかんで引きずりながら、城の正面のがっしりした樫《かし》の扉を目指し、草の茂った斜面を登りはじめた。

「もう新学期の歓迎会は始まってると思うな」

扉の前の階段下で、トランクをドサッと下ろし、ロンはそう言いながら、こっそり横のほうに移動して明るく輝く窓をのぞき込んだ。

「あっ、ハリー、来て。見てごらんよ――『組分け帽子』だ！」

ハリーが駆け寄り、二人で大広間をのぞき込んだ。

四つの長テーブルの周りにびっしりとみんなが座り、その上に数えきれないほどのろうそくが宙に浮かんで、金の皿やゴブレットをキラキラ輝かせていた。天井はいつものように魔法で本物の空を映し、星が瞬いていた。

ホグワーツ生の黒いとんがり帽子が立ち並ぶそのすきまから、おずおずと行列して大広間に入ってくる一年生の長い列が見えた。ジニーはすぐに見つかった。ウィーズリー家の燃えるような赤毛が目立つからだ。新入生の前で、かの有名な組分け帽子を丸い椅子の上に置いているのは、魔女のマクゴナガル先生だ。めがねをかけ、髪を後ろできつくたばねて髷《まげ》にしている。

継ぎはぎだらけで、すり切れ、薄汚れた年代物のこの古帽子が、毎年新入生をホグワーツの四つの寮に組分けする（グリフィンドール、ハッフルパフ、レイブンクロー、スリザリン）。ちょうど一年前、帽子をかぶったときのことをハリーはありありと覚えている。耳のそばで低い声で帽子がつぶやいている間、ハリーは石のようにこわばって帽子の判決を待っていた。スリザリンに入れられるのではないかと、一瞬ハリーは恐ろしい思いがした。スリザリンの卒業生の中から、ほかのどの寮より多くの闇の魔法使い、魔女が出ている——結局、ハリーはグリフィンドールに入った。ロン、ハーマイオニー、ウィーズリー兄弟もみな同じ寮だ。一年生のとき、ハリーとロンの活躍で、グリフィンドールはスリザリンを七年ぶりに破って、寮対抗杯を勝ち取った。

薄茶色の髪をした小さな男の子の名前が呼び上げられ、前に進み出て帽子をかぶった。ハリーはその子からダンブルドア校長のほうへと目を移した。校長先生は教職員のテーブルに座り、長い白ひげと半月めがねをろうそくの灯《あか》りでキラキラさせながら、組分けを眺めていた。そこから数人先の席に、ギルデロイ・ロックハートが淡い水色のローブを着て座っているのが見えた。一番端でひげもじゃの大男、ハグリッドが、ゴブレットでグビグビ飲んでいた。

「ちょっと待って……教職員テーブルの席が一つあいてる……スネイプは？」

ハリーがロンにささやいた。

セブルス・スネイプ教授はハリーの一番苦手な先生だ。逆にハリーはスネイプの最も嫌っている生徒だった。冷血で、毒舌で、自分の寮（スリザリン）の寮生は別として、それ以外はみんなから嫌われているスネイプは、魔法薬学を教えていた。

「もしかして病気じゃないのか！」ロンがうれしそうに言った。

「もしかしたら**やめた**かもしれない。だって、**またしても**『闇の魔術に対する防衛術』の教授の座を逃したから！」ハリーが言った。

「もしかしたら**クビになった**かも！」ロンの声に熱がこもった。

「つまりだ、みんなあの人をいやがってるし——」

「もしかしたら」

二人のすぐ背後でひどく冷たい声がした。

「その人は、君たち二人が学校の汽車に乗っていなかった理由をおうかがいしようかと、お待ち申し上げているかもしれないですな」

ハリーがくるっと振り向くと——出た！　冷たい風に黒いローブをはためかせて、セブルス・スネイプその人が立っていた。脂っこい黒い髪を肩まで伸ばし、やせた体、土気色の顔に鉤《かぎ》鼻のその人は、口元に笑みを浮かべていた。そのほくそ笑みを見ただけで、ハリーとロンは、どんなにひどい目にあうかがよくわかった。

「ついてきなさい」スネイプが言った。

二人は顔を見合わせる勇気もなく、スネイプのあとに従って階段を上がり、松明《たいまつ》に照らされたがらんとした玄関ホールに入った。大広間からおいしそうなにおいが漂ってきた。しかし、スネイプは二人を、暖かな明るい場所から遠ざかるほうへ、地下牢《ろう》に下りる狭い石段へといざなった。

「入りたまえ！」

冷たい階段の中ほどで、スネイプはドアを開け、その中を指差した。

二人は震えながらスネイプの研究室に入った。薄暗がりの壁の棚の上には、大きなガラス容器が並べられ、いまのハリーには名前を知りたくもないような、気色の悪いものがいろいろ浮いていた。真っ暗な暖炉には火の気もない。スネイプはドアを閉め、二人のほうに向きなおった。

「なるほど」

スネイプは猫なで声を出した。

「有名なハリー・ポッターと、忠実なご学友のウィーズリーは、あの汽車ではご不満だった。**ドーンと**ご到着になりたい。お二人さん、それがお望みだったわけか？」

「ちがいます、先生。キングズ・クロス駅の壁のせいで、あれが――」

「だまれ！」スネイプは冷たく言った。

「あの車は、どう片づけた？」

ロンが絶句した。スネイプは人の心を読めるのでは、とハリーはこれまでも何度かそう思ったことがあった。しかし、わけはすぐわかった。スネイプが今日の「夕刊予言者新聞」をくるくると広げた。

「おまえたちは見られていた」

スネイプは新聞の見出しを示して、押し殺した声で言った。

「**空飛ぶフォード・アングリア、いぶかるマグル**」

スネイプが読み上げた。

「『ロンドンで、二人のマグルが、郵便局のタワーの上を中古のアングリアが飛んでいるのを見たと断言した……今日昼ごろ、ノーフォークのヘティ・ベイリス夫人は、洗濯物を干しているとき……ピーブルズのアンガス・フリート氏は警察に通報した』……全部で六、七人のマグルが……。確か、**君の父親**はマグル製品不正使用取締局にお勤めでしたな？」

スネイプは顔を上げてロンに向かって一段と意地悪くほくそ笑んだ。

「なんと、なんと……捕らえてみればわが子なり……」

ハリーはあの狂暴な木の大きめの枝で、胃袋を打ちのめされたような気がした。ウィーズリーおじさんがあの車に魔法をかけたことが誰かに知れたら……考えてもみなかった……。

「我輩が庭を調査したところによれば、非常に貴重な『暴れ柳』が、相当な被害を受けたようである」

スネイプはねちねち続けた。

「あの木より、**僕たちのほうが**もっと被害を受けました――」ロンが思わず言った。

「**だまらんか！**」スネイプがバシッと言った。

「まことに残念至極だが、おまえたちは我輩の寮ではないからして、二人の退校処分は我輩の決定するところではない。これからその幸運な決定権を**もつ**人物たちを連れてくる。二人とも、ここで待て」

ハリーとロンはお互いに蒼白《そうはく》な顔を見合わせた。ハリーはもう空腹も感じない。ただ、ひどく吐き気がした。スネイプの机の後ろにある棚に置かれた、緑の液体にプカプカ浮いている、なんだか大きくてぬめぬめした得体の知れないものを、ハリーはなるべく見ないようにした。スネイプが、グリフィンドール寮監のマクゴナガル先生を呼びにいったとしたら、それで二人の状況がよくなるわけでもない。マクゴナガル先生はスネイプより公正かもしれないが、非常に厳格なことに変わりはない。

十分後、スネイプが戻ってきた。やっぱり、一緒に来たのはマクゴナガル先生だった。ハリーは、マクゴナガル先生が怒ったのをこれまで何度か見たことはある。しかし、今度ばかりは、先生の唇が、こんなに真一文字にギュッと横に伸びることをハリーが忘れていたのか、それともこんなに怒っているのは見たことがないかのどっちかだ。部屋に入ってくるなり、先生は杖を振り上げた。二人は思わず身を縮めた。先生は火の気のない暖炉に杖を向けただけだった。急に炎が燃え上がった。

「おかけなさい」そのひと声で、二人はあとずさりして暖炉のそばの椅子に座った。

「ご説明なさい」先生のめがねがギラリと不吉に光っている。

ロンが二人を跳ねつけた駅の壁の話から話しはじめた。

「……ですから、僕たち、ほかに方法がありませんでした。先生、僕たち、汽車に乗れなかったんです」

「なぜ、ふくろう便を送らなかったのですか？　**あなたは**ふくろうをお持ちでしょう？」

マクゴナガル先生はハリーに向かって冷たく言った。

ハリーはぼうぜんと口を開けて先生の顔を見つめた。そう言われれば、確かにそのとおりだ。

「ぼ――僕、考えつきもしなくて――」

「考えなかったのでしょうとも」マクゴナガル先生が言った。

ドアをノックして、ますます悦に入ったスネイプの顔が現れた。そこにはダンブルドア校長が立っていた。

ハリーは体中の力が抜けるような気がした。ダンブルドアはいつもとちがって深刻な表情だった。校長先生に鉤鼻越しにじっと見下ろされると、ハリーは急に、いま、ロンと一緒に「暴れ柳」に打ちのめされているほうが、まだましだという気になった。

長い沈黙が流れた。ダンブルドアが、口を開いた。

「どうしてこんなことをしたのか、説明してくれるかの？」

むしろどなってくれたほうが気が楽だった。ハリーは校長先生の失望したような声を聞くと、たまらなかった。なぜかハリーは、ダンブルドアの顔をまっすぐに見ることができず、ダンブルドアのひざを見つめながら話した。ハリーはすべてをダンブルドアに話したが、ウィーズリー氏があの魔法のかかった車の持ち主だということだけは伏せて、ハリーとロンがたまたま駅の外に駐車してあった空飛ぶ車を見つけたような言い方をした。ダンブルドアは、こんな言い方をしてもお見透《みとお》しだと、ハリーにはわかっていたが、車については一言も追及がなかった。ハリーが話し終わっても、ダンブルドアはめがねの奥から二人をじっとのぞき続けるだけだった。

「僕たち、荷物をまとめます」ロンが観念したような声で言った。

「ウィーズリー、どういうつもりですか？」とマクゴナガル先生がガツンと言った。

「でも、僕たちを退校処分になさるんでしょう？」とロンが言った。

ハリーは急いでダンブルドアの顔を見た。

「ミスター・ウィーズリー、今日というわけではない。しかし、君たちのやったことの重大さについては、はっきりと二人に言っておかねばのう。今晩二人のご家族に、わしから手紙を書こう。それに、二人には警告しておかねばならんが、今後またこのようなことがあれば、わしとしても、二人を退学にせざるをえんのでな」

スネイプはクリスマスがおあずけになったような顔をした。咳《せき》払いをしてスネイプが言った。

「ダンブルドア校長、この者たちは『未成年魔法使いの制限事項令』を愚弄し、貴重な古木に甚大なる被害を与えております……このような行為はまさしく……」

「セブルス、この少年たちの処罰を決めるのはマクゴナガル先生じゃろう」

ダンブルドアは静かに言った。

「二人はマクゴナガル先生の寮の生徒じゃから、彼女の責任じゃ」

ダンブルドアはマクゴナガル先生に向かって話しかけた。

「ミネルバ、わしは歓迎会に戻らんと。二言、三言、話さねばならんのでな。さあ行こうかの、セブルス。うまそうなカスタード・タルトがあるんじゃ。わしゃ、あれをひと口食べてみたい」

しぶしぶ、自分の部屋から連れ去られるように出ていきながら、スネイプは、ハリーとロンを毒々しい目つきで見た。あとに残された二人を、マクゴナガル先生が、相変わらず怒れる鷲《わし》のような目で見すえていた。

「ウィーズリー、あなたは医務室に行ったほうがよいでしょう。血が出ています」

「たいしたことありません」

ロンがあわててそでまぶたの切り傷をぬぐった。

「先生、僕の妹が組分けされるところを見たいと思っていたのですが――」

「組分けの儀式は終わりました。あなたの妹もグリフィンドールです」

「あぁ、よかった」

「グリフィンドールといえば――」マクゴナガル先生の声が厳しくなった。が、ハリーがそれをさえぎった。

「先生、僕たちが車に乗ったときは、まだ新学期は始まっていませんでした。ですから――あの、グリフィンドールは、減点されないはずですよね。ちがいますか？」

言い終えて、ハリーは心配そうに、先生の顔色をうかがった。

マクゴナガル先生は射るような目を向けたが、ハリーは先生が確かにほほえみをもらしそうになったと思った。少なくとも、先生の唇の真一文字が少しゆるんだ。

「グリフィンドールの減点はいたしません」

先生の言葉でハリーの気持ちがずっと楽になった。

「ただし、二人とも罰則を受けることになります」

ハリーにとって、これは思ったよりましな結果だった。ダンブルドアがダーズリー家に手紙を書くことなど、ハリーには問題にならなかった。あの人たちにしてみれば、「暴れ柳」がハリーをペシャンコにしてくれなかったことだけが残念だろう。

マクゴナガル先生は再び杖を振り上げ、スネイプの机に向けて振り下ろした。大きなサンドイッチの皿、ゴブレットが二つ、冷たい魔女かぼちゃジュースのボトルが、**ポン**と音を立てて現れた。

「ここでお食べなさい。終わったらまっすぐに寮にお帰りなさい。私《わたくし》も歓迎会に戻らなければなりません」

先生がドアを閉めて行ってしまうと、ロンはヒューッと低く長い口笛を吹いた。

「もうダメかと思ったよ」

サンドイッチをガバッとつかみながら、ロンが言った。

「僕もだよ」

ハリーも一つつかんだ。

「だけど、僕たちって信じられないぐらいついてないぜ」

ロンがチキンとハムをいっぱい詰め込んだ口をもごもごさせて言った。

「フレッドとジョージなんか、あの車を五回も六回も飛ばしてるのに、**あの二人**は一度だってマグルに見られてないんだ」

ロンはゴクンと飲み込むと、また大口を開けてかぶりついた。

「だけど、**どうして**壁を通り抜けられなかったんだろ？」

ハリーは肩をちょっとすくめて、わからないというしぐさをした。

「だけど、これからは僕たち慎重に行動しなくちゃ」

ハリーは冷たい魔女かぼちゃジュースを、のどを鳴らして飲みながら言った。

「歓迎会に行きたかったなぁ……」

「マクゴナガル先生は、僕たちが目立ってはいけないと考えたんだ。車を飛ばして到着したのがかっこいいなんて、みんながそう思ったらいけないって」ロンが神妙に言った。

サンドイッチを食べたいだけ食べると（大皿はからになるとまたひとりでにサンドイッチが現れた）、二人はスネイプの研究室を出て、通いなれた通路をグリフィンドール塔に向かってとぼとぼと歩いた。城は静まり返っている。歓迎会は終わったらしい。ボソボソささやく肖像や、ギーギーときしむ鎧《よろい》をいくつか通り過ぎ、狭い石段を上り、やっと寮への秘密の入口が隠されている廊下にたどり着いた。ピンクの絹のドレスを着たとても太った婦人《レディ》の油絵がかかっている。

二人が近づくと婦人が「合言葉は？」と聞いた。

「えーと――」とハリー。

二人ともまだグリフィンドールの監督生に会っていないので、新学期の新しい合言葉を知らなかった。しかし、すぐに助け舟がやってきた。後ろのほうから急ぎ足で誰かがやってくる。振り返るとハーマイオニーがこっちにダッシュしてくる。

「**やっと見つけた！** **いったい**どこに行ってたの？ **バカバカしい**うわさが流れて――誰かが言ってたけど、あなたたちが空飛ぶ**車**で墜落して退校処分になったって」

「ああ、退校処分にはならなかった」

ハリーはハーマイオニーを安心させた。

「まさか、**ほんとに**空を飛んでここに来たの？」

ハーマイオニーはまるでマクゴナガル先生のような厳しい声で言った。

「お説教はやめろよ」

ロンがいらいらして言った。

「新しい合言葉、教えてくれよ」

「『ミミダレミツスイ《ワトルバード》』よ。でも、話をそらさないで――」

ハーマイオニーもいらいらと言った。

しかし、彼女の言葉もそこまでだった。太った婦人の肖像画がパッと開くと、突然ワッと拍手の嵐だった。グリフィンドールの寮生は、全員まだ起きている様子だった。丸い談話室いっぱいにあふれ、傾いたテーブルの上や、ふかふかのひじかけ椅子の上に立ち上がったりして、二人の到着を待っていた。肖像画の穴のほうに何本も腕が伸びてきて、ハリーとロンを部屋の中に引っ張り入れた。取り残されたハーマイオニーは一人で穴をよじ登ってあとに続いた。

「やるなぁ！　感動的だぜ！　なんてご登場だ！　車を飛ばして『暴れ柳』に突っ込むなんて、何年も語り草になるぜ！」リー・ジョーダンが叫んだ。

「よくやった」

ハリーが一度も話したことがない五年生が話しかけてきた。ハリーがたったいま、マラソンで優勝テープを切ったかのように、誰かが背中をポンポンたたいた。フレッドとジョージが人波をかき分けて前のほうにやってきて、口をそろえて言った。

「オイ、なんで、俺たちを呼び戻してくれなかったんだよ？」

ロンはきまり悪そうに笑いながら顔を紅潮させていたが、ハリーは一人だけ不機嫌な顔をした生徒に気づいた。はしゃいでいる一年生たちの頭のむこうに、パーシーがはっきり見えた。ハリーたちに充分近づいてから、叱りつけようとこっちへ向かってくる。ハリーはロンの脇腹をこづいて、パーシーのほうをあごでしゃくった。ロンはすぐに察した。

「ベッドに行かなくちゃ――ちょっとつかれた」

ロンはそう言うと、ハリーと二人で部屋のむこう側のドアに向かった。そこから螺旋《らせん》階段が寝室へと続いている。

「おやすみ」

ハリーは、パーシーと同じようにしかめっ面をしているハーマイオニーに呼びかけた。

背中をパシパシたたかれながら、二人はなんとか部屋の反対側にたどり着き、螺旋階段でやっと静けさを取り戻した。急いで上まで駆け上り、とうとうなつかしい部屋の前に着いた。ドアにはもう「二年生」と書いてあった。中に入ると、丸い部屋、赤いベルベットのカーテンがかかった四本柱のあるベッドが五つ、細長い高窓、見なれた光景だった。二人のトランクはもう運び込まれていて、ベッドの端のほうに置いてあった。

ロンはハリーを見て、バツが悪そうにニヤッと笑った。

「僕、あそこで喜んだりなんかしちゃいけないって、わかってたんだけど、でも――」

ドアがパッと開いて同室のグリフィンドール二年生がなだれ込んできた。シェーマス・フィネガン、ディーン・トーマス、ネビル・ロングボトムだ。

「**ほんとかよ！**」シェーマスがニッコリした。

「かっこいい」とディーンが言った。

「すごいなあ」ネビルは感動で打ちのめされていた。

ハリーもがまんできなくなった。そしてニヤッと笑った。

第６章　ギルデロイ・ロックハート

翌日、ハリーは一度もニコリともできなかった。大広間での朝食から始まって、状況は悪くなる一方だった。四つのテーブルには牛乳入りオートミールの深皿、ニシンのくんせいの皿、山のようなトーストト、卵とベーコンの皿が並べられていた。天井は空と同じに見えるように魔法がかけられている（今日はどんよりとした灰色の曇り空だ）。ハリーとロンは、グリフィンドールのテーブルの、ハーマイオニーの隣に腰かけた。

ハーマイオニーはミルクの入った水差しに『バンパイアとバッチリ船旅』を立てかけて読んでいた。「おはよう」というハーマイオニーの言い方がちょっとつっけんどんだ。ハリーたちが到着した方法がまだ許せないらしい。

ネビルの挨拶はそれとは反対にうれしそうだった。ネビル・ロングボトムは丸顔で、ドジばかり踏んで、ハリーの知るかぎり一番の忘れん坊だ。

「もうふくろう郵便の届く時間だ――ばあちゃんが、僕の忘れたものをいくつか送ってくれると思うよ」

ハリーがオートミールを食べはじめたとたん、うわさをすればで、頭上にあわただしい音がして、百羽を超えるふくろうが押し寄せ、大広間を旋回して、ペチャクチャ騒がしい生徒たちの上から、手紙やら小包やらを落とした。大きなデコボコした小包がネビルの頭に落ちて跳ね返った。次の瞬間、何やら大きな灰色の塊が、ハーマイオニーのそばの水差しの中に落ち、周りのみんなに、ミルクと羽のしぶきをまき散らした。

「**エロール！**」

ロンが足をつかんで、ぐっしょりになったふくろうを引っ張り出した。エロールは気絶してテーブルの上にボトッと落ちた。足を上向きに突き出し、くちばしにはぬれた赤い封筒をくわえている。

「大変だ――」ロンが息をのんだ。

「大丈夫よ。まだ生きてるわ」

ハーマイオニーがエロールを指先でチョンチョンと軽くつつきながら言った。

「そうじゃなくて――**あっち**」

ロンは赤い封筒のほうを指差している。ハリーが見てもごくあたりまえの封筒だ。しかし、ロンもネビルも、いまにも封筒が爆発しそうな目つきで見ている。

「どうしたの？」ハリーが聞いた。

「ママが――ママったら『吠《ほ》えメール』を僕によこした」ロンが、か細い声で言った。

「ロン、開けたほうがいいよ」ネビルがこわごわささやいた。

「開けないともっとひどいことになるよ。僕のばあちゃんも一度僕によこしたことがあるんだけど、ほっておいたら……」ネビルはゴクリと生つばをのんだ。「ひどかったんだ」

ハリーは石のようにこわばっているロンたちの顔から、赤い封筒へと目を移した。

「『吠えメール』って何？」ハリーが聞いた。

しかし、ロンは赤い封筒に全神経を集中させていた。封筒の四隅が煙を上げはじめていた。

「開けて」ネビルがせかした。「ほんの数分で終わるから……」

ロンは震える手を伸ばしてエロールのくちばしから封筒をそうっとはずし、開封した。ネビルは耳に指を突っ込んだ。次の瞬間、ハリーはその理由がわかった。一瞬、封筒が爆発したかと思った。大広間いっぱいに吠える声で、天井からほこりがバラバラ落ちてきた。

「……車を盗み出すなんて、退校処分になってもあたりまえです。首を洗って待ってらっしゃい。承知しませんからね。車がなくなっているのを見て、私とお父さまがどんな思いだったか、おまえはちょっとでも考えたんですか……」

ウィーズリー夫人のどなり声が、本物の百倍に拡声されて、テーブルの上の皿もスプーンもガチャガチャと揺れ、声は石の壁に反響して鼓膜が裂けそうにワンワン唸《うな》った。大広間にいた全員があたりを見回し、いったい誰が「吠えメール」をもらったのだろうと探していた。ロンは椅子に縮こまって小さくなり、真っ赤な額だけがテーブルの上に出ていた。

「……昨夜ダンブルドアからの手紙が来て、お父さまは恥ずかしさのあまり死んでしまうのでは、と心配しました。こんなことをする子に育てた覚えはありません。おまえもハリーも、まかりまちがえば死ぬところだった……」

ハリーはいつ自分の名前が飛び出すかと覚悟して、鼓膜がずきずきするぐらいの大声を、必死で聞こえていないふりをしながら聞いていた。

「……まったく愛想が尽きました。お父さまは役所で尋問を受けたのですよ。みんなおまえのせいです。今度ちょっとでも規則を破ってごらん。私たちがおまえをすぐに家に引っ張って帰ります」

耳がジーンとなって静かになった。ロンの手から落ちた赤い封筒は、炎となって燃え上がり、チリチリと灰になった。ハリーとロンはまるで津波の直撃を受けたあとのようにぼうぜんと椅子にへばりついていた。何人かが笑い声を上げ、だんだんとおしゃべりの声が戻ってきた。ハーマイオニーは『バンパイアとバッチリ船旅』の本を閉じ、ロンの頭のてっぺんを見下ろして言った。

「ま、あなたが何を予想していたかは知りませんけど、ロン、あなたは……」

「当然の報いを受けたって言いたいんだろ」ロンがかみついた。

ハリーは食べかけのオートミールをむこうに押しやった。申し訳なさで胃が焼けるような思いだった。ウィーズリーおじさんが役所で尋問を受けた……。ウィーズリーおじさんとおばさんには夏中あんなにお世話になったのに……。

考え込んでいる間はなかった。マクゴナガル先生がグリフィンドールのテーブルを回って時間割を配りはじめたのだ。ハリーの分を見ると、最初にハッフルパフと一緒に薬草学の授業を受けることになっている。

ハリー、ロン、ハーマイオニーは一緒に城を出て、野菜畑を横切り、魔法の植物が植えてある温室へと向かった。吠えメールは一つだけよいことをしてくれた。ハーマイオニーが、これで二人は充分に罰を受けたと思ったらしく、以前のように親しくしてくれるようになったのだ。

温室の近くまで来ると、ほかのクラスメートが外に立って、スプラウト先生を待っているのが見えた。三人がみんなと一緒になった直後、先生が芝生を横切って大股で歩いてくるのが見えた。ギルデロイ・ロックハートと一緒だ。スプラウト先生は腕いっぱいに包帯を抱えていた。遠くのほうに「暴れ柳」が見え、枝のあちこちに吊《つ》り包帯がしてあるのに気がついて、ハリーはまた申し訳なさで胸が痛んだ。

スプラウト先生はずんぐりした小さな魔女で、髪の毛がふわふわ風になびき、その上に継ぎはぎだらけの帽子をかぶっていた。ほとんどいつも服は泥だらけで、爪を見たらあのペチュニアおばさんは気絶しただろう。ギルデロイ・ロックハートのほうは、トルコ石色のローブをなびかせ、金色に輝くブロンドの髪に、金色の縁取りがしてあるトルコ石色の帽子を完璧な位置にかぶり、どこから見ても文句のつけようがなかった。

「やぁ、みなさん！」

ロックハートは集まっている生徒を見回して、こぼれるように笑いかけた。

「スプラウト先生に、『暴れ柳』の正しい治療法をお見せしていましてね。でも、私《わたくし》のほうが先生より薬草学の知識があるなんて、誤解されては困りますよ。たまたま私、旅の途中、そのようなエキゾチックな植物に何度か出あったことがあるだけですから……」

「みんな、今日は三号温室へ！」

スプラウト先生は普段の快活さはどこへやら、不機嫌さが見え見えだった。

興味津々のささやきが流れた。これまで一号温室でしか授業がなかった――三号温室にはもっと不思議で危険な植物が植わっている。スプラウト先生は大きな鍵をベルトからはずし、ドアを開けた。天井からぶら下がった、傘ほどの大きさがある巨大な花の強烈な香りにまじって、湿った土と肥料のにおいが、プンとハリーの鼻をついた。ハリーはロンやハーマイオニーと一緒に中に入ろうとしたが、ロックハートの手がすっと伸びてきた。

「ハリー！　君と話したかった――スプラウト先生、彼が二、三分遅れてもお気になさいませんね？」

スプラウト先生のしかめっ面を見れば、「お気になさる」ようだったが、ロックハートはかまわず、「お許しいただけましてと言うなり、彼女の鼻先でピシャッとドアを閉めた。

「ハリー」

ロックハートは首を左右に振り、そのたびに白い歯が太陽を受けて輝いた。

「ハリー、ハリー、ハリー」

何がなんだかさっぱりわからなくて、ハリーは何も言えなかった。

「私、あの話を聞いたとき――もっとも、みんな私が悪いのですがね、自分を責めましたよ」

ハリーはいったいなんのことかわからなかった。そう言おうと思っていると、ロックハートが言葉を続けた。

「こんなにショックを受けたことは、これまでにないと思うぐらいでしたよ。ホグワーツまで車で飛んでくるなんて！　まぁ、もちろん、なぜ君がそんなことをしたのかはすぐにわかりましたが。目立ちたかったからね。ハリー、ハリー、**ハリー**」

話していないときでさえ、すばらしい歯並びを一本残らず見せつけることが、どうやったらできるのか、驚きだった。

「有名になるという蜜の味を、私が教えてしまった。そうでしょう？　『有名虫』を移してしまった。新聞の一面に私と一緒にのってしまって、君はまたそうなりたいという思いをこらえられなかった」

「あの――先生、ちがいます。つまり――」

「ハリー、ハリー、ハリー」

ロックハートは手を伸ばしてハリーの肩をつかみながら言った。

「**わかりますとも**。最初のほんのひと口で、もっと食べたくなる――君が、そんな味をしめるようになったのは、私のせいだ。どうしても人を酔わせてしまうものでしてね――しかしです、青年よ、目立ちたいからといって、**車を飛ばす**というのはいけないですね。落ち着きなさい。ね？　もっと大きくなってから、そういうことをする時間がたっぷりありますよ。

ええ、ええ、君が何を考えているか、私にはわかります！　『彼はもう国際的に有名な魔法使いだから、落ち着けなんて言ってられるんだ！』ってね。しかしです、私が十二歳のときには君と同じぐらい無名でした。むしろ、君よりもずっと無名だったかもしれない。つまり、君の場合は少しは知っている人がいるでしょう？　『名前を言ってはいけないあの人』とかなんとかで！」

ロックハートはちらっとハリーの額の稲妻形の傷を見た。

「わかってます。わかっていますとも。『週刊魔女』の『チャーミング・スマイル賞』に五回も続けて私が選ばれたのに比べれば、君のはたいしたことではないでしょう――それでも**初めは**それぐらいでいい。ハリー、**初めはね**」

ロックハートはハリーに思いっきりウィンクすると、すたすた行ってしまった。ハリーは一瞬ぼうぜんとたたずんでいたが、ふと、温室に入らなければならないことを思い出してドアを開け、中にすべり込んだ。スプラウト先生は温室の真ん中に、架台を二つ並べ、その上に板を置いてベンチを作り、その後ろに立っていた。ベンチの上に色ちがいの耳当てが二十個ぐらい並んでいる。ハリーがロンとハーマイオニーの間に立つと、先生が授業を始めた。

「今日はマンドレイクの植え替えをやります。マンドレイクの特徴がわかる人はいますか？」

みんなが思ったとおり、一番先にハーマイオニーの手が挙がった。

「マンドレイク、別名マンドラゴラは強力な回復薬です」

いつものように、ハーマイオニーの答えはまるで教科書を丸のみにしたようだった。

「姿形を変えられたり、呪いをかけられたりした人を元の姿に戻すのに使われます」

「たいへんよろしい。グリフィンドールに一〇点」

スプラウト先生が言った。

「マンドレイクはたいていの解毒剤の主成分になります。しかし、危険な面もあります。誰かその理由が言える人は？」

ハーマイオニーの手が勢いよく挙がった拍子に、危うくハリーのめがねを引っかけそうになった。

「マンドレイクの泣き声はそれを聞いた者にとって命取りになります」

よどみない答えだ。

「そのとおり。もう一〇点あげましょう」

スプラウト先生が言った。

「さて、ここにあるマンドレイクはまだ非常に若い」

先生が一列に並んだ苗の箱を指差し、生徒はよく見ようとしていっせいに前のほうに詰めた。紫がかった緑色の小さなふさふさした植物が百個ぐらい列を作って並んでいた。特に変わった所はないじゃないか、とハリーは思った。ハーマイオニーの言ったマンドレイクの「泣き声」がなんなのかハリーには見当もつかない。

「みんな、耳当てを一つずつ取って」とスプラウト先生。

みんないっせいに耳当てを――ピンクのふわふわした耳当て以外を――取ろうともみ合った。

「私が合図したら耳当てをつけて、両耳を**完全に**ふさいでください。耳当てを取っても安全になったら、私が親指を上に向けて合図します。それでは――耳当て、**つけ！**」

ハリーは両耳を耳当てでパチンとおおった。外の音が完全に聞こえなくなった。スプラウト先生はピンクのふわふわした耳当てをつけ、ローブのそでをまくり上げ、ふさふさした植物を一本しっかりつかみ、ぐいっと引き抜いた。

ハリーは驚いてあっと声を上げたが、声は誰にも聞こえない。

土の中から出てきたのは、植物の根ではなく、小さな、泥んこの、ひどく醜い男の赤ん坊だった。葉っぱはその頭から生えている。肌は薄緑色でまだらになっている。赤ん坊は声のかぎりに泣きわめいている様子だった。

スプラウト先生は、テーブルの下から大きな鉢を取り出し、マンドレイクをその中に突っ込み、ふさふさした葉っぱだけが見えるように、黒い、湿った堆肥で赤ん坊を埋め込んだ。先生は手から泥を払い、親指を上に上げ、自分の耳当てをはずした。

「このマンドレイクはまだ苗ですから、泣き声も命取りではありません」

先生は落ち着いたもので、ベゴニアに水をやるのと同じように、あたりまえのことをしたような口ぶりだ。

「しかし、苗でも、みなさんを**まちがいなく**数時間気絶させるでしょう。新学期最初の日を気を失ったまま過ごしたくはないでしょうから、耳当ては作業中しっかりと離さないように。後片づけをする時間になったら、私からそのように合図します」

「一つの苗床に四人――植え替えの鉢はここに充分にあります――堆肥の袋はここです――『毒触手草』に気をつけること。歯が生えてきている最中ですから」

先生は話しながらとげだらけの暗赤色の植物をピシャリとたたいた。するとその植物は、先生の肩の上にそろそろと伸ばしていた長い触手を引っ込めた。

ハリー、ロン、ハーマイオニーのグループに、髪の毛がくるくるとカールしたハッフルパフの男の子が加わった。ハリーはその子に見覚えがあったが、話したことはなかった。

「ジャスティン・フィンチ‐フレッチリーです」

男の子はハリーと握手しながら明るい声で自己紹介した。

「君のことは知ってますよ、もちろん。有名なハリー・ポッターだもの……。それに、君はハーマイオニー・グレンジャーでしょう――何をやっても一番の……（ハーマイオニーも握手に応じながらニッコリした）。それから、ロン・ウィーズリー。あの空飛ぶ車、君のじゃなかった？」

ロンはニコリともしなかった。「吠えメール」のことがまだ引っかかっていたらしい。

「ロックハートって、たいした人ですよね？」

四人でそれぞれ鉢にドラゴンのフンの堆肥を詰め込みながら、ジャスティンがほがらかに言った。

「ものすごく勇敢な人です。彼の本、読みましたか？　僕でしたら、狼男《おおかみおとこ》に追い詰められて電話ボックスに逃げ込むような目にあったら、恐怖で死んでしまう。ところが彼ときたらクールで——バサッと——すてきだ」

「僕、ほら、あのイートン校に行くことが決まってましたけど、こっちの学校に来られて、ほんとにうれしい。もちろん母はちょっぴりがっかりしてましたけど、ロックハートの本を読ませたら、母もだんだんわかってきたらしい。つまり家族の中にちゃんと訓練を受けた魔法使いがいると、どんなに便利かってことが……」

それからは四人ともあまり話すチャンスがなくなった。耳当てをつけたし、マンドレイクに集中しなければならなかったからだ。スプラウト先生のときはずいぶん簡単そうに見えたが、実際にはそうはいかなかった。マンドレイクは土の中から出るのをいやがり、いったん出ると元に戻りたがらなかった。もがいたり、蹴ったり、とがった小さな拳を振り回したり、ギリギリ歯ぎしりしたりで、ハリーは特にまるまる太ったのを鉢に押し込むのに、ゆうに十分はかかった。

授業が終わるころには、ハリーもクラスの誰もかれも、汗まみれの泥だらけで、体があちこち痛んだ。みんなだらだらと城まで歩いて戻り、サッと汚れを洗い落とし、それからグリフィンドール生は変身術のクラスに急いだ。

マクゴナガル先生のクラスはいつも大変だったが、今日はことさらに難しかった。去年一年間習ったことが、夏休みの間にハリーの頭から溶けて流れてしまったようだった。コガネムシをボタンに変える課題だったのに、ハリーの杖《つえ》をかいくぐって逃げ回るコガネムシに、机の上でたっぷり運動させてやっただけだった。

ロンのほうがもっとひどかった。スペロテープを借りて杖を継ぎはぎしてみたものの、もう杖は修理できないほどに壊れてしまったらしい。とんでもないときにパチパチ鳴ったり、火花を散らしたりした。ロンがコガネムシを変身させようとするたびに、杖は濃い灰色の煙でもくもくとロンを包み込んだ。煙はくさった卵のにおいがした。煙で手元が見えなくて、ロンはうっかりコガネムシをひじで押しつぶしてしまい、新しいのをもう一匹もらわなければならなかった。マクゴナガル先生は、ご機嫌斜めだった。

昼休みのベルが鳴り、ハリーはホッとした。脳みそが、しぼったあとのスポンジのようになった気がした。みんなはぞろぞろと教室を出ていったが、ハリーとロンだけが取り残され、ロンはかんしゃくを起こして、杖をバンバン机にたたきつけていた。

「こいつめ……役立たず……コンチキショー」

「家に手紙を書いて別なのを送ってもらえば？」

杖が連発花火のようにパンパン鳴るのを聞きながらハリーが言った。

「あぁ、そうすりゃ、また『吠えメール』が来るさ。『**杖が折れたのは、おまえが悪いからでしょう**――』ってね」

今度はシューシューいいはじめた杖を鞄《かばん》に押し込みながら、ロンが答えた。

昼食の席で、ハーマイオニーが変身術で作った完璧なコートのボタンをいくつも二人に見せつけるので、ロンはますます機嫌を悪くした。

「午後の授業はなんだっけ？」ハリーはあわてて話題を変えた。

「闇の魔術に対する防衛術よ」ハーマイオニーがすぐ答えた。

「君、ロックハートの授業を全部小さいハートで囲んであるけど、**どうして？**」ロンがハーマイオニーの時間割を取り上げて聞いた。

ハーマイオニーは真っ赤になって時間割を引ったくり返した。

昼食を終え、三人は中庭に出た。曇り空だった。ハーマイオニーは石段に腰かけて、『バンパイアとバッチリ船旅』をまた夢中になって読みはじめた。ハリーはロンと立ち話でしばらくクィディッチのことを話していたが、ふとじっと見つめられているような気がした。目を上げると、薄茶色の髪をした小さな少年が、その場に釘《くぎ》づけになったようにじっとハリーを見つめていた。ハリーはこの少年が昨夜組分け帽子をかぶったところを見た。少年はマグルのカメラのようなものをしっかりつかんでいて、ハリーが目を向けたとたん、顔を真っ赤にした。

「ハリー、元気？　僕――僕、コリン・クリービーといいます」

少年はおずおずと一歩近づいて、ひと息にそう言った。

「僕も、グリフィンドールです。あの――もし、かまわなかったら――写真を撮ってもいいですか？」

カメラを持ち上げて、少年が遠慮がちに頼んだ。

「写真？」ハリーがオウム返しに聞いた。

「僕、あなたに会ったことを証明したいんです」

コリン・クリービーはまた少し近寄りながら熱っぽく言った。

「僕、あなたのことはなんでも知ってます。みんなに聞きました。『例のあの人』があなたを殺そうとしたのに、生き残ったとか、『あの人』が消えてしまったとか、いまでもあなたの額に稲妻形の傷があるとか（コリンの目がハリーの額の生え際を探った）。同じ部屋の友達が、写真をちゃんとした薬で現像したら、写真が**動く**って教えてくれたんです」

コリンは興奮で震えながら大きく息を吸い込むと、一気に言葉を続けた。

「この学校って、**すばらしい**。ねっ？　僕、いろいろ変なことができたんだけど、ホグワーツから手紙が来るまでは、それが魔法だってことを知らなかったんです。僕のパパは牛乳配達をしてて、やっぱり信じられなかった。だから、僕、写真をたくさん撮って、パパに送ってあげるんです。もし、あなたのが撮れたら、ほんとにうれしいんだけど――」

コリンは懇願するような目でハリーを見た。

「あなたの友達に撮ってもらえるなら、僕があなたと並んで立ってもいいですか？　それから、写真にサインしてくれますか？」

「**サイン入り写真**？　ポッター、君は**サイン入り写真**を配ってるのかい？」

ドラコ・マルフォイの痛烈な声が中庭に大きく響き渡った。いつものように、デカくて狂暴そうなクラッブとゴイルを両脇に従えて、マルフォイはコリンのすぐ後ろで立ち止まった。

「みんな、並べよ！　ハリー・ポッターがサイン入り写真を配るそうだ！」

マルフォイが周りに群がっていた生徒たちに大声で呼びかけた。

「僕はそんなことしていないぞ。マルフォイ、だまれ！」

ハリーは怒って拳を握りしめながら言った。

「君、やきもちやいてるんだ」

コリンもクラッブの首の太さぐらいしかない体で言い返した。

「**やいてる？**」

マルフォイはもう大声を出す必要はなかった。中庭にいた生徒の半分が耳を傾けていた。

「何に？　僕は、ありがたいことに、額の真ん中に醜い傷なんか必要ないね。頭をかち割られることで特別な人間になるなんて、僕はそう思わないのでね」

クラッブとゴイルはクスクス薄らばか笑いをしていた。

「ナメクジでも食らえ、マルフォイ」

ロンがけんか腰で言った。クラッブは笑うのをやめ、トチの実のようにゴツゴツとがったげんこつを脅すようになでさすりはじめた。

「言葉に気をつけるんだね、ウィーズリー」マルフォイがせせら笑った。「これ以上いざこざを起こしたら、君のママがお迎えに来て、学校から連れて帰るよ」

マルフォイは、かん高い突き刺すような声色で**「今度ちょっとでも規則を破ってごらん――」**と言った。

近くにいたスリザリンの五年生の一団が声を上げて笑った。

「ポッター、ウィーズリーが君のサイン入り写真が欲しいってさ」

マルフォイがニヤニヤ笑いながら言った。

「彼の家一軒分よりもっと価値があるかもしれないな」

ロンはスペロテープだらけの杖をサッと取り出した。が、ハーマイオニーが『バンパイアとバッチリ船旅』をパチンと閉じて、「気をつけて！」とささやいた。

「いったい何事かな？　いったいどうしたかな？」

ギルデロイ・ロックハートが大股でこちらに歩いてきた。トルコ石色のローブをひらりとなびかせている。

「サイン入りの写真を配っているのは誰かな？」

ハリーが口を開けかけたが、ロックハートはそれをさえぎるようにハリーの肩にサッと腕を回し、陽気な大声を響かせた。

「聞くまでもなかった！　ハリー、また会ったね！」

　ロックハートにはがいじめにされ、屈辱感で焼けるような思いをしながら、ハリーはマルフォイがニヤニヤしながら人垣の中にスルリと入り込むのを見た。

「さあ、撮りたまえ。クリービー君」

　ロックハートがコリンにニッコリほほえんだ。

「二人一緒のツーショットだ。最高だと言えるね。しかも、君のために二人でサインしよう」

　コリンは大あわてでもたもたとカメラをかまえ写真を撮った。その時ちょうど午後の授業の始まりを告げるベルが鳴った。

「さあ、行きたまえ。みんな急いで」

　ロックハートはそうみんなに呼びかけ、自分もハリーを抱えたまま城へと歩きだした。ハリーははがいじめにされたまま、うまく消え去る呪文があればいいのにと思っていた。

「わかっているとは思うがね、ハリー」

　城の脇のドアから入りながら、ロックハートがまるで父親のような言い方をした。

「あのお若いクリービー君から、あそこで君を護《まも》ってやったんだよ――もし、あの子が私の写真も一緒に撮るのだったら、君のクラスメートも君が目立ちたがっていると思わないでしょう……」

　ハリーがもごもご言うのをまったく無視して、ロックハートは廊下に生徒がずらりと並んで見つめる中を、ハリーを連れたまままさっさと歩き、そのまま階段を上がった。

「一言言っておきましょう。君の経歴では、いまの段階でサイン入り写真を配るのは賢明とは言えないね――はっきり言って、ハリー、すこーし思い上がりだよ。そのうち、私のように、どこへ行くにも写真をひと束準備しておくことが必要になる時がくるかもしれない。しかしですね――」ここでロックハートはカラカラッと満足げに笑った。「君はまだまだその段階ではないと思いますね」

教室の前まで来て、ロックハートはやっとハリーを放した。ハリーはローブをギュッと引っ張ってしわを伸ばしてから、一番後ろの席まで行って、そこに座り、脇目も振らずにロックハートの本を七冊全部、目の前に山のように積み上げた。そうすればロックハートの実物を見ないですむ。

クラスメートが教室にドタバタと入ってきた。ロンとハーマイオニーが、ハリーの両脇に座った。

「顔で目玉焼きができそうだったよ」

ロンが言った。

「クリービーとジニーがどうぞ出会いませんように、だね。じゃないと、二人でハリー・ポッター・ファンクラブを始めちゃうよ」

「やめてくれよ」ハリーがさえぎるように言った。

「ハリー・ポッター・ファンクラブ」なんて言葉はロックハートには絶対聞かれたくない言葉だ。

クラス全員が着席すると、ロックハートは大きな咳《せき》払いをした。みんなしんとなった。ロックハートは生徒のほうにやってきて、ネビル・ロングボトムの持っていた『トロールとのとろい旅』を取り上げ、ウィンクをしている自分自身の写真のついた表紙を高々と掲げた。

「私です」本人もウィンクしながら、ロックハートが言った。

「ギルデロイ・ロックハート。勲三等マーリン勲章、闇の力に対する防衛術連盟名誉会員、そして、『週刊魔女』五回連続『チャーミング・スマイル賞』受賞――もっとも、私はそんな話をするつもりではありませんよ。バンドンの泣き妖怪バンシーを**スマイル**で追い払ったわけじゃありませんしね！」

ロックハートはみんなが笑うのを待ったが、ごく数人があいまいに笑っただけだった。

「全員が私の本を全巻そろえたようだね。たいへんよろしい。今日は最初にちょっとミニテストをやろうと思います、心配ご無用――君たちがどのくらい私の本を読んでいるか、どのくらい覚えているかをチェックするだけですからね」

テストペーパーを配り終えると、ロックハートは教室の前の席に戻って合図した。

「三十分です。よーい、**はじめ！**」

ハリーはテストペーパーを見下ろし、質問を読んだ。

1　ギルデロイ・ロックハートの好きな色は何？

2　ギルデロイ・ロックハートのひそかな大望は何？

3　現時点までのギルデロイ・ロックハートの業績の中で、あなたは何が一番偉大だと思うか？

こんな質問が延々三ページ、裏表にわたって続いた。最後の質問はこうだ。

54　ギルデロイ・ロックハートの誕生日はいつで、理想的な贈り物は何？

三十分後、ロックハートは答案を回収し、クラス全員の前でパラパラとそれをめくった。

「チッチッチ――私の好きな色はライラック色だということを、ほとんど誰も覚えていないようだね。『雪男とゆっくり一年』の中でそう言っているのに。『狼男との大いなる山歩き』をもう少ししっかり読まなければならない子も何人かいるようだ――第十二章ではっきり書いているように、私の誕生日の理想的な贈り物は、魔法界と、非魔法界のハーモニーですね――もっとも、オグデンのオールド・ファイア・ウィスキーの大瓶でもお断りはいたしませんよ！」

ロックハートはもう一度クラス全員にいたずらっぽくウィンクした。ロンは、もうあきれて物が言えない、という表情でロックハートを見つめていた。前列に座っていたシェーマス・フィネガンとディーン・トーマスは声を押し殺して笑っていた。ところが、ハーマイオニーはロックハートの言葉にうっとりと聞き入っていて、突然ロックハートが彼女の名前を口にしたのでびくっとした。

「……ところが、ミス・ハーマイオニー・グレンジャーは、私のひそかな大望を知ってましたね。この世界から悪を追い払い、ロックハート・ブランドの整髪剤を売り出すことだとね――よくできました！　それに――」ロックハートは答案用紙を裏返した。「満点です！　ミス・ハーマイオニー・グレンジャーはどこにいますか？」

ハーマイオニーの挙げた手が震えていた。

「すばらしい！」ロックハートがニッコリした。「まったくすばらしい！　グリフィンドールに一〇点あげましょう！　では、授業ですが……」

ロックハートは机の後ろにかがみ込んで、覆いのかかった大きなかごを持ち上げ、机の上に置いた。

「さあ――気をつけて！　魔法界の中で最も汚らわしい生き物と戦う術を授けるのが、私の役目なのです！　この教室で君たちは、これまでにない恐ろしい目にあうことになるでしょう。ただし、私がここにいるかぎり、何ものも君たちに危害を加えることはないと思いたまえ。落ち着いているよう、それだけをお願いしておきましょう」

ハリーはつい釣り込まれて、目の前に積み上げた本の山の脇からのぞき、かごをよく見ようとした。ロックハートが覆いに手をかけた。ディーンとシェーマスはもう笑ってはいなかった。ネビルは一番前の席で縮こまっていた。

「どうか、叫ばないようお願いしたい。連中を挑発してしまうかもしれないのでね」

ロックハートが低い声で言った。

クラス全員が息を殺した。ロックハートはパッと覆いを取り払った。

「さあ、どうだ」ロックハートは芝居じみた声を出した。「**捕らえたばかりのコーンウォール地方のピクシー小妖精**」

シェーマス・フィネガンはこらえきれずにプッと噴き出した。さすがのロックハートでさえ、これは恐怖の叫びとは聞こえなかった。

「どうかしたかね？」

ロックハートがシェーマスに笑いかけた。

「あの、こいつらが――あの、そんなに――**危険**、なんですか？」

シェーマスは笑いを殺すのに、むせ返った。

「思い込みはいけません！」

ロックハートはシェーマスに向かってたしなめるように指を振った。

「連中はやっかいで危険な小悪魔になりえますぞ！」

ピクシー小妖精は身の丈二十センチぐらいで群青色をしていた。とんがった顔でキーキーとかん高い声を出すので、インコの群れが議論しているような騒ぎだった。覆いが取り払われるやいなや、ペチャクチャしゃべりまくりながらかごの中をピュンピュン飛びまわり、かごをガタガタいわせたり、近くにいる生徒に「アッカンベー」をしたりした。

「さあ、それでは」ロックハートが声を張り上げ、「君たちがピクシーをどうあつかうかやってみましょう！」と、かごの戸を開けた。

上を下への大騒ぎ。ピクシーはロケットのように四方八方に飛び散った。二匹がネビルの両耳を引っ張って空中に吊り上げた。数匹が窓ガラスを突き破って飛び出し、後ろの席の生徒にガラスの破片の雨をあびせた。教室に残ったピクシーたちの破壊力ときたら、暴走するサイよりすごい。インク瓶を引っつかみ、教室中にインクを振りまくし、本やノートを引き裂くし、壁から写真を引っぺがすわ、ごみ箱はひっくり返すわ、本や鞄を奪って破れた窓から外に放り投げるわ――数分後、クラスの生徒の半分は机の下に避難し、ネビルは天井のシャンデリアからぶら下がって揺れていた。

「さあ、さあ、捕まえなさい。捕まえなさいよ。たかがピクシーでしょう……」ロックハートが叫んだ。

ロックハートは腕まくりして杖を振り上げ、「**ペスキピクシペステルノミ！　ピクシー虫よ去れ！**」と大声を出した。

なんの効果もない。ピクシーが一匹、ロックハートの杖を奪って、これも窓の外へ放り投げた。ロックハートはヒェッと息をのみ、自分の机の下にもぐりこんだ。一秒遅かったら、天井からシャンデリアごと落ちてきたネビルに危うく押しつぶされるところだった。

終業のベルが鳴り、みんなワッと出口に押しかけた。それが少し収まったころ、ロックハートが立ち上がり、ちょうど教室から出ようとしていたハリー、ロン、ハーマイオニーを見つけて呼びかけた。

「さあ、その三人にお願いしよう。その辺に残っているピクシーをつまんで、かごに戻しておきなさい」

そして三人の脇をスルリと通り抜け、後ろ手にすばやく戸を閉めてしまった。

「耳を**疑うぜ**」

ロンは残っているピクシーの一匹にいやというほど耳をかまれながら唸った。

「私たちに体験学習をさせたかっただけよ」

ハーマイオニーは二匹一緒にてきぱきと「縛り術」をかけて動けないようにし、かごに押し込みながら言った。

「**体験だって？**」

ハリーは、ベーッと舌を出して「ここまでおいで」をしているピクシーを追いかけながら言った。

「ハーマイオニー、ロックハートなんて、自分のやっていることが自分で全然わかってなかったんだよ」

「ちがうわ。彼の本、読んだでしょ——彼って、あんなに目の覚めるようなことをやってるじゃない……」

「ご本人はやったと**おっしゃいますがね**」ロンがつぶやいた。

第7章　穢れた血と幽かな声

それから二、三日は、ギルデロイ・ロックハートが廊下を歩いてくるのが見えるたびに、サッと隠れるという手のくり返しで、ハリーはずいぶん時間を取られた。それよりやっかいなのがコリン・クリービーだった。どうもハリーの時間割を暗記しているらしい。「ハリー、元気かい？」と一日に六回も七回も呼びかけ、「やあ、コリン」とハリーに返事をしてもらうだけで、たとえハリーがどんなに迷惑そうな声を出そうが、コリンは最高にわくわくしているようだった。

ヘドウィグはあのひどくみじめな空のドライブのことで、ハリーに腹を立てっぱなしだったし、ロンの杖《つえ》は相変わらず使い物にならなかった。金曜日の午前、呪文学の授業中に、杖はキレてロンの手から飛び出し、小さな老教授、フリットウィック先生の眉間にまともに当たり、そこが大きく腫れ上がって、ずきずき痛そうな緑色のこぶを作った。あれやこれやで、ハリーはやっと週末になってホッとした。土曜日の午前中に、ロンやハーマイオニーと一緒に、ハリーはハグリッドを訪ねる予定だった。ところが、起きたいと思っていた時間より数時間も早く、グリフィンドール・クィディッチ・チームのキャプテン、オリバー・ウッドに揺り起こされた。

「にゃにごとなの？」とハリーは寝ぼけ声を出した。

「クィディッチの練習だ！　起きろ！」ウッドがどなった。

ハリーは薄目を開けて窓のほうを見た。ピンクと金色の空にうっすらと朝靄《あさもや》がかかっている。目が覚めてみれば、こんなに鳥が騒がしく鳴いているのに、よく寝ていられたものだと思った。

「オリバー、夜が明けたばかりじゃないか」ハリーはかすれ声で言った。

「そのとおり」

ウッドは背が高くたくましい六年生で、その目は、いまや普通とは思えない情熱でギラギラ輝いていた。

「これも新しい練習計画の一部だ。さあ、箒《ほうき》を持て。行くぞ」ウッドが威勢よく言った。

「ほかのチームはまだどこも練習を開始していない。今年は我々が一番乗りだ……」

あくびと一緒に、少し身震いしながら、ハリーはベッドから降りて、クィディッチ用のローブを探した。

「それでこそ男だ。十五分後にピッチで会おう」とウッドが言った。

チームのユニフォーム、深紅のローブを探し出し、寒いのでその上にマントを着た。ロンに走り書きで行き先を告げるメモを残し、ハリーはニンバス2000を肩に、螺旋《らせん》階段を下り、談話室へ向かった。肖像画の穴に着いたその時、後ろでガタガタ音がしたかと思うと、コリン・クリービーが、螺旋階段を転がるように駆け下りてきた。首からかけたカメラがぶらんぶらんと大きく揺れ、手には何かを握りしめていた。

「階段の所で誰かがあなたの名前を呼ぶのが聞こえたんだ。ハリー！　これ、なんだかわかる？　現像したんだ。あなたにこれ見せたくて――」

コリンが得意げにひらひらさせている写真を、ハリーはなんだかわからないままにのぞいた。

白黒写真のロックハートが、誰かの腕をぐいぐい引っ張っている。ハリーはそれが自分の腕だとわかった。写真のハリーがなかなかがんばって、画面に引き込まれまいと抵抗しているのを見てハリーはうれしくなった。写真のハリーが写真を見ているうちに、ロックハートはついにあきらめ、ハーハー息を切らしながら、写真の白枠にもたれてへたり込んだ。

「これにサインしてくれる?」

コリンが拝むように言った。

「ダメ」

即座に断りながら、ハリーはあたりを見回し、ほんとうに誰も談話室にいないかどうか確かめた。

「ごめんね、コリン。急ぐんだ——クィディッチの練習で」

ハリーは肖像画の穴をよじ登った。

「うわっ! 待ってよ! クィディッチって、僕、見たことないんだ!」

コリンも肖像画の穴を這《は》い上がってついてきた。

「きっと、ものすごくつまんないよ」

ハリーはあわてて言ったが、コリンの耳には入らない。興奮で顔を輝かせていた。

「あなたって、この百年間で最年少の寮代表選手なんだって? ね、ハリー、そうなの?」

コリンはハリーと並んでトコトコ小走りになった。

「あなたって、きっとものすごくうまいんだね。僕、飛んだことないんだ。簡単? それ、あなたの箒なの? それって、一番いいやつなの?」

ハリーはどうやってコリンを追っ払えばいいのか、とほうにくれた。まるで、恐ろしくおしゃべりな自分の影法師につきまとわれているようだった。

コリンは息をはずませてしゃべり続けている。

「クィディッチって、僕、あんまり知らないんだ。ボールが四つあるってほんと? そしてそのうちの二つが、飛び回って、選手を箒からたたき落とすんだって?」

ハリーはやれやれとあきらめて、クィディッチの複雑なルールについて説明することにした。

「そのボールはブラッジャーっていうんだ。チームには二人のビーターがいて、クラブっていう棍棒《こんぼう》でブラッジャーをたたいて、自分のチームからブラッジャーを追っ払うんだ。フレッドとジョージ・ウィーズリーがグリフィンドールのビーターだよ」

「それじゃ、ほかのボールはなんのためなの？」

コリンはポカッと口を開けたままハリーに見とれて、階段を二、三段踏みはずしそうになりながら聞いた。

「えーと、まずクアッフル——一番大きい赤いやつ——これをゴールに入れて点を取る。各チームにチェイサーが三人いて、クアッフルをパスし合って、コートの端にあるゴールを通過させる——ゴールって、てっぺんに輪っかがついた長い柱で、両端に三本ずつ立ってる」

「それで四番目のボールが——」

「金色のスニッチだよ」

ハリーがあとを続けた。

「とても小さいし、速くって、捕まえるのは難しい。だけどシーカーはそれを捕まえなくちゃいけないんだ。だって、クィディッチの試合は、スニッチを捕まえるまでは終わらないんだ。シーカーがスニッチを捕まえたほうのチームには一五〇点加算される」

「そして、あなたはグリフィンドールのシーカーなんだ。ね？」

コリンは尊敬のまなざしで言った。

「そうだよ」

二人は城をあとにし、朝露でしっとりぬれた芝生を横切りはじめた。

「それからキーパーがいる。ゴールを守るんだ。それでだいたいおしまいだよ。うん」

それでもコリンは質問をやめなかった。芝生の斜面を下りる間も、クィディッチ競技場に着くまでずっとハリーを質問攻めにし、やっと振り払うことができたのは、更衣室にたどり着いたときだった。

「僕、いい席を取りに行く！」

コリンはハリーの後ろから上ずった声で呼びかけ、スタンドのほうに走っていった。

グリフィンドールの選手たちはもう更衣室に来ていた。バッチリ目覚めているのはウッドだけのようだった。フレッドとジョージは腫れぼったい目で、くしゃくしゃ髪のまま座り込んでいたし、その隣の四年生のチェイサー、アリシア・スピネットときたら、後ろの壁にもたれてこっくりこっくりしているようだった。そのむかい側で、チェイサー仲間のケイティ・ベルとアンジェリーナ・ジョンソンが並んであくびをしていた。

「遅いぞハリー。どうかしたか？」

ウッドがきびきびと言った。

「ピッチに出る前に、諸君にざっと説明しておこう。ひと夏かけて、まったく新しい練習方法を編み出したんだ。これなら絶対、いままでとは出来がちがう……」

ウッドはクィディッチ・ピッチの大きな図を掲げた。図には線やら矢印やらバッテンがいくつも、色とりどりのインクで書き込まれている。ウッドが杖を取り出して図をたたくと、矢印が図の上で毛虫のようにもぞもぞ動きはじめた。ウッドが新戦略についての演説をぶち上げはじめると、フレッド・ウィーズリーの頭がことんとアリシア・スピネットの肩にのっかり、いびきをかきはじめた。

一枚目の説明にほとんど二十分かかった。その下から二枚目、さらに三枚目が出てきた。ウッドが延々とぶち上げ続けるのを聞きながら、ハリーは、ぼうっと夢見心地になっていった。

「ということで——」

やっとのことで、ウッドがそう言うのが聞こえ、いまごろ僕は城でどんな朝食を食べていただろうと、おいしい空想にふけっていたハリーは、突然現実に引き戻された。

「諸君、わかったか？　質問は？」

「質問、オリバー」

急に目が覚めたジョージが聞いた。

「いままで言ったこと、どうしてきのうのうちに、俺たちが起きてるうちに、言ってくれなかったんだい？」

ウッドはむっとした。

「いいか、諸君、よく聞けよ」

ウッドはみんなをにらみつけながら言った。

「我々は去年クィディッチ杯に勝つはずだったんだ。まちがいなく最強のチームだった。残念ながら、我々の力ではどうにもならない事態が起きて……」

ハリーは申し訳なさにもじもじした。昨年のシーズン最後の試合のとき、ハリーは意識不明で、医務室にいた。グリフィンドールは選手一人欠場のまま、この三百年来、最悪という大敗北に泣いた。

ウッドは平静を取り戻すのに、一瞬間を置いた。前回の大敗北がウッドをいまでも苦しめているにちがいない。

「だから、今年はいままでより厳しく練習したい……よーし、行こうか。新しい戦術を実践するんだ！」

ウッドは大声でそう言うなり、箒をぐいとつかみ、先頭を切って更衣室から出ていった。ほかの選手たちは、足を引きずり、あくびを連発しながらあとに続いた。

ずいぶん長い間更衣室にいたので、競技場の芝生にはまだ名残の霧が漂ってはいたが、太陽はもうしっかり昇っていた。ピッチを歩きながら、ハリーはロンとハーマイオニーがスタンドに座っているのを見つけた。

「まだ終わってないのかい？」ロンが信じられないという顔をした。

「まだ始まってもいないんだよ。ウッドが新しい動きを教えてくれてたんだ」

ロンとハーマイオニーが大広間から持ち出してきたマーマレード・トーストをハリーはうらやましそうな目で見た。

箒にまたがり、ハリーは地面を蹴って空中に舞い上がった。冷たい朝の空気が顔を打ち、ウッドの長たらしい演説よりずっと効果的な目覚ましだった。クィディッチ・ピッチにまた戻ってきた。なんてすばらしいんだろう。ハリーはフレッドやジョージと競争しながら競技場の周りを全速力で飛び回った。

「カシャッカシャッて変な音がするけど、なんだろ？」

コーナーを回り込みながらフレッドが言った。

ハリーがスタンドのほうを見ると、コリンだった。最後部の座席に座って、カメラを高く掲げ、次から次と写真を撮りまくっている。人気《ひとけ》のない競技場で、その音が異常に大きく聞こえた。

「こっちを向いて、ハリー！　こっちだよ！」コリンは黄色い声を出した。

「誰だ？　あいつ」とフレッドが言った。

「全然知らない」

ハリーはうそをついた。そして、スパートをかけ、コリンからできるだけ離れた。

「いったいなんだ？　あれは」

しかめっ面でウッドが二人のほうへ、スイーッと風に乗って飛んできた。

「なんであの一年坊主は写真を撮ってるんだ？　気に入らないなあ。我々の新しい練習方法を盗みにきた、スリザリンのスパイかもしれないぞ」

「あの子、グリフィンドールだよ」ハリーはあわてて言った。

「それに、オリバー、スリザリンにスパイなんて必要ないぜ」とジョージも言った。

「なんでそんなことが言えるんだ？」ウッドは短気になった。

「ご本人たちがお出ましさ」

ジョージが指差したほうを見ると、グリーンのローブを着込んで、箒を手に、数人がピッチに入ってくるところだった。

「そんなはずはない」ウッドが怒りで歯ぎしりした。

「ピッチを今日予約してるのは僕だ。話をつけてくる！」

ウッドは一直線に地面に向かった。怒りのため、着地で勢いあまって突っ込み気味になり、箒から降りるときも少しよろめいた。ハリー、フレッド、ジョージもウッドに続いた。

「フリント！」

ウッドはスリザリンのキャプテンに向かってどなった。

「我々の練習時間だ。そのために特別に早起きしたんだ！　いますぐ立ち去ってもらおう！」

マーカス・フリントは、ウッドよりさらに大きい。トロール並みのずるそうな表情を浮かべ、「ウッド、俺たち全部が使えるぐらい広いだろ」と答えた。

アンジェリーナ、アリシア、ケイティもやってきた。

スリザリンには女子選手は一人もいない――グリフィンドールの選手の前に肩と肩をくっつけて立ちはだかり、全員がニヤニヤしている。

「いや、このピッチは僕が予約したんだ！」怒りでつばを飛び散らしながらウッドが叫んだ。「僕が予約したんだぞ！」

「ヘン、こっちにはスネイプ先生が、特別にサインしてくれたメモがあるぞ。『私《わたくし》、スネイプ教授は、本日クィディッチ・ピッチにおいて、新人シーカーを教育する必要があるため、スリザリン・チームが練習することを許可する』」

「新しいシーカーだって？　どこに？」ウッドの注意がそれた。

目の前の大きな六人の後ろから、小さな七番目が現れた。青白いとがった顔いっぱいに得意げな笑いを浮かべている。ドラコ・マルフォイだった。

「ルシウス・マルフォイの息子じゃないか」フレッドが嫌悪感をむき出しにした。

「ドラコの父親を持ち出すとは、偶然の一致だな」

フリントの言葉で、スリザリン・チーム全員がますますニヤニヤした。

「その方がスリザリン・チームにくださったありがたい贈り物を見せてやろうじゃないか」

七人全員がそろって自分の箒を突き出した。七本ともピカピカに磨き上げられた新品の柄に、美しい金文字で銘が書かれている。

ニンバス2001

グリフィンドール選手の鼻先でその文字は朝の光を受けて輝いていた。

「最新型だ。先月出たばかりさ」

フリントは無造作にそう言って、自分の箒の先についていたほこりのかけらを指でヒョイと払った。「旧型2000シリーズに対して相当水をあけるはずだ。旧型のクリーンスイープに対しては」フリントはクリーンスイープ5号を握りしめているフレッドとジョージを鼻先で笑った。「2001がクリーンに圧勝」

グリフィンドール・チームは一瞬誰も言葉が出なかった。マルフォイはますます得意げにニターッと笑い、冷たい目が二本の糸のようになった。

「おい、見ろよ。ピッチ乱入だ」フリントが言った。

ロンとハーマイオニーが何事かと様子を見に、芝生を横切ってこっちに向かっていた。

「どうしたんだい？　どうして練習しないんだよ。それに、**あいつ**、こんなとこで何してるんだい？」

ロンはスリザリンのクィディッチ・ローブを着ているマルフォイのほうを見て言った。

「ウィーズリー、僕はスリザリンの新しいシーカーだ」

マルフォイは満足げに言った。

「僕の父上が、チーム全員に買ってあげた箒を、みんなで称賛していたところだよ」

ロンは目の前に並んだ七本の最高級の箒を見て、口をあんぐり開けた。

「いいだろう？」マルフォイがこともなげに言った。「だけど、グリフィンドール・チームも資金集めして新しい箒を買えばいい。クリーンスイープ5号を慈善事業の競売にかければ、博物館が欲しがるだろうよ」

スリザリン・チームは大爆笑だ。

「少なくとも、グリフィンドールの選手は、誰一人として**お金**で選ばれたりしてないわ。**こっち**は純粋に才能で選手になったのよ」

ハーマイオニーがきっぱりと言った。

マルフォイの自慢顔がちらりとゆがんだ。

「誰もおまえの意見なんか求めてない。生まれそこないの『穢《けが》れた血』め」

マルフォイが吐き捨てるように言い返した。

とたんにごうごうと声が上がったので、マルフォイがひどい悪態をついたらしいことは、ハリーにもすぐわかった。フレッドとジョージはマルフォイに飛びかかろうとしたし、それを食い止めるため、フリントが急いでマルフォイの前に立ちはだかった。

アリシアは「**よくもそんなことを!**」と金切り声を上げた。ロンはローブに手を突っ込み、ポケットから杖を取り出し、「マルフォイ、思い知れ!」と叫んで、カンカンになってフリントのわきの下からマルフォイの顔に向かって杖を突きつけた。

バーンという大きな音が競技場中にこだまし、緑の閃光《せんこう》が、ロンの杖先ではなく反対側から飛び出し、ロンの胃のあたりに当たった。ロンはよろめいて芝生の上に尻もちをついた。

「ロン! ロン! 大丈夫?」ハーマイオニーが悲鳴を上げた。

ロンは口を開いたが、言葉が出てこない。かわりにとてつもないゲップが一発と、ナメクジが数匹ボタボタとひざにこぼれ落ちた。

スリザリン・チームは笑い転げた。フリントなど、新品の箒にすがって腹をよじって笑い、マルフォイは四つんばいになり、拳で地面をたたきながら笑っていた。グリフィンドールの仲間は、ぬめぬめ光る大ナメクジを次々と吐き出しているロンの周りに集まりはしたが、誰もロンに触れたくはないようだった。

「ハグリッドの所に連れていこう。一番近いし」

ハリーがハーマイオニーに呼びかけた。ハーマイオニーは勇敢にうなずき、二人でロンの両側から腕をつかんで助け起こした。

「ハリー、どうしたの？　ねえ、どうしたの？　病気なの？　でもあなたなら治せるよね？」

コリンがスタンドから駆け下りてきて、グラウンドから出て行こうとする三人にまつわりついて周りを飛びはねた。ロンがゲボッと吐いて、またナメクジがボタボタと落ちてきた。

「おわぁー」コリンは感心してカメラをかまえた。「ハリー、動かないように押さえててくれる？」

「コリン、そこをどいて！」

ハリーはコリンを叱りつけ、ハーマイオニーと一緒にロンを抱えて競技場を抜け、森のほうに向かった。

森番の小屋が見えてきた。

「もうすぐよ、ロン。すぐ楽になるから……もうすぐそこだから……」

ハーマイオニーがロンを励ました。

あと五、六メートルというときに、小屋の戸が開いた。が、中から出てきたのはハグリッドではなかった。今日は薄い藤色のローブをまとって、ロックハートがさっそうと現れた。

「早く、こっちに隠れて」

ハリーはそうささやいて、脇の茂みにロンを引っ張り込んだ。ハーマイオニーはなんだかしぶしぶ従った。

「やり方さえわかっていれば簡単なことですよ」

ロックハートが声高にハグリッドに何か言っている。

「助けてほしいことがあれば、いつでも私《わたくし》の所にいらっしゃい！　私の著書を一冊進呈しましょう――まだ持っていないとは驚きましたね。今夜サインをして、こちらに送りますよ。では、おいとましましょう！」

ロックハートは城のほうにさっそうと歩き去った。

ハリーはロックハートの姿が見えなくなるまで待って、それからロンを茂みの中から引っ張り出し、ハグリッドの小屋の戸口まで連れていった。そしてあわただしく戸をたたいた。

ハグリッドがすぐに出てきた。不機嫌な顔だったが、客が誰だかわかったとたん、パッと顔が輝いた。

「いつ来るんか、いつ来るんかと待っとったぞ――さあ入った、入った――実はロックハート先生がまーた来たかと思ったんでな」

ハリーとハーマイオニーはロンを抱えて敷居をまたがせ、ひと部屋しかない小屋に入った。片隅には巨大なベッドがあり、反対の隅には楽しげに暖炉の火がはぜていた。ハリーはロンを椅子に座らせながら、急いで事情を説明したが、ハグリッドはロンのナメクジ問題にまったく動じなかった。

「出てこんよりは出たほうがええ」

ロンの前に大きな銅の洗面器をポンと置き、ハグリッドはほがらかに言った。

「ロン、みんな吐いっちまえ」

「止まるのを待つほか手がないと思うわ」

洗面器の上にかがみ込んでいるロンを心配そうに見ながらハーマイオニーが言った。

「あの呪いって、ただでさえ難しいのよ。まして杖が折れてたら……」

ハグリッドはいそいそとお茶の用意に飛び回った。ハグリッドの犬、ボアハウンドのファングはハリーをよだれでべとべとにしていた。

「ねえ、ハグリッド、ロックハートはなんの用だったの？」

ファングの耳をカリカリ指でなでながらハリーが聞いた。

「井戸の中から水魔《グリンデロー》を追っ払う方法を俺に教えようとしてな」

唸《うな》るように答えながら、ハグリッドはしっかり洗い込まれたテーブルから、羽根を半分むしりかけの雄鶏《おんどり》を取りのけて、ティーポットをそこに置いた。

「まるで俺が知らんとでも言うようにな。その上、自分が泣き妖怪とかなんとかを追っ払った話を、さんざぶち上げとった。やっこさんの言っとることが一つでもほんとだったら、俺はへそで茶を沸かしてみせるわい」

ホグワーツの先生を批判するなんて、まったくハグリッドらしくなかった。ハリーは驚いてハグリッドを見つめた。ハーマイオニーはいつもよりちょっと上ずった声で反論した。

「それって、少し偏見じゃないかしら。ダンブルドア先生は、あの先生が一番適任だとお考えになったわけだし――」

「ほかには**だーれもおらん**かったんだ」

ハグリッドは糖蜜ヌガーを皿に入れて三人にすすめながら言った。ロンがその脇でゲボゲボと咳《せ》き込みながら洗面器に吐いていた。

「**一人も**おらんかったんだ。闇の魔術の先生をするもんを探すのが難しくなっちょる。だーれも進んでそんなことをやろうとせん。な？　みんな、こりゃ縁起が悪いと思いはじめたんだな。ここんとこ、だーれも長続きしたもんはおらんしな。それで？　やっこさん、誰に呪いをかけるつもりだったんかい？」

ハグリッドはロンのほうをあごで指しながらハリーに聞いた。

「マルフォイがハーマイオニーのことをなんとかって呼んだんだ。ものすごくひどい悪口なんだと思う。だって、みんなカンカンだったもの」

「**ほんとに**ひどい悪口さ」

テーブルの下からロンの汗だらけの青い顔がヒョイと現れ、しゃがれ声で言った。

「マルフォイのやつ、ハーマイオニーのこと『穢れた血』って言ったんだよ、ハグリッド――」

ロンの顔がまたヒョイとテーブルの下に消えた。次のナメクジの波が押し寄せてきたのだ。ハグリッドは大憤慨していた。

「そんなこと、ほんとうに言うたのか！」とハーマイオニーのほうを見て唸り声を上げた。

「言ったわよ。でも、どういう意味だか私は知らない。もちろん、ものすごく失礼な言葉だということはわかったけど……」

「あいつの思いつくかぎり最悪の侮辱の言葉だ」ロンの顔がまた現れて絶句した。

「『穢れた血』って、マグルから生まれたっていう意味の――つまり両親とも魔法使いじゃない者を指す最低の汚らわしい呼び方なんだ。魔法使いの中には、たとえばマルフォイ一族みたいに、みんなが『純血』って呼ぶものだから、自分たちが誰よりも偉いって思っている連中がいるんだ」

ロンは小さなゲップをした。ナメクジが一匹だけ飛び出し、ロンの伸ばした手の中にスポッと落ちた。ロンはそれを洗面器に投げ込んでから話を続けた。

「もちろん、そういう連中以外は、そんなことまったく関係ないって知ってるよ。ネビル・ロングボトムを見てごらんよ――あいつは純血だけど、鍋を逆さまに火にかけたりしかねないぜ」

「それに、俺たちのハーマイオニーが使えねえ呪文は、いままでにひとっつもなかったぞ」

ハグリッドが誇らしげに言ったので、ハーマイオニーはパーッとほおを紅潮させた。

「他人のことをそんなふうにののしるなんて、むかつくよ」

ロンは震える手で汗びっしょりの額をぬぐいながら話し続けた。

『穢れた血』だなんて、まったく。卑しい血だなんて、狂ってるよ。どうせ今時、魔法使いはほとんど純血じゃないんだぜ。もしマグルと結婚してなかったら、僕たちとっくに絶滅しちゃってたよ」

ゲーゲーが始まり、またまたロンの顔がヒョイと消えた。

「ウーム、そりゃ、ロン、やつに呪いをかけたくなるのも無理はねぇ」

大量のナメクジがドサドサと洗面器の底に落ちる音をかき消すような大声で、ハグリッドが言った。

「だけんど、おまえさんの杖が逆噴射したのはかえってよかったかもしれん。ルシウス・マルフォイが、学校に乗り込んできおったかもしれんぞ、おまえさんがやつの息子に呪いをかけっちまってたら。少なくとも、おまえさんは面倒に巻き込まれずにすんだっちゅうもんだ」

――ナメクジが次々と口から出てくるだけでも充分面倒だけど――とハリーは言いそうになったが、言えなかった。ハグリッドのくれた糖蜜ヌガーが上あごと下あごをセメントのようにがっちり接着してしまっていた。

「ハリー――」ふいに思い出したようにハグリッドが言った。「おまえさんにもちいと小言を言うぞ。サイン入りの写真を配っとるそうじゃないか。なんで俺に一枚くれんのかい？」

ハリーは怒りにまかせて、くっついた歯をぐいとこじ開けた。

「サイン入りの写真なんて、僕、配って**ない**。もしロックハートがまだそんなこと言いふらして……」

ハリーはむきになった。ふとハグリッドを見ると、笑っている。

「からかっただけだ」

ハグリッドは、ハリーの背中をやさしくポンポンたたいた。おかげでハリーはテーブルの上に鼻から先につんのめった。

「おまえさんがそんなことをせんのはわかっとる。ロックハートに言ってやったわ。ハリーはそんな必要ねえって。なんにもせんでも、ハリーはやっこさんより有名だって」

「ロックハートは気に入らないって顔したでしょう」

ハリーはあごをさすりながら体を立て直した。

「ああ、気に入らんだろ」

ハグリッドの目がいたずらっぽくキラキラした。

「それから、俺はあんたの本などひとっつも読んどらんと言ってやった。そしたら帰っていきおった。ほい、ロン、糖蜜ヌガー、どうだ?」

ロンの顔がまた現れたので、ハグリッドがすすめた。

「いらない。気分が悪いから」ロンが弱々しく答えた。

「俺が育ててるもん、ちょいと見にこいや」

ハリーとハーマイオニーがお茶を飲み終わったのを見て、ハグリッドが誘った。

ハグリッドの小屋の裏にある小さな野菜畑には、ハリーが見たこともないような大きいかぼちゃが十数個あった。一つ一つが大岩のようだった。

「よーく育っとろう? ハロウィーンの祭り用だ……そのころまでにはいい大きさになるぞ」

ハグリッドは幸せそうだった。

「肥料は何をやってるの?」とハリーが聞いた。

ハグリッドは肩越しにちらっと振り返り、誰もいないことを確かめた。

「その、やっとるもんは――ほれ――ちいっと手助けしてやっとる」

ハリーは、小屋の裏の壁に、ハグリッドのピンクの花模様の傘が立てかけてあるのに気づいた。ハリーは以前に、あることとから、この傘が見かけとはかなりちがうものだと思ったことがあった。実は、ハグリッドの学生時代の杖が中に隠されているような気がしてならなかった。ハグリッドは魔法を使ってはいけないことになっている。三年生のときにホグワーツを退学になったのだ。なぜなのか、ハリーにはいまだにわからなかった――ちょっとでもそのことに触れると、ハグリッドは大きく咳《せき》払いをして、なぜか急に耳が聞こえなくなって、話題が変わるまでだまりこくってしまうのだ。

「『肥《ふと》らせ呪文』じゃない？　とにかく、ハグリッドったら、とっても上手にやったわよね」

ハーマイオニーは半分非難しているような、半分楽しんでいるような言い方をした。

「おまえさんの妹もそう言いおったよ」ハグリッドはロンに向かってうなずいた。

「ついきのう会ったぞい」ハグリッドはひげをピクピクさせながらハリーを横目で見た。

「ぶらぶら歩いているだけだって言っとったがな、俺が思うに、ありゃ、この家で誰かさんとばったり会えるかもしれんって思っとったな」ハグリッドはハリーにウィンクした。

「俺が思うに、**あの子**は欲しがるぞ、おまえさんのサイン入りの――」

「やめてくれよ」

ハリーがそう言うと、ロンはプーッと噴き出し、そこら中にナメクジをまき散らした。

「気ぃつけろ！」

ハグリッドは大声を出し、ロンを大切なかぼちゃから引き離した。

そろそろ昼食の時間だった。ハリーは夜明けからいままで、糖蜜ヌガーをひとかけら口にしただけだったので、早く学校に戻って食事をしたかった。ハグリッドにさよならを言い、三人は城へと歩いた。ロンはときどきしゃっくりをしたが、小さなナメクジが二匹出てきただけだった。

ひんやりした玄関ホールに足を踏み入れたとたん、声が響いた。

「ポッター、ウィーズリー、そこにいましたか」

マクゴナガル先生が厳しい表情でこちらに歩いてきた。

「二人とも、処罰は今夜になります」

「先生、僕たち、何をするんでしょうか？」

ロンがなんとかゲップを押し殺しながら聞いた。

「**あなたは**、フィルチさんと一緒にトロフィー・ルームで銀磨きです。ウィーズリー、魔法はだめですよ。自分の力で磨くのです」

ロンは絶句した。管理人のアーガス・フィルチは学校中の生徒からひどく嫌われている。

「ポッター。あなたはロックハート先生がファンレターに返事を書くのを手伝いなさい」

「えーっ、そんな……僕もトロフィー・ルームのほうではいけませんか？」

ハリーが絶望的な声で頼んだ。

「もちろんいけません」

マクゴナガル先生は眉を吊《つ》り上げた。

「ロックハート先生はあなたを特にご指名です。二人とも、八時きっかりに」

ハリーとロンはがっくりと肩を落とし、うつむきながら大広間に入っていった。ハーマイオニーは「**だって校則を破ったんでしょ**」という顔をして後ろからついてきた。ハリーはシェパード・パイを見ても思ったほど食欲がわかなかった。二人とも自分のほうが最悪の貧乏くじを引いてしまったと感じていた。

「フィルチは僕をひと晩中放してくれないよ」ロンはめいっていた。

「魔法なしだなんて！　あそこには銀杯が百個はあるぜ。僕、マグル式の磨き方は苦手なんだよ」

「いつでもかわってやるよ。ダーズリーの所でさんざん訓練されてるから」

ハリーもうつろな声を出した。

「ロックハートに来たファンレターに返事を書くなんて……悪夢だろうな……」


土曜日の午後はまるで溶け去ったように過ぎ、あっという間に八時はあと五分後に迫っていた。ハリーは重い足を引きずり、三階の廊下を歩いてロックハートの部屋に着いた。ハリーは歯を食いしばり、ドアをノックした。

ドアはすぐにパッと開かれ、ロックハートがニッコリとハリーを見下ろした。

「おや、いたずら坊主のお出ましだ！　入りなさい。ハリー、さあ中へ」

壁には額入りのロックハートの写真が数えきれないほど飾ってあり、たくさんのろうそくに照らされて明るく輝いていた。サイン入りのものもいくつかあった。机の上には、写真がもうひと山、積み上げられていた。

「封筒に宛名を書かせてあげましょう！」

まるで、こんなすばらしいもてなしはないだろう、と言わんばかりだ。

「この最初のは、グラディス・ガージョン。幸いなるかな——私の大ファンでね」

時間はのろのろと過ぎた。ハリーはときどき「うー」とか「えー」とか「はー」とか言いながら、ロックハートの声を聞き流していた。ときどき耳に入ってきたセリフは、「ハリー、評判なんて気まぐれなものだよ」とか「有名人らしい行為をするから有名人なのだよ。覚えておきなさい」などだった。

ろうそくが燃えて、炎がだんだん低くなり、ハリーを見つめているロックハートの写真の顔の上で光が踊った。もう千枚目の封筒じゃないだろうかと思いながら、ハリーは痛む手を動かし、ベロニカ・スメスリーの住所を書いていた――もうそろそろ帰ってもいい時間のはずだ――どうぞ、そろそろ時間になりますよう……ハリーはみじめな気持ちでそんなことを考えていた。

その時、何かが聞こえた――消えかかったろうそくが吐き出す音ではなく、ロックハートがファン自慢をペチャクチャしゃべる声でもない。

それは声だった――骨のずいまで凍らせるような声。息も止まるような、氷のように冷たい毒の声。

「来るんだ……。俺様の所へ……引き裂いてやる……八つ裂きにしてやる……殺してやる……」

ハリーは飛び上がった。ベロニカ・スメスリーの住所の丁目の所にライラック色のにじみができた。

「**なんだって？**」ハリーが大声で言った。

「驚いたろう！　六か月連続ベストセラー入り！　新記録です！」ロックハートが答えた。

「そうじゃなくて、あの声！」ハリーは我を忘れて叫んだ。

「えっ？」ロックハートは不審そうに聞いた。「どの声？」

「あれです――いまのあの声です――聞こえなかったんですか？」

ロックハートはあぜんとしてハリーを見た。

「ハリー、**いったい**なんのことかね？　少しとろとろしてきたんじゃないのかい？　おやまあ、こんな時間だ！　四時間近くここにいたのか！　信じられませんね――矢のように時間がたちましたね？」

ハリーは答えなかった。じっと耳をすませてもう一度あの声を聞こうとしていた。しかし、もうなんの音もしなかった。ロックハートが「処罰を受けるとき、いつもこんなにいい目にあうと期待してはいけないよ」とハリーに言っているだけだった。ハリーはぼうっとしたまま部屋を出た。

もう夜もふけていたので、グリフィンドールの談話室はがらんとしていた。ハリーはまっすぐ自分の部屋に戻った。ロンはまだ戻っていなかった。ハリーはパジャマに着替え、ベッドに入ってロンを待った。三十分もたったろうか、右腕をさすりさすり、暗い部屋に銀磨き粉の強烈なにおいを漂わせながら、ロンが戻ってきた。

「体中の筋肉が硬直しちゃったよ」

ベッドにドサリと身を横たえながらロンが唸った。

「あのクィディッチ杯を十四回も磨かせられたんだぜ。やつがもういいって言うまで。そしたら今度はナメクジの発作さ。『学校に対する特別功労賞』の上にべっとりだよ。あのねとねとをふき取るのに時間のかかったこと……ロックハートはどうだった？」

ネビル、ディーン、シェーマスを起こさないように低い声で、ハリーは自分が聞いた声のことを、そのとおりにロンに話した。

「それで、ロックハートはその声が聞こえないって言ったのかい？」

月明かりの中でロンの顔が曇ったのがハリーにはわかった。

「ロックハートがうそをついていたと思う？　でもわからないなあ――姿の見えない誰かだったとしても、ドアを開けないと声が聞こえないはずだし」とロンが言った。

「そうだよね」

四本柱のベッドに仰向けになり、ベッドの天蓋を見つめながら、ハリーがつぶやいた。

「僕にもわからない」

第8章　絶命日パーティ

十月がやってきた――校庭や城の中に湿った冷たい空気をまき散らしながら。校医のマダム・ポンフリーは、先生にも生徒にも急にかぜが流行しだして大忙しだった。校医特製の「元気爆発薬」はすぐに効いた。ただし、それを飲むと数時間は耳から煙を出し続けることになった。ジニー・ウィーズリーはこのところずっと具合が悪そうだったので、パーシーに無理やりこの薬を飲まされた。燃えるような赤毛の下から煙がもくもく上がって、まるでジニーの頭が火事になったようだった。

銃弾のような大きな雨粒が何日も続けて城の窓を打ち、湖は水かさを増し、花壇は泥の河のように流れ、ハグリッドの巨大かぼちゃはちょっとした物置小屋ぐらいに大きくふくれ上がった。しかし、オリバー・ウッドの定期訓練熱はぬれも湿りもしなかった。だからこそ、ハロウィーンの数日前、ある土曜日の午後、嵐の中を、ハリーは骨までずぶぬれになり、泥はねだらけになりながら、グリフィンドールの塔へと歩いていたわけだ。

雨や風のことは別にしても、今日の練習は楽しいとは言えなかった。スリザリン・チームの偵察をしてきたフレッドとジョージが、その目で、新型ニンバス２００１の速さを見てきたのだ。二人の報告では、スリザリン・チームはまるで垂直離着陸ジェット機のように、空中を縦横に突っ切る七つの緑の影としか見えなかったという。

人気《ひとけ》のない廊下をガボガボと水音を響かせながら歩いていると、ハリーは誰かが自分と同じように物思いにふけっているのに気づいた。

「ほとんど首無しニック」――グリフィンドールの塔にすむゴーストだった。

ふさぎ込んで窓の外を眺めながら、ブツブツつぶやいている。

「……要件を満たさない……たったの一センチ、それ以下なのに……」

「やあ、ニック」ハリーが声をかけた。

「やあ、こんにちは」

ニックはふいを突かれたように振り向いた。ニックは長い巻き毛の髪に派手な羽飾りのついた帽子をかぶり、ひだ襟のついた短い上着を着ていた。襟に隠れて、見た目には、首がほとんど完全に切り落とされているのがわからない。薄い煙のようなニックの姿を通して、ハリーは外の暗い空と、激しい雨を見ることができた。

「お若いポッター君、心配事がありそうだね」

ニックはそう言いながら透明の手紙を折って、上着の内ポケットにしまい込んだ。

「お互いさまだね」ハリーが言った。

「いや」ほとんど首無しニックは優雅に手を振りながら言った。「たいしたことではありません……本気で入会したかったのとはちがいましてね……ちょっと申し込んでみようかと。しかし、どうやら私は『要件を満たさない』」

言葉は軽快だったが、ニックの顔はとてもつらそうだった。

「でも、こうは思いませんか？」

ニックは急にポケットから先ほどの手紙を引っ張り出し、せきを切ったように話した。

「切れない斧《おの》で首を四十五回も切りつけられたということだけでも、『首無し狩』に参加する資格があると……」

「あー、そうだね」ハリーは当然同意しないわけにはいかなかった。

「つまり、いっぺんにすっきりとやってほしかったのは、首がスッパリと落ちてほしかったのは、誰でもない、この私ですよ。そうしてくれれば、どんなに痛い目をみずに、はずかしめを受けずにすんだことか。それなのに……」

ほとんど首無しニックは手紙をパッと振って開き、憤慨しながら読み上げた。


当クラブでは、首がその体と分かれた者だけに狩人《かりゅうど》としての入会を許可しております。貴殿にもおわかりいただけますごとく、さもなくば『首投げ騎馬戦』や『首ポロ』といった狩スポーツに参加することは不可能であります。したがいまして、まことに遺憾ながら、貴殿は当方の要件を満たさない、とお知らせ申し上げるしだいです。

敬具
パトリック・デレニー・ポドモア卿《きょう》

ニックは憤然として、手紙をしまい込んだ。

「たった一センチの筋と皮でつながっているだけの首ですよ。ハリー！　これなら充分斬首されていると、普通ならそう考えるでしょう。しかし、なんたること、『スッパリ首無しポドモア卿』にとっては、これでも充分ではないのです」

ほとんど首無しニックは何度も深呼吸をし、やがて、ずっと落ち着いた調子でハリーに聞いた。

「ところで――君はどうしました？　何か私にできることは？」

「ううん。ただでニンバス２００１を七本手に入れられる所を、どこか知ってれば別だけど。対抗試合でスリ……」

ハリーのくるぶしのあたりから聞こえてくるかん高いニャーニャーという鳴き声で、言葉がかき消されてしまった。見下ろすと、ランプのような黄色い二つの目とばっちり目が合った。ミセス・ノリス――管理人のアーガス・フィルチが、生徒たちとのはてしなき戦いに、いわば助手として使っている、がいこつのような灰色猫だ。

「ハリー、早くここを立ち去るほうがよい」

即座にニックが言った。

「フィルチは機嫌が悪い。かぜを引いた上、三年生の誰かが起こした爆発事故で、第五地下牢《ろう》の天井いっぱいにカエルの脳みそがくっついてしまったものだから、フィルチは午前中ずっと、それをふき取っていた。もし君が、そこら中に泥をボトボト垂らしているのをみつけたら……」

「わかった」

ハリーはミセス・ノリスの非難がましい目つきから逃れるように身を引いたが、遅かった。飼い主と性悪猫との間に不思議な絆《きずな》があるかのように、アーガス・フィルチがその場に引き寄せられ、ハリーの右側の壁にかかったタペストリーの裏から突然飛び出した。規則破りはいないかと鼻息も荒く、そこら中をぎょろぎょろ見回している。頭を分厚いタータンの襟巻きでぐるぐる巻きにし、鼻は異常にどす赤かった。

「汚い！」

フィルチが叫んだ。ハリーのクィディッチのユニフォームから、泥水が滴り落ちて水たまりになっているのを指差し、ほおをピクピクけいれんさせ、両目が驚くほど飛び出していた。

「あっちもこっちもめちゃくちゃだ！　ええい、もうたくさんだ！　ポッター、ついてこい！」

ハリーは暗い顔でほとんど首無しニックにさよならと手を振り、フィルチのあとについてまた階段を下りた。泥だらけの足跡が往復で二倍になった。

ハリーはフィルチの事務室に入ったことがなかった。そこは生徒たちがなるべく近寄らない場所でもあった。薄汚い窓のない部屋で、低い天井からぶら下がった石油ランプが一つ、部屋を照らしていた。魚のフライのにおいが、かすかにあたりに漂っている。周りの壁に沿って木製のファイル・キャビネットが並び、ラベルを見ると、フィルチが処罰した生徒一人一人の細かい記録が入っているらしい。フレッドとジョージはまるまる一つの引き出しを占領していた。フィルチの机の後ろの壁には、ピカピカに磨き上げられた鎖や手枷《てかせ》がひとそろいかけられていた。生徒の足首を縛って天井から逆さ吊《づ》りにすることを許してほしいと、フィルチがしょっちゅうダンブルドアに懇願していることは、みんな知っていた。

フィルチは机の上のインク瓶から羽根ペンをわしづかみにし、羊皮紙を探してそこら中引っかき回した。

「くそっ」フィルチは怒り狂って吐き出すように言った。「煙の出ているドラゴンのでかい鼻くそ……カエルの脳みそ……ネズミの腸《はらわた》……もううんざりだ……**見せしめ**にしてくれる……書類はどこだ……よし……」

フィルチは机の引き出しから大きな羊皮紙の巻紙を取り出し、目の前に広げ、インク瓶に長く黒い羽根ペンを突っ込んだ。

「**名前**……ハリー・ポッター……**罪状**……」

「ほんのちょっぴりの泥です！」ハリーが言った。

「そりゃ、おまえさんにはちょっぴりの泥でござんしょうよ。だけどこっちは一時間も余分に床をこすらなけりゃならないんだ！」

団子鼻からゾローッと垂れた鼻水を不快そうに震わせながらフィルチが叫んだ。

「**罪状**……城を汚した……**ふさわしい判決**……」

鼻水をふきふき、フィルチは目をすがめてハリーのほうを不快げに眺めた。ハリーは息をひそめて判決が下るのを待っていた。

フィルチがまさにペンを走らせようとしたとき、天井の上で**バーン！**と音がして、石油ランプがカタカタ揺れた。

「**ピーブズめ！**」フィルチは唸《うな》り声を上げ、羽根ペンに八つ当たりして放り投げた。「今度こそ取っ捕まえてやる。今度こそ！」

ハリーのほうを見向きもせず、フィルチはぶざまな走り方で事務室を出ていった。ミセス・ノリスがその脇を流れるように走った。

ピーブズはこの学校のポルターガイストだ。ニヤニヤしながら空中を漂い、大騒ぎを引き起こしたり、みんなを困らせるのを生き甲斐にしているやっかい者だった。ハリーはピーブズが好きではなかったが、いまはそのタイミングのよさに感謝しないわけにはいかなかった。ピーブズが何をしでかしたにせよ──あの音では今度は何かとても大きなものを壊したようだ──フィルチがそちらに気を取られて、ハリーのことを忘れてくれるかもしれない。

フィルチが戻るまで待たなきゃいけないだろうな、と思いながら、ハリーは机の脇にあった虫食いだらけの椅子にドサッと腰かけた。机の上には書きかけのハリーの書類のほかに、もう一つ何かが置いてあった。大きな、紫色の光沢のある封筒で、表に銀文字で何か書いてある。ドアをちらりと見て、フィルチが戻ってこないことを確かめてから、ハリーは封筒を取り上げて文字を読んだ。

クイックスペル（KWIKSPELL）

初心者のための魔法速習通信講座

興味をそそられて、ハリーは封筒を指でポンとはじいて開け、中から羊皮紙の束を取り出した。最初のページには、丸みのある銀文字でこう書いてあった。


現代魔法の世界についていけないと、感じていませんか？

簡単な呪文もかけられないことで、言い訳に苦労していませんか？

杖《つえ》の使い方がなっていないと、冷やかされたことはありませんか？

お任せください！

クイックスペルはまったく新しい、誰にでもできる、すぐに効果が上がる、楽な学習コースです。

何百人という魔法使いや魔女がクイックスペル学習法に感謝しています！

トップシャムのマダム・Z・ネットルズのお手紙
「私は呪文がまったく覚えられず、私の魔法薬は家中の笑いものでした。でも、クイックスペル・コースを終えたあとは、パーティの花形はこの私！　友人が発光液の作り方を教えてくれと拝むようにして頼むのです！」

ディズベリーのD・J・プロッド魔法戦士のお手紙

「妻は私の魔法呪文が弱々しいとあざ笑っていました。でも、貴校のすばらしいコースを一か月受けた後、見事、妻をヤクに変えてしまいました！　クイックスペル、ありがとう！」

ハリーはおもしろくなって、封筒の中身をパラパラめくった――いったいどうしてフィルチはクイックスペル・コースを受けたいんだろう？　彼はちゃんとした魔法使いではないんだろうか？　ハリーは第一科を読んだ。「杖の持ち方（大切なコツ）」。その時、ドアの外で足を引きずるような音がして、フィルチが戻ってくるのがわかった。ハリーが羊皮紙を封筒に押し込み、机の上に放り投げたちょうどその時ドアが開いた。

フィルチは勝ち誇っていた。

「あの『姿をくらます飾り棚』は非常に値打ちのあるものだった！」

フィルチはミセス・ノリスに向かっていかにもうれしそうに言った。

「なあ、おまえ、今度こそピーブズめを追い出せるなぁ」

フィルチの目がまずハリーに、それから矢のようにクイックスペルの封筒へと移った。ハリーは「しまった」と思った。封筒は元の位置から六十センチほどずれた所に置かれていた。

フィルチの青白い顔が、れんがのように赤くなった。フィルチの怒りが津波のように押し寄せるだろうと、ハリーは身がまえた。フィルチは机の所まで不格好に歩き、封筒をサッと取ると、引き出しに放り込んだ。

「おまえ、もう……読んだか？――」フィルチがブツブツ言った。

「いいえ」ハリーは急いでうそをついた。

フィルチはゴツゴツした両手をしぼるように握り合わせた。

「おまえが私の個人的な手紙を読むとわかっていたら……私宛の手紙ではないが……知り合いのものだが……それはそれとして……しかし……」

ハリーはあぜんとしてフィルチを見つめた。フィルチがこんなに怒ったのは見たことがない。目は飛び出し、垂れ下がったほおの片方がピクピクけいれんして、タータンチェックの襟巻きまでもが怒りの形相を際立たせていた。

「もういい……行け……一言ももらすな……もっとも……読まなかったのなら別だが……さあ、行くんだ。ピーブズの報告書を書かなければ……行け……」

なんて運がいいんだろうと驚きながら、ハリーは急いで部屋を出て、廊下を渡り、上の階へと戻った。なんの処罰もなしにフィルチの事務室を出られたなんて、開校以来の出来事かもしれない。

「ハリー！　ハリー！　うまくいったかい？」

ほとんど首無しニックが教室からすべるように現れた。その背後に金と黒の大きな飾り棚の残骸が見えた。ずいぶん高い所から落とされた様子だった。

「ピーブズをたきつけて、フィルチの事務室の真上に墜落させたんですよ。そうすれば気をそらすことができるのではと……」ニックは真剣な表情だった。

「君だったの？」

ハリーは感謝を込めて言った。

「ああ、とってもうまくいったよ。処罰も受けなかった。ありがとう、ニック！」

二人で一緒に廊下を歩きながら、ハリーはニックが、パトリック卿の入会拒否の手紙を、まだ握りしめていることに気づいた。

「『首無し狩』のことだけど、僕に何かできることがあるといいのに」ハリーが言った。

ほとんど首無しニックが急に立ち止まったので、ハリーはもろにニックの中を通り抜けてしまった。あっと思ったときはもう遅く、ハリーはまるで氷のシャワーを浴びてしまったような気がした。

「それが、していただけることが**ある**のですよ」ニックは興奮気味だった。「ハリー――もし、あつかましくなければ――でも、ダメでしょう。そんなことはおいやでしょう……」

「なんなの？」

「ええ、今度のハロウィーンが私の五百回目の絶命日に当たるのです」

ほとんど首無しニックは背筋を伸ばし、威厳たっぷりに言った。

「それは……」ハリーはいったい悲しむべきか、喜ぶべきか戸惑った。「そうなんですか」

「私は広めの地下牢を一つ使って、パーティを開こうと思います。国中から知人が集まります。君が出席してくだされればどんなに**光栄か**。ミスター・ウィーズリーもミス・グレンジャーも、もちろん大歓迎です――でも、おそらく学校のパーティのほうに行きたいと思われるでしょうね？」

ニックは緊張した様子でハリーを見た。

「そんなことないよ。僕、出席する……」ハリーはとっさに答えた。

「なんと！　ハリー・ポッターが私の絶命日パーティに！」

そう言ったあと、ニックは興奮しながらも遠慮がちに聞いた。

「よろしければ、私がいかに恐ろしくものすごいか、君からパトリック卿に言ってくださることは、**もしかして可能**でしょうか？」

「だ、大丈夫だよ」ハリーが答えた。

ほとんど首無しニックはニッコリほほえんだ。

ハリーがやっと着替えをすませ、談話室でロンやハーマイオニーにその話をすると、ハーマイオニーは夢中になった。

「絶命日パーティですって？　生きてるうちに招かれた人って、そんなに多くないはずだわ——おもしろそう！」

「自分の死んだ日を祝うなんて、どういうわけ？」

ロンは魔法薬の宿題が半分しか終わっていないので機嫌が悪かった。

「死ぬほど落ち込みそうじゃないか……」

雨は相変わらず窓を打ち、外は墨のように暗くなっていた。しかし談話室は明るく、楽しさで満ちていた。暖炉の火がいくつもの座り心地のよいひじかけ椅子を照らし、生徒たちはそれぞれに読書したり、おしゃべりしたり、宿題をしたりしていた。フレッドとジョージは、火トカゲ《サラマンダー》に「フィリバスターの長々花火」を食べさせたら、どういうことになるか試していた。

フレッドは魔法生物飼育学のクラスから、火の中にすむ、燃えるようなオレンジ色の火トカゲを「助け出して」きたのだという。火トカゲは、好奇心満々の生徒たちに囲まれて、テーブルの上でいまは静かにくすぶっていた。

ハリーはロンとハーマイオニーに、フィルチとクイックスペル・コースのことを話そうとした。そのとたん、火トカゲが急にヒュッと空中に飛び上がり、派手に火花を散らし、バンバン大きな音を立てながら、部屋中を猛烈な勢いでぐるぐる回りはじめた。パーシーは声をからしてフレッドとジョージをどなりつけ、火トカゲの口からは滝のようにオレンジ色の星が流れ出してすばらしい眺めになり、トカゲが爆発音とともに暖炉の火の中に逃げ込み、なんだかんだで、フィルチのこともクイックスペルの封筒のことも、ハリーの頭から吹き飛んでしまった。

ハロウィーンが近づくにつれ、ハリーは絶命日パーティに出席するなどと、軽率に約束してしまったことを後悔しはじめた。ほかの生徒たちはハロウィーン・パーティを楽しみに待っていた。大広間はいつものように生きたコウモリで飾られ、ハグリッドの巨大かぼちゃはくり抜かれて、中に大人三人が充分座れるぐらい大きなランプになった。ダンブルドア校長がパーティの余興用に「がいこつ舞踏団」を予約したとのうわさも流れた。

「約束は約束でしょ」ハーマイオニーは命令口調でハリーに言った。「絶命日パーティに行くって、あなた、**そう言ったんだから**」

そんなわけで、七時になるとハリー、ロン、ハーマイオニーの三人は、金の皿やキャンドルの吸い寄せるような輝きや、大入り満員の大広間のドアの前を素通りして、みんなとはちがって、地下牢のほうへと足を向けた。

ほとんど首無しニックのパーティへと続く道筋にもキャンドルが立ち並んではいたが、とても楽しいムードとは言えなかった。ひょろりと長い真っ黒な細ろうそくが真っ青な炎を上げ、生きている三人の顔にさえ、ほの暗いかすかな光を投げかけていた。階段を一段下りるたびに温度が下がった。ハリーが身震いし、ローブを体にぴったりと巻きつけたとき、巨大な黒板を千本の生爪で引っかくような音が聞こえてきた。

「あれが**音楽**のつもり？」ロンがささやいた。角を曲がると、ほとんど首無しニックがビロードの黒幕を垂らした戸口の所に立っているのが見えた。

「親愛なる友よ」ニックが悲しげに挨拶した。「これは、これは……このたびは、よくぞおいでくださいました……」

ニックは羽飾りの帽子をサッと脱いで、三人を中に招き入れるようにおじぎをした。

信じられないような光景だった。地下牢は何百という、真珠のように白く半透明のゴーストでいっぱいだった。そのほとんどが、混み合ったダンス・フロアをふわふわ漂い、ワルツを踊っていた。黒幕で飾られた壇上で、オーケストラが三十本ののこぎりでわなわな震える恐ろしい音楽をかなでている。頭上のシャンデリアは、さらに千本の黒いろうそくで群青色に輝いていた。まるで冷凍庫に入り込んだようで、三人の吐く息が、鼻先に霧のように立ち昇った。

「見て回ろうか？」ハリーは足を温めたくてそう言った。

「誰かの体を通り抜けないように気をつけろよ」ロンが心配そうに言った。

三人はダンス・フロアの端のほうを回り込むように歩いた。陰気な修道女の一団や、ぼろ服に鎖を巻きつけた男がいたし、ハッフルパフにすむ陽気なゴーストの「太った修道士」は、額に矢を突き刺した騎士と話をしていた。スリザリンのゴーストで、全身銀色の血にまみれ、げっそりとした顔でにらんでいる「血みどろ男爵」は、ほかのゴーストたちが遠巻きにしていたが、ハリーはそれも当然だと思った。

「あーっ、いやだわ」ハーマイオニーが突然立ち止まった。「戻って、戻ってよ。『嘆きのマートル』とは話したくないの……」

「誰だって？」急いで後戻りしながらハリーが聞いた。

「あの子、三階の女子トイレに取り憑《つ》いているの」ハーマイオニーが答えた。

「**トイレ**に取り憑いてるって？」

「そうなの。去年一年間、トイレは壊れっぱなしだったわ。だって、あの子がかんしゃくを起こして、そこら中、水浸しにするんですもの。私、壊れてなくたってあそこには行かなかったわ。だって、あの子が泣いたりわめいたりしてるトイレに行くなんて、とってもいやだもの」

「見て。食べ物だ」ロンが言った。

地下牢の反対側には長テーブルがあり、これにも真っ黒なビロードがかかっていた。三人は興味津々で近づいていったが、次の瞬間、ぞっとして立ちすくんだ。吐き気のするようなにおいだ。しゃれた銀の盆に置かれた魚はくさり、銀の丸盆に山盛りのケーキは真っ黒焦げ、スコットランドの肉料理、ハギスの巨大な塊にはウジがわいていた。厚切りチーズは毛が生えたように緑色のかびで覆われ、一段と高い所にある灰色の墓石の形をした巨大なケーキには、砂糖のかわりにコールタールのようなもので文字が書かれていた。

ニコラス・ド・ミムジー－ポーピントン卿
一四九二年十月三十一日没

恰幅《かっぷく》のよいゴーストがテーブルに近づき、身をかがめてテーブルを通り抜けながら、大きく口を開けて、異臭を放つ鮭《さけ》の中を通り抜けるようにしたのを、ハリーは驚いてまじまじと見つめた。

「食べ物を通り抜けると味がわかるの？」ハリーがそのゴーストに聞いた。

「まあね」ゴーストは悲しげにそう言うと、ふわふわ行ってしまった。

「つまり、より強い風味をつけるためにくさらせたんだと思うわ」

ハーマイオニーは物知り顔でそう言いながら、鼻をつまんで、くさったハギスをよく見ようと顔を近づけた。

「行こうよ。気分が悪い」ロンが言った。

三人が向きを変えるか変えないうちに、小男がテーブルの下から突然スイーッと現れて、三人の目の前で空中に浮かんだまま停止した。

「やあ、ピーブズ」ハリーは慎重に挨拶した。

周りのゴーストは青白く透明なのに、ポルターガイストのピーブズは正反対だった。鮮やかなオレンジ色のパーティ用帽子をかぶり、くるくる回る蝶《ちょう》ネクタイをつけ、意地の悪そうな大きな顔いっぱいにニヤニヤ笑いを浮かべていた。

「おつまみはどう？」

猫なで声で、ピーブズが深皿に入ったかびだらけのピーナッツを差し出した。

「いらないわ」ハーマイオニーが言った。

「おまえがかわいそうなマートルのことを話してるの、聞いたぞ」

ピーブズの目は踊っていた。

「おまえ、かわいそうなマートルに**ひどいこと**を言ったなぁ」

ピーブズは深く息を吸い込んでから、吐き出すようにわめいた。

「**おーい！　マートル！**」

「あぁ、ピーブズ、だめ。私が言ったこと、あの子に言わないで。じゃないと、あの子とっても気を悪くするわ」

ハーマイオニーは大あわてでささやいた。

「私、本気で言ったんじゃないのよ。私、気にしてないわ。あの子が……あら、こんにちは、マートル」

ずんぐりした女の子のゴーストがするするとやってきた。ハリーがこれまで見た中で一番陰気くさい顔をしていた。その顔も、ダラーッと垂れた猫っ毛と、分厚い乳白色のめがねの陰に半分隠れていた。

「なんなの？」マートルが仏頂面で言った。

「お元気？」ハーマイオニーが無理に明るい声を出した。「トイレの外でお会いできて、うれしいわ」

マートルはフンと鼻を鳴らした。

「ミス・グレンジャーがたったいまおまえのことを話してたよぅ……」

ピーブズがいたずらっぽくマートルに耳打ちした。

「あなたのこと――ただ――今夜のあなたはとってもすてきって言ってただけよ」

ハーマイオニーがピーブズをにらみつけながら言った。

マートルは「うそでしょう」という目つきでハーマイオニーを見た。

「あなた、わたしのことからかってたんだわ」

むこうが透けて見えるマートルの小さな目から銀色の涙が見る見るあふれてきた。

「そうじゃない――ほんとよ――私、さっき、マートルがすてきだって言ってたわよね？」

ハーマイオニーはハリーとロンの脇腹を痛いほどこづいた。

「ああ、そうだとも」

「そう言ってた……」

「うそ言ってもダメ」

マートルはのどが詰まり、涙が滝のようにほおを伝った。ピーブズはマートルの肩越しに満足げにケタケタ笑っている。

「みんなが陰で、わたしのことなんて呼んでるか、知らないとでも思ってるの？　太っちょマートル、ブスのマートル、みじめ屋・うめき屋・ふさぎ屋マートル！」

「抜かしたよぅ、にきび面ってのを」ピーブズがマートルの耳元でヒソヒソと言った。

嘆きのマートルはとたんに苦しげにしゃくりあげ、地下牢から逃げるように出ていった。ピーブズはかびだらけのピーナッツをマートルにぶっつけて、「**にきび面！　にきび面！**」と叫びながらマートルを追いかけていった。

「なんとまあ」ハーマイオニーが悲しそうに言った。

今度はほとんど首無しニックが人混みをかき分けてふわふわやってきた。

「楽しんでいますか？」

「ええ」みんなでうそをついた。

「ずいぶん集まってくれました」ほとんど首無しニックは誇らしげに言った。「『めそめそ未亡人』は、はるばるケントからやってきました……そろそろ私のスピーチの時間です。むこうに行ってオーケストラに準備させなければ……」

ところが、その瞬間、オーケストラが演奏をやめた。楽団員、それに地下牢にいた全員が、狩の角笛が鳴り響く中、シーンと静まり、興奮して周りを見回した。

「あぁ、始まった」ニックが苦々しげに言った。

地下牢の壁から、十二騎の馬のゴーストが飛び出してきた。それぞれ首無しの騎手を乗せていた。観衆が熱狂的な拍手を送った。ハリーも拍手しようと思ったが、ニックの顔を見てすぐに思いとどまった。

馬たちはダンス・フロアの真ん中までギャロップで走ってきて、前に突っ込んだり、後脚立ちになったりして止まった。先頭の大柄なゴーストは、あごひげを生やした自分の首を小脇に抱えていて、首が角笛を吹いていた。そのゴーストは馬から飛び降り、群衆の頭越しに何か見るように、自分の首を高々と掲げた（みんな笑った）。それからほとんど首無しニックのほうに大股で近づき、首を胴体にぐいと押し込むように戻した。

「ニック！」吠《ほ》えるような声だ。「元気かね？　首はまだそこにぶら下がっておるのか？」

男は思いきり高笑いして、ほとんど首無しニックの肩をパンパンたたいた。

「ようこそ、パトリック」ニックが冷たく言った。

「生きてる連中だ！」

パトリック卿がハリー、ロン、ハーマイオニーを見つけて、驚いたふりをしてわざと大げさに飛び上がった。ねらいどおり、首がまたころげ落ちた（観衆は笑いころげた）。

「まことにゆかいですな」ほとんど首無しニックが沈んだ声で言った。

「ニックのことは、気にしたもうな！」床に落ちたパトリック卿の首が叫んだ。

「我々がニックを狩クラブに入れないことを、まだ気に病んでいる！　しかし、要するに――彼を見れば――」

「あの――」ハリーはニックの意味ありげな目つきを見て、あわてて切り出した。「ニックはとっても――恐ろしくて、それで――あの……」

「ははん！」パトリック卿の首が叫んだ。「そう言えと彼に頼まれたな！」

「みなさん、ご静粛に。一言、私からご挨拶を！」ほとんど首無しニックが声を張り上げ、堂々と演壇のほうに進み、壇上に登って、ひやりとするようなブルーのスポットライトを浴びた。

「お集まりの、いまは亡き、嘆かわしき閣下、紳士、淑女のみなさま。ここに私、心からの悲しみをもちまして……」

そのあとは誰も聞いてはいなかった。パトリック卿と「首無し狩クラブ」のメンバーが、ちょうど首ホッケーを始めたところで、客はそちらに目を奪われていた。ほとんど首無しニックは聴衆の注意を取り戻そうとやっきになったが、パトリック卿の首がニックの脇を飛んでいき、みんながワッと歓声を上げたので、すっかりあきらめてしまった。

ハリーはもう寒くてたまらなくなっていた。もちろん腹ペコだった。

「僕、もうがまんできないよ」ロンがつぶやいた。

オーケストラがまた演奏を始め、ゴーストたちがするするとダンス・フロアに戻ってきたときには、ロンは歯をガチガチ震わせていた。

「行こう」ハリーも同じ思いだった。

誰かと目が合うたびにニッコリと会釈しながら、三人はあとずさりして出口へと向かった。ほどなく、三人は黒いろうそくの立ち並ぶ通路を、急いで元来たほうへと歩いていた。

「デザートがまだ残っているかもしれない」

玄関ホールに出る階段への道を、先頭を切って歩きながら、ロンが祈るように言った。

その時、ハリーはあの声を聞いた。

「……引き裂いてやる……八つ裂きにしてやる……殺してやる……」

あの声と同じだ。ロックハートの部屋で聞いたと同じ、冷たい、残忍な声。

ハリーはよろよろとして立ち止まり、石の壁にすがって、全身を耳にして声を聞いた。そして、ほの暗い灯《あか》りに照らされた通路の隅から隅まで、目を細めてじっと見回した。

「ハリー、いったい何を……？」

「またあの声なんだ――ちょっとだまってて――」

「……腹がへったぞー……こんなに長ぁい間……」

「ほら、聞こえる！」ハリーが急《せ》き込んで言った。ロンとハーマイオニーはハリーを見つめ、その場に凍りついたようになった。

「……殺してやる……殺す時が来た……」

声はだんだん幽《かす》かになってきた。ハリーは、それが確かに移動していると思った——上のほうに遠ざかっていく。暗い天井をじっと見上げながら、ハリーは恐怖と興奮の入りまじった気持ちで胸をしめつけられるようだった。どうやって上のほうへ移動できるんだろう？　石の天井でさえなんの障害にもならない「幻」なのだろうか？

「こっちだ」

ハリーはそう叫ぶと階段を駆け上がって玄関ホールに出た。しかし、そこでは何か聞こうなど、無理な注文だった。ハロウィーン・パーティのペチャクチャというおしゃべりが大広間からホールまで響いていた。ハリーは大理石の階段を全速力で駆け上がり、二階に出た。ロンとハーマイオニーもバタバタとあとに続いた。

「ハリー、いったい僕たち何を……？」

「**シーッ！**」

ハリーは耳をそばだてた。遠く上の階から、ますます幽かになりながら、声が聞こえてきた。

「……血のにおいがする……**血のにおいがするぞ！**」

ハリーは胃がひっくり返りそうだった。

「誰かを殺すつもりだ！」

そう叫ぶなり、ハリーはロンとハーマイオニーの当惑した顔を無視して、三階への階段を、一度に三段ずつ飛ばして駆け上がった。その間も、自分の足音の響きにかき消されそうになる声を、聞き取ろうとした。

ハリーは三階をくまなく飛び回った。ロンとハーマイオニーは息せき切って、ハリーのあとをついて回った。角を曲がり、最後の、誰もいない廊下に出たとき、ハリーはやっと動くのをやめた。

「ハリー、いったいこれは**どういうこと**だい?」ロンが額の汗をぬぐいながら聞いた。「僕にはなんにも聞こえなかった……」

しかし、ハーマイオニーのほうは、ハッと息をのんで廊下の隅を指差した。

「**見て!**」

むこうの壁に何かが光っていた。三人は暗がりに目を凝らしながら、そっと近づいた。窓と窓の間の壁に三十センチほどの大きさの文字が塗りつけられ、松明《たいまつ》に照らされてチラチラと鈍い光を放っていた。

秘密の部屋は開かれたり
継承者の敵よ、気をつけよ

「なんだろう――下にぶら下がっているのは?」ロンの声はかすかに震えていた。

じりじりと近寄りながら、ハリーは危うくすべりそうになった。床に大きな水たまりができていたのだ。ロンとハーマイオニーがハリーを受け止めた。文字に少しずつ近づきながら、三人は文字の下の、暗い影に目を凝らした。一瞬にして、それがなんなのか三人ともわかった。とたんに三人はのけぞるように飛びのき、水たまりの水をはね上げた。

管理人の飼い猫、ミセス・ノリスだ。松明の腕木にしっぽをからませてぶら下がっている。板のように硬直し、目はカッと見開いたままだった。

三人は動かなかった。しばらくして、ロンが言った。

「ここを離れよう」

「助けてあげるべきじゃないかな……」ハリーが戸惑いながら言った。

「僕の言うとおりにして」ロンが言った。「ここにいるところを見られないほうがいい」

すでに遅かった。遠い雷鳴のようなざわめきが聞こえた。パーティが終わったらしい。三人が立っている廊下の両側から、階段を上ってくる何百という足音、満腹で楽しげなざわめきが聞こえてきた。次の瞬間、生徒たちが廊下にワッと現れた。

前のほうにいた生徒がぶら下がった猫を見つけたとたん、おしゃべりも、さざめきも、ガヤガヤも突然消えた。沈黙が生徒たちの群れに広がり、おぞましい光景を前のほうで見ようと押し合った。そのかたわらで、ハリー、ロン、ハーマイオニーは廊下の真ん中にポツンと取り残されていた。

一瞬の後、静けさを破って誰かが叫んだ。

「継承者の敵よ、気をつけよ！　次はおまえたちの番だぞ、『穢れた血』め！」

ドラコ・マルフォイだった。人垣を押しのけて最前列に進み出たマルフォイは、冷たい目に生気をみなぎらせ、いつもは血の気のないほおに赤みがさし、ぶら下がったままピクリともしない猫を見てニヤッと笑った。

第9章　壁に書かれた文字

「なんだ、なんだ？　何事だ？」

マルフォイの大声に引き寄せられたにちがいない。アーガス・フィルチが肩で人混みを押し分けてやってきた。ミセス・ノリスを見たとたん、フィルチは恐怖のあまり手で顔を覆い、たじたじとあとずさりした。

「私の猫だ！　私の猫だ！　ミセス・ノリスに何が起こったというんだ？」

フィルチは金切り声で叫んだ。そしてフィルチの飛び出した目が、ハリーを見た。

「**おまえだな！**」叫び声は続いた。

「**おまえだ！**　おまえが私の猫を殺したんだ！　あの子を殺したのはおまえだ！　俺がおまえを殺してやる！　俺が……」

「**アーガス！**」

ダンブルドアがほかに数人の先生を従えて現場に到着した。すばやくハリー、ロン、ハーマイオニーの脇を通り抜け、ダンブルドアは、ミセス・ノリスを松明《たいまつ》の腕木からはずした。

「アーガス、一緒に来なさい。ミスター・ポッター、ミスター・ウィーズリー、ミス・グレンジャー、君たちもおいで」ダンブルドアが呼びかけた。

ロックハートがいそいそと進み出た。

「校長先生、私《わたくし》の部屋が一番近いです――すぐ上です――どうぞご自由に――」

「ありがとう、ギルデロイ」

人垣が無言のままパッと左右に割れて、一行を通した。ロックハートは得意げに、興奮した面持ちで、せかせかとダンブルドアのあとに従った。マクゴナガル先生もスネイプ先生もそれに続いた。

灯《あか》りの消えたロックハートの部屋に入ると、何やら壁面があたふたと動いた。ハリーが目をやると、写真の中のロックハートが何人か、髪にカーラーを巻いたまま物陰に隠れた。本物のロックハートは机のろうそくを灯《とも》し、後ろに下がった。ダンブルドアは、ミセス・ノリスを磨きたてられた机の上に置き、調べはじめた。ハリー、ロン、ハーマイオニーは緊張した面持ちで目を見交わし、ろうそくの灯りが届かない所でぐったりと椅子に座り込み、じっと見つめていた。

ダンブルドアの折れ曲がった長い鼻の先が、あとちょっとでミセス・ノリスの毛にくっつきそうだった。長い指でそっとつついたり刺激したりしながら、ダンブルドアは半月形のめがねをとおしてミセス・ノリスをくまなく調べた。マクゴナガル先生も身をかがめてほとんど同じぐらい近づき、目を凝らして見ていた。スネイプはその後ろに漠然と、半分影の中に立ち、なんとも奇妙な表情をしていた。まるでニヤリ笑いを必死でかみ殺しているようだった。そしてロックハートとなると、みんなの周りをうろうろしながら、あれやこれやと意見を述べ立てていた。

「猫を殺したのは、呪いにちがいありません――たぶん『異形変身拷問』の呪いでしょう。何度も見たことがありますよ。私がその場に居合わせなかったのは、まことに残念。猫を救う、ぴったりの反対呪文を知っていましたのに……」

ロックハートの話の合いの手は、涙も枯れたフィルチの激しくしゃくりあげる声だった。机の脇の椅子にがっくり座り込み、手で顔を覆ったまま、ミセス・ノリスをまともに見ることさえできなかった。ハリーはフィルチが大嫌いだったが、この時ばかりはちょっとかわいそうに思った。

それにしても自分のほうがもっとかわいそうだった。もしダンブルドアがフィルチの言うことを真に受けたのなら、ハリーはまちがいなく退学になるだろう。

ダンブルドアはブツブツと不思議な言葉をつぶやき、ミセス・ノリスを杖《つえ》で軽くたたいた。が、何事も起こらない。ミセス・ノリスは、つい先日剥製になったばかりの猫のように見えた。

「――そう、非常によく似た事件がウグドゥグで起こったことがありました。次々と襲われる事件でしたね。私の自伝に一部始終書いてありますが。私が町の住人にいろいろな魔よけを授けましてね、あっという間に一件落着でした」

壁のロックハートの写真が、本人の話に合わせていっせいにうなずいていた。一人はヘアネットをはずすのを忘れていた。

ダンブルドアがようやく体を起こし、やさしく言った。

「アーガス、猫は死んでおらんよ」

ロックハートは、これまで自分が未然に防いだ殺人事件の数を数えている最中だったが、あわてて数えるのをやめた。

「死んでない？」フィルチが声を詰まらせ、指の間からミセス・ノリスをのぞき見た。

「それじゃ、どうしてこんなに――こんなに固まって、冷たくなって？」

「石になっただけじゃ」ダンブルドアが答えた（「やっぱり！　私もそう思いました！」とロックハートが言った）。「ただし、どうしてそうなったのか、わしには答えられん……」

「**あいつ**に聞いてくれ！」

フィルチは涙で汚れ、まだらに赤くなった顔でハリーのほうを見た。

「二年生がこんなことをできるはずがない」ダンブルドアはきっぱりと言った。

「最も高度な闇の魔術をもってして初めて……」

「あいつがやったんだ。あいつだ！」

ぶくぶくたるんだ顔を真っ赤にして、フィルチは吐き出すように言った。

「あいつが壁に書いた文字を読んだでしょう！　あいつは見たんだ――私の事務室で――あいつは知ってるんだ。私が……私が……」フィルチの顔が苦しげにゆがんだ。「私ができそこないの『スクイブ』だって知ってるんだ！」

フィルチがやっとのことで言葉を言い終えた。

「僕、ミセス・ノリスに**指一本**触れていません！」

ハリーは大声で言った。

「それに、僕、スクイブがなんなのかも知りません」

ハリーはみんなの目が、壁のロックハートの写真の目さえが、自分に集まっているのをいやというほど感じていた。

「バカな！」フィルチが歯がみをした。「あいつはクイックスペルから来た手紙を見やがった！」

「校長、一言よろしいですかな」

影の中からスネイプの声がした。ハリーの不吉感がつのった。スネイプは一言もハリーに有利な発言はしないと、ハリーは確信していた。

「ポッターもその仲間も、単に間が悪くその場に居合わせただけかもしれませんな」

自分はそうは思わないとばかりに、スネイプは口元をかすかにゆがめて冷笑していた。

「とは言え、一連の疑わしい状況が存在します。だいたい連中はなぜ三階の廊下にいたのか？　なぜ三人はハロウィーンのパーティにいなかったのか？」

ハリー、ロン、ハーマイオニーはいっせいに「絶命日パーティ」の説明を始めた。

「……ゴーストが何百人もいましたから、私たちがそこにいたと、証言してくれるでしょう——」

「それでは、そのあとパーティに来なかったのはなぜかね？」

スネイプの暗い目がろうそくの灯りでギラリと輝いた。

「なぜあそこの廊下に行ったのかね？」

ロンとハーマイオニーがハリーの顔を見た。

「それは——つまり——」

ハリーの心臓は早鐘のように鳴った——自分にしか聞こえない姿のない声を追っていったと答えれば、あまりにも唐突に思われてしまう——ハリーはとっさにそう感じた。

「僕たちつかれたので、ベッドに行きたかったものですから」ハリーはそう答えた。

「夕食も食べずにか？」スネイプはほおのこけ落ちた顔に、勝ち誇ったような笑いをちらつかせた。

「ゴーストのパーティで、生きた人間にふさわしい食べ物が出るとは思えんがね」

「僕たち、空腹ではありませんでした」

ロンが大声で言ったとたん、胃袋がゴロゴロ鳴った。

スネイプはますます底意地の悪い笑いをうかべた。

「校長、ポッターが真っ正直に話しているとは言えないですな。すべてを正直に話してくれる気になるまで、彼の権利を一部取り上げるのがよろしいかと存じます。私としては、彼が告白するまでグリフィンドールのクィディッチ・チームからはずすのが適当かと思いますが」

「そうお思いですか、セブルス」マクゴナガル先生が鋭く切り込んだ。

「私《わたくし》には、この子がクィディッチをするのを止める理由が見当たりませんね。この猫は箒《ほうき》の柄で頭を打たれたわけでもありません。ポッターが悪いことをしたという証拠は何一つないのですよ」

ダンブルドアはハリーに探るような目を向けた。キラキラ輝く明るいブルーの目で見つめられると、ハリーにはまるでレントゲンで映し出されているように感じられた。

「疑わしきは罰せずじゃよ、セブルス」ダンブルドアがきっぱり言った。

スネイプはひどく憤慨し、フィルチもまたそうだった。

「私の猫が石にされたんだ！　**刑罰**を受けさせなけりゃ収まらん！」

フィルチの目は飛び出し、声は金切り声だ。

「アーガス、君の猫は治してあげられますぞ」

ダンブルドアがおだやかに言った。

「スプラウト先生が、最近やっとマンドレイクを手に入れられてな。充分に成長したら、すぐにもミセス・ノリスを蘇生《そせい》させる薬を作らせましょうぞ」

「私がそれをお作りしましょう」ロックハートが突然口をはさんだ。「私は何百回作ったかわからないぐらいですよ。『マンドレイク回復薬』なんて、眠ってたって作れます」

「おうかがいしますがね」スネイプが冷たく言った。「この学校では、我輩が魔法薬の教授のはずだが」

とても気まずい沈黙が流れた。

「帰ってよろしい」ダンブルドアがハリー、ロン、ハーマイオニーに言った。

三人は走りこそしなかったが、その一歩手前の早足で、できるかぎり急いでその場を去った。ロックハートの部屋の上の階まで上り、誰もいない教室に入ると、そっとドアを閉めた。暗くてよく顔が見えず、ハリーは目を凝らして二人を見た。

「あの声のこと、僕、みんなに話したほうがよかったと思う？」

「いや」ロンがきっぱりと言った。「誰にも聞こえない声が聞こえるのは、魔法界でも狂気の始まりだって思われてる」

ロンの口調が、ハリーにはちょっと気になった。

「君は僕のことを信じてくれてるよね？」

「もちろん、信じてるさ」ロンが急いで言った。「だけど――君も薄気味悪いって思うだろ……」

「確かに薄気味悪いよ。何もかも気味の悪いことだらけだ。壁になんて書いてあった？『部屋は開かれたり』……これ、どういう意味なんだろう？」

「ちょっと待って。なんだか思い出しそう」ロンが考えながら言った。

「誰かがそんな話をしてくれたことがある――ビルだったかもしれない。ホグワーツの秘密の部屋のことだ」

「それに、できそこないのスクイブっていったい何？」ハリーが聞いた。

何がおかしいのか、ロンはクックッと嘲笑をかみ殺した。

「あのね――本当はおかしいことじゃないんだけど――でも、それがフィルチだったもんで……。スクイブっていうのはね、魔法使いの家に生まれたのに魔力を持ってない人のことなんだ。マグルの家に生まれた魔法使いの逆かな。でも、スクイブってめったにいないけどね。もし、フィルチがクイックスペル・コースで魔法の勉強をしようとしてるなら、きっとスクイブだと思うな。これでいろんな謎が解けた。たとえば、どうして彼は生徒たちをあんなに憎んでいるか、なんてね」

ロンは満足げに笑った。

「ねたましいんだ」

どこかで時計の鐘が鳴った。

「午前零時だ」ハリーが言った。

「早くベッドに行かなきゃ。スネイプがやってきて、別なことで僕たちをはめないうちにね」

それから数日は、学校中がミセス・ノリスの襲われた話でもちきりだった。犯人が現場に戻ると考えたのかどうか、フィルチは、猫が襲われた場所を往《い》ったり来たりすることで、みんなの記憶を生々しいものにしていた。フィルチが壁の文字を消そうと「ミセス・ゴシゴシの魔法万能汚れ落とし」でこすっているのをハリーは見かけたが、効果はないようだった。文字は相変わらず石壁の上にありありと光を放っていた。犯行現場の見張りをしていないときは、フィルチは血走った目で廊下をほっつき回り、油断している生徒に言いがかりをつけて「音を立てて息をした」とか「うれしそうだった」とかいう理由で、処罰に持ち込もうとした。

ジニー・ウィーズリーは、ミセス・ノリス事件でひどく心を乱されたようだった。ロンの話では、ジニーは無類の猫好きらしい。

「でも、ミセス・ノリスの本性を知らないからだよ」ロンはジニーを元気づけようとした。「はっきり言って、あんなのはいないほうがどんなにせいせいするか」

ジニーは唇を震わせた。

「こんなこと、ホグワーツでしょっちゅう起こりはしないから大丈夫」ロンがうけ合った。

「あんなことをしたへんてこりん野郎は、学校があっという間に捕まえて、ここからつまみ出してくれるよ。できれば放り出される前に、ちょいとフィルチを石にしてくれりゃいいんだけど。あ、冗談、冗談――」

ジニーが真っ青になったのでロンがあわてて言った。

事件の後遺症はハーマイオニーにもおよんだ。ハーマイオニーが読書に長い時間を費やすのは、いまに始まったことではない。しかし、いまや読書以外はほとんど何もしていなかった。何をしているの、とハリーやロンが話しかけても、ろくすっぽ返事もしてくれなかった。何をしているのかが、やっと次の水曜日になってわかった。

魔法薬の授業のあと、スネイプはハリーを居残らせて、机に貼りついたフジツボをこそげ落とすように言いつけた。遅くなった昼食を急いで食べ終えると、ハリーは図書館でロンに会おうと階段を上っていった。ちょうどその時、ハッフルパフ寮のジャスティン・フィンチ‐フレッチリーがむこうからやってきた。薬草学で一緒だったことがあるので、ハリーは挨拶をしようと口を開きかけた。するとハリーの姿に気づいたジャスティンは、急に回れ右をして反対の方向へ急ぎ足で行ってしまった。

ロンは図書館の奥のほうで、魔法史の宿題の長さをはかっていた。ビンズ先生の宿題は「中世におけるヨーロッパ魔法使い会議」について一メートルの長さの作文を書くことだった。

「まさか、まだ二十センチも足りないなんて……」

ロンはぷりぷりして羊皮紙から手を放した。羊皮紙はまたくるりと丸まってしまった。

「ハーマイオニーなんか、もう一メートル四十センチも書いたんだぜ、しかも**細かい字で**」

「ハーマイオニーはどこ？」ハリーも巻尺を無造作につかんで、自分の宿題の羊皮紙を広げながら聞いた。

「どっかあの辺だよ」ロンは書棚のあたりを指差した。「また別の本を探してる。あいつ、クリスマスまでに図書館中の本を全部読んでしまうつもりじゃないのか」

ハリーはロンに、ジャスティン・フィンチ‐フレッチリーが逃げていったことを話した。

「なんでそんなこと気にするんだい。僕、あいつ、ちょっとまぬけだって思ってたよ」

ロンはできるだけ大きい字で宿題を書きなぐりながら言った。

「だって、ロックハートが偉大だとか、バカバカしいことを言ってたじゃないか……」

ハーマイオニーが書棚と書棚の間からヒョイと現れた。いらいらしているようだったが、やっと二人と話す気になったらしい。

「『ホグワーツの歴史』が**全部**貸し出されてるの」

ハーマイオニーは、ロンとハリーの隣に腰かけた。

「しかも、あと二週間は予約でいっぱい。私のを家に置いてこなけりゃよかった。**残念**。でも、ロックハートの本でいっぱいだったから、トランクに入りきらなかったの」

「どうしてその本が欲しいの？」ハリーが聞いた。

「みんなが借りたがっている理由と同じよ。『秘密の部屋』の伝説を調べたいの」

「それ、なんなの？」ハリーは急き込んだ。

「まさに、その疑問よ。それがどうしても思い出せないの」ハーマイオニーは唇をかんだ。

「しかも、ほかのどの本にも書いてないの――」

「ハーマイオニー、君の作文見せて」

ロンが時計を見ながら絶望的な声を出した。

「ダメ。見せられない」ハーマイオニーは急に厳しくなった。「提出までに十日もあったじゃない」

「あとたった六センチなんだけどなぁ。いいよ、いいよ……」

ベルが鳴った。ロンとハーマイオニーはハリーの先に立って、二人で口げんかしながら魔法史の教室に向かった。

魔法史は時間割の中で一番退屈な科目だった。担当のビンズ先生は、ただ一人のゴーストの先生で、唯一おもしろいのは、先生が毎回黒板を通り抜けてクラスに現れることだった。しわしわの骨董品《こっとう》のような先生で、聞くところによれば、自分が死んだことにも気づかなかったらしい。ある日、立ち上がって授業に出かけるとき、生身の体を職員室の暖炉の前のひじかけ椅子に、そのまま置き忘れてきたという。それからも、先生の日課はちっとも変わっていないのだ。

今日もいつものように退屈だった。ビンズ先生はノートを開き、中古の電気掃除機のような、一本調子の低い声でブーンブーンと読み上げはじめた。ほとんどクラス全員が催眠術にかかったようにぼうっとなり、ときどき、ハッと我に返っては、名前とか年号とかのノートを取る間だけ目を覚まし、またすぐ眠りに落ちるのだった。先生が三十分も読み上げ続けたころ、いままで一度もなかったことが起きた。ハーマイオニーが手を挙げたのだ。

ビンズ先生はちょうど一二八九年の国際魔法戦士条約についての、死にそうに退屈な講義の真っ最中だったが、ちらっと目を上げ、驚いたように見つめた。

「ミス――あー？」

「グレンジャーです。先生、『秘密の部屋』について何か教えていただけませんか」

ハーマイオニーははっきりした声で言った。

口をポカンと開けて窓の外を眺めていたディーン・トーマスは催眠状態から急に覚醒した。両腕を枕にしていたラベンダー・ブラウンは頭を持ち上げ、ネビルのひじは机からガクッとすべり落ちた。

ビンズ先生は目をしばたたいた。

「わたしがお教えしとるのは魔法史です」

ひからびた声で、先生がゼイゼイと言った。

「**事実**を教えとるのであり、ミス・グレンジャー、神話や伝説ではないのであります」

先生はコホンとチョークが折れるような小さな音を立てて咳払《せき》いし、授業を続けた。

「同じ年の九月、サルジニア魔法使いの小委員会で……」

先生はここでつっかえた。ハーマイオニーの手がまた空中で揺れていた。

「ミス・グラント？」

「先生、お願いです。伝説というのは必ず事実に基づいているのではありませんか？」

ビンズ先生はハーマイオニーをじっと見つめた。その驚きようときたら、先生のクラスを途中でさえぎる生徒は、先生が生きている間も死んでからも、ただの一人もいなかったにちがいない、とハリーは思った。

「ふむ」ビンズ先生は考えながら言った。「しかり、そんなふうにも言えましょう――たぶん」

先生はハーマイオニーをまじまじと見た。まるでいままで一度も生徒をまともに見たことがないかのようだった。

「しかしながらです。あなたが言っとるところの伝説はと言えば、これはまことに**人騒がせな**ものであり、**荒唐無稽な**話とさえ言えるものであり……」

しかし、いまやクラス全体がビンズ先生の一言一言に耳を傾けていた。先生は見るともなくぼんやりと全生徒を見渡した。どの顔も先生のほうを向いている。こんなに興味を示されることなど、かつてなかった先生が、完全にまごついているのがハリーにはわかった。

「あー、よろしい」

先生がかみしめるように語りだした。

「さて……『秘密の部屋』とは……みなさんも知ってのとおり、ホグワーツは一千年以上も前――正確な年号は不明であるからにして――その当時の、最も偉大なる四人の魔女と魔法使いたちによって、創設されたのであります。その四つの学寮は、それぞれ創設者の名前にちなんで名付けられたのであります。すなわち、ゴドリック・グリフィンドール、ヘルガ・ハッフルパフ、ロウェナ・レイブンクロー、そしてサラザール・スリザリン。彼らはマグルの詮索好きな目から遠く離れたこの地に、ともにこの城を築いたのであります。なぜならば、その時代には魔法は一般の人々の恐れるところであり、魔女や魔法使いは多大なる迫害を受けたからであります」

先生はここでひと息入れ、漠然とクラス全体を見つめ、それから続きを話しだした。

「数年の間、創設者たちは和気藹々《あいあい》で、魔法力を示した若者たちを探し出しては、この城に誘《いざな》って教育したのであります。しかしながら、四人の間に意見の相違が出てきた。スリザリンとほかの三人との亀裂が広がっていったのであります。スリザリンは、ホグワーツには**選別された**生徒のみが入学を許されるべきだと考えた。魔法教育は、純粋な魔法族の家系にのみ与えられるべきだという信念を持ち、マグルの親を持つ生徒は学ぶ資格がないと考えて、入学させることを嫌ったのであります。しばらくして、この問題をめぐり、スリザリンとグリフィンドールが激しく言い争うことになり、スリザリンが学校を去ったのであります」

ビンズ先生はここでまたいったん口を閉じた。口をすぼめると、しわくちゃな年寄り亀のような顔になった。

「信頼できる歴史的資料はここまでしか語ってくれんのであります。しかしこうした真摯な事実が、『秘密の部屋』という空想の伝説により、あいまいなものになっておる。つまり、スリザリンがこの城に、ほかの創設者にはまったく知られていない、隠された部屋を作ったという話があるのであります」

「その伝説によれば、スリザリンは『秘密の部屋』を密封し、この学校に彼の真の継承者が現れる時まで、何人もその部屋を開けることができないようにしたという。その継承者のみが『秘密の部屋』の封印を解き、その中の恐怖を解き放ち、それを用いてこの学校から魔法を学ぶにふさわしからざる者を追放するという」

先生が語り終えると、沈黙が満ちた。が、いつものビンズ先生の授業につきものの、眠気を誘う沈黙ではなかった。みんなが先生を見つめ、もっと話してほしいという落ち着かない空気が漂っていた。ビンズ先生はかすかに困惑した様子を見せた。

「もちろん、すべては戯言《たわごと》であります。当然ながら、そのような部屋の証を求め、最高の学識ある魔女や魔法使いが、何度もこの学校を探索したのでありますが、そのようなものは存在しなかったのであります。だまされやすい者を怖がらせる作り話であります」

ハーマイオニーの手がまた空中に挙がった。

「先生――『部屋の中の恐怖』というのは具体的にどういうことですか？」

「なんらかの怪物だと信じられており、スリザリンの継承者のみが操ることができるという」

ビンズ先生はひからびたかん高い声で答えた。

生徒がこわごわ互いに顔を見合わせた。

「言っておきましょう。そんなものは存在しない」

ビンズ先生がノートをパラパラとめくりながら言った。

「『部屋』などない、したがって怪物はおらん」

「でも、先生」シェーマス・フィネガンだ。「もし『部屋』がスリザリンの継承者によってのみ開けられるなら、ほかの誰も、それを見つけることはできない、そうでしょう？」

「ナンセンス。オッフラハーティ君」ビンズ先生の声がますます険しくなった。「歴代のホグワーツ校長である魔法使い、魔女の先生方が、何も発見しなかったのだからして──」

「でも、ビンズ先生」パーバティ・パチルがキンキン声を出した。「そこを開けるのには、闇の魔術を使わないといけないのでは──」

「ミス・ペニーフェザー、闇の魔術を**使わない**からといって、**使えない**ということにはならない」ビンズ先生がピシャッと言い返した。

「くり返しではありますが、もしダンブルドア校長のような方が──」

「でも、スリザリンと血がつながっていないといけないのでは……。ですからダンブルドア先生は──」

ディーン・トーマスがそう言いかけたところで、ビンズ先生はもうたくさんだとばかり、ビシリと打ち切った。

「以上、おしまい。これは神話であります！　部屋は存在しない！　スリザリンが、部屋どころか、秘密の箒置き場さえ作った形跡はないのであります！　こんなバカバカしい作り話をお聞かせしたことを悔やんでおる。よろしければ**歴史**に戻ることとする。実態のある、信ずるに足る、検証できる**事実**であるところの**歴史**に！」

ものの五分もしないうちに、クラス全員がいつもの無気力状態に戻ってしまった。

「サラザール・スリザリンって、狂った変人だってこと、それは知ってたさ」

授業が終わり、夕食前に寮に鞄《かばん》を置きに行く生徒で廊下はごった返していたが、人混みをかき分けながらロンがハリーとハーマイオニーに話しかけた。

「でも、知らなかったなあ、例の純血主義のなんのって、スリザリンが言いだしたなんて。僕ならお金をもらったって、そんなやつの寮に入るもんか。はっきり言って、組分け帽子がもし僕をスリザリンに入れてたら、僕、汽車に飛び乗ってまっすぐ家に帰ってたな……」

ハーマイオニーも「そう、そう」とうなずいたが、ハリーは何も言わなかった。胃袋がドスンと落ち込んだような気持ちの悪さだった。

組分け帽子が**ハリー**をスリザリンに入れることを本気で考えたということを、ハリーはロンにもハーマイオニーにも一度も話していなかった。一年前、帽子をかぶったとき、ハリーの耳元で聞こえたささやき声を、ハリーはきのうのことのように覚えている。

「**君は偉大になれる可能性があるんだよ。そのすべては君の頭の中にある。スリザリンに入ればまちがいなく偉大になる道が開ける……**」

しかし、スリザリンが、多くの闇の魔法使いを卒業させたという評判を聞いていたハリーは、心の中で「スリザリンはだめ！」と必死で思い続けていた。すると帽子が「**よろしい、君がそう確信しているなら……むしろ、グリフィンドール！**」と叫んだのだった。

人波に流されて行く途中、コリン・クリービーがそばを通った。

「やあ、ハリー！」

「やあ、コリン」ハリーは機械的に応えた。

「ハリー、ハリー、僕のクラスの子が言ってたんだけど、あなたって……」

しかし、コリンは小さすぎて、人波に逆らえず、大広間のほうに流されていった。

「あとでね、ハリー！」と叫ぶ声を残してコリンは行ってしまった。

「クラスの子があなたのこと、なんて言ってたのかしら？」ハーマイオニーがいぶかった。

「僕がスリザリンの継承者だとか言ってたんだろ」

昼食のあと、ジャスティン・フィンチ－フレッチリーが、ハリーから逃げていった様子を急に思い出して、ハリーはまた数センチ胃が落ち込むような気がした。

「ここの連中ときたら、なんでも信じ込むんだから」ロンが吐き捨てるように言った。

混雑も一段落して、三人は楽に次の階段を上ることができた。

「『秘密の部屋』があるって、君、**ほんとうに**そう思う？」ロンがハーマイオニーに問いかけた。

「わからないけど」ハーマイオニーは眉根にしわを寄せた。「ダンブルドアがミセス・ノリスを治してやれなかった。ということは、私、考えたんだけど、猫を襲ったのは、もしかしたら――うーん――ヒトじゃないかもしれない」

ハーマイオニーがそう言ったとき、三人はちょうど角を曲がり、ずばりあの事件があった廊下の端に出た。三人は立ち止まって、あたりを見回した。現場はちょうどあの夜と同じようだった。松明の腕木に硬直した猫がぶら下がっていないことと、壁を背に椅子がぽつんと置かれていることだけがあの夜とはちがっている。その壁には「秘密の部屋は開かれたり」と書かれたままだ。

「あそこ、フィルチが見張ってるとこだ」ロンがつぶやいた。

三人は顔を見合わせた。廊下には人っ子一人いない。

「ちょっと調べたって悪くないだろ」

ハリーは鞄を放り出し、四つんばいになって、何か手がかりはないかと探し回った。

「焼け焦げだ！　あっちにも――こっちにも――」ハリーが言った。

「来てみて！　変だわ……」ハーマイオニーが呼んだ。

ハリーは立ち上がって、壁の文字のすぐ脇にある窓に近づいていった。ハーマイオニーは一番上の窓ガラスを指差している。二十匹あまりのクモが、ガラスの小さな割れ目からガザガザと先を争って這《は》い出そうとしていた。あわてたクモたちが全部一本の綱を登っていったかのように、クモの糸が長い銀色の綱のように垂れ下がっている。

「クモがあんなふうに行動するのを見たことある？」ハーマイオニーが不思議そうに言った。

「ううん」ハリーが答えた。「ロン、君は？　ロン？」

ハリーが振り返ると、ロンはずっと彼方に立っていて、逃げ出したいのを必死でこらえているようだった。

「どうしたんだい？」ハリーが聞いた。

「僕――クモが――好きじゃない」ロンの声が引きつっている。

「まあ、知らなかったわ」ハーマイオニーが驚いたようにロンを見た。「クモなんて、魔法薬で何回も使ったじゃない……」

「死んだやつならかまわないんだ」ロンは、窓にだけは目を向けないように気をつけながら言った。「あいつらの動き方がいやなんだ……」

ハーマイオニーがクスクス笑った。

「何がおかしいんだよ」ロンはむきになった。

「わけを知りたいなら言うけど、僕が三つのとき、フレッドのおもちゃの箒の柄を折ったんで、あいつったら僕の――僕のテディ・ベアをバカでかい大グモに変えちゃったんだ。考えてもみろよ。いやだぜ。熊のぬいぐるみを抱いてるときに、急に肢《あし》がニョキニョキ生えてきて、そして……」

ロンは身震いして言葉をとぎらせた。ハーマイオニーはまだ笑いをこらえているのが見え見えだ。ハリーは話題を変えたほうがよさそうだと見て取った。

「ねえ、床の水たまりのこと、覚えてる？　あれ、どっから来た水だろう。誰かがふき取っちゃったけど」

言った。

「このあたりだった」

ロンは気を取り直してフィルチの置いた椅子から数歩離れた所まで歩いていき、床を指差しながら
「このドアの所だった」

ロンは、真鍮《しんちゅう》の取っ手に手を伸ばしたが、火傷《やけど》をしたかのように急に手を引っ込めた。

「どうしたの？」ハリーが聞いた。

「ここは入れない」ロンが困ったように言った。「女子トイレだ」

「あら、ロン。中には誰もいないわよ」ハーマイオニーが立ち上がってやってきた。

「そこ、『嘆きのマートル』の場所だもの。いらっしゃい。のぞいてみましょう」

「故障中」と大きく書かれた掲示を無視して、ハーマイオニーがドアを開けた。

ハリーはいままで、こんなに陰気で憂鬱なトイレに足を踏み入れたことがなかった。大きな鏡はひび割れだらけ、しみだらけで、その前にあちこち縁の欠けた石造りの手洗い台が、ずらっと並んでいる。床は湿っぽく、燭台《しょくだい》の中で燃え尽きそうになっている数本のろうそくが、鈍い灯りを床に映していた。一つ一つ区切られたトイレの小部屋の木の扉は、ペンキがはげ落ち、引っかき傷だらけで、そのうちの一枚は蝶番《ちょうつがい》がはずれてぶら下がっていた。

ハーマイオニーはシーッと指を唇に当て、一番奥の小部屋のほうに歩いて行き、その前で「こんにちは、マートル。お元気？」と声をかけた。

ハリーとロンものぞきに行った。「嘆きのマートル」は、トイレの水タンクの上でふわふわしながら、あごのにきびをつぶしていた。

「ここは**女子**のトイレよ」

マートルはロンとハリーをうさんくさそうに見た。

「**この人たち**、女じゃないわ」

「ええ、そうね」ハーマイオニーがあいづちを打った。

「私、この人たちに、ちょっと見せたかったの。つまり――えーと――ここがすてきなとこだってね」

ハーマイオニーが古ぼけて薄汚れた鏡や、ぬれた床のあたりを漠然と指差した。

「何か見なかったかって、聞いてみて」ハリーがハーマイオニーに耳打ちした。

「何をコソコソしてるの？」マートルがハリーをじっと見た。

「なんでもないよ。僕たち聞きたいことが……」ハリーがあわてて言った。

「みんな、わたしの陰口を言うのはやめてほしいの」マートルが涙で声を詰まらせた。

「わたし、**確かに死んでる**けど、感情はちゃんとあるのよ」

「マートル、だーれもあなたの気持ちを傷つけようなんて思ってないわ。ハリーはただ――」

ハーマイオニーが言った。

「傷つけようと思ってないですって！　ご冗談でしょう！」マートルがわめいた。

「わたしの生きてる間の人生って、この学校で、悲惨そのものだった。今度はみんなが、死んでからのわたしの人生をだいなしにしようとしてやってくるのよ！」

「あなたが近ごろ何かおかしなものを見なかったかどうか、それを聞きたかったの」

ハーマイオニーが急いで聞いた。

「ちょうどあなたの玄関のドアの外で、ハロウィーンの日に、猫が襲われたものだから」

「あの夜、このあたりで誰か見かけなかった？」ハリーも聞いた。

「そんなこと、気にしていられなかったわ」マートルは興奮気味に言った。

「ピーブズがあんまりひどいものだから、わたし、ここに入り込んで**自殺**しようとしたの。そしたら、当然だけど、急に思い出したの。わたしって――わたしって――」

「もう死んでた」ロンが助け舟を出した。

マートルは悲劇的なすすり泣きとともに空中に飛び上がり、逆さまになって、頭から便器に飛び込んだ。三人に水しぶきを浴びせ、マートルは姿を消したが、くぐもったすすり泣きの聞こえてくる方向からして、トイレのU字溝のどこかでじっとしているらしい。

ハリーとロンは口をポカンと開けて突っ立っていたが、ハーマイオニーはやれやれというしぐさをしながらこう言った。

「まったく、あれでもマートルにしては機嫌がいいほうなのよ……さあ、出ましょうか」

マートルのゴボゴボというすすり泣きを背に、ハリーがトイレのドアを閉めるか閉めないかするうちに、大きな声が聞こえて、三人は飛び上がった。

「**ロン！**」

階段のてっぺんでパーシー・ウィーズリーがぴたっと立ち止まっていた。監督生のバッジをきらめかせ、徹底的に衝撃を受けた表情だった。

「そこは**女子トイレ**だ！」パーシーが息をのんだ。「君たち**男子**が、いったい何を？――」

「ちょっと探してただけだよ」

ロンが肩をすぼめて、なんでもないという身ぶりをした。

「ほら、手がかりをね……」

パーシーは体をふくらませた。ハリーはそれがウィーズリーおばさんそっくりだと思った。

「そこ――から――とっとと――離れるんだ」

パーシーは大股で近づいてきて、腕を振って三人をそこから追い立てはじめた。

「人が見たらどう思うか**わからないのか？**　みんなが夕食の席についているのに、またここに戻ってくるなんて……」

「なんで僕たちがここにいちゃいけないんだよ」

ロンが熱くなった。急に立ち止まり、パーシーをにらみつけた。

「いいかい。僕たち、あの猫に指一本触れてないんだぞ！」

「僕もジニーにそう言ってやったよ」パーシーも語気を強めた。「だけど、あの子は、それでも君たちが退校処分になると思ってる。あんなに心を痛めて、目を泣き腫らしてるジニーを見るのは初めてだ。少しは**あの子のことも**考えてやれ。一年生はみんな、この事件で神経をすり減らしてるんだ――」

「**ジニー**のことを心配してるんじゃないだろ」ロンの耳がいまや真っ赤になりつつあった。「心配してるのは、君が**首席**になるチャンスを、**僕が**だいなしにするってことなんだ」

「グリフィンドール、五点減点！」

パーシーは監督生バッジを指でいじりながらバシッと言った。

「これでおまえにはいい薬になるだろう。**探偵ごっこ**はもうやめにしろ。さもないとママに手紙を書くぞ！」

パーシーは大股で歩き去ったが、その首筋はロンの耳に負けずおとらず真っ赤だった。

その夜、談話室でハリー、ロン、ハーマイオニーの三人は、できるだけパーシーから離れた場所を選んだ。ロンはまだ機嫌が直らず、呪文学の宿題にインクのしみばかり作っていた。インクじみをぬぐおうとロンがなにげなく杖に手を伸ばしたとき、杖が発火して羊皮紙が燃えだした。ロンも宿題と同じぐらいにカッカと熱くなり、『基本呪文集（二学年用）』をバタンと閉じてしまった。驚いたことに、ハーマイオニーもロンに「右ならえ」をした。

「だけどいったい何者かしら？」

ハーマイオニーの声は落ち着いていた。まるでそれまでの会話の続きのように自然だった。

「できそこないのスクイブやマグル出身の子をホグワーツから追い出したいと願ってるのは誰？」

「それでは考えてみましょう」ロンはわざと首をひねって見せた。「我々の知っている人の中で、マグル生まれはくずだ、と思っている人物は誰でしょう？」

ロンはハーマイオニーの顔を見た。ハーマイオニーは、まさか、という顔でロンを見返した。

「もしかして、あなた、マルフォイのことを言ってるの――」

「モチのロンさ！」ロンが言った。

「あいつが言ったこと聞いたろう？『**次はおまえたちの番だぞ、「穢《けが》れた血」め！**』って。しっかりしろよ。あいつのくさったネズミ顔を見ただけで、あいつだってわかりそうなもんだろ」

「マルフォイが、スリザリンの継承者？」

ハーマイオニーが、それは疑わしいという顔をした。

「あいつの家族を見てくれよ」ハリーも教科書をパタンと閉じた。「あの家系は全部スリザリン出身だ。あいつ、いつもそれを自慢してる。あいつらならスリザリンの末裔《まつえい》だっておかしくはない。あいつの父親もどこから見ても悪玉だよ」

「あいつらなら、何世紀も『秘密の部屋』の鍵を預かっていたかもしれない。親から子へ代々伝えて……」ロンが言った。

「そうね」ハーマイオニーは慎重だ。「その可能性はあると思うわ……」

「でも、どうやって証明する？」ハリーの顔が曇った。

「方法がないことはないわ」

ハーマイオニーは考えながら話した。そして、いっそう声を落とし、部屋のむこうにいるパーシーを盗み見ながら言った。

「もちろん、難しいの。それに危険だわ。とっても。学校の規則をざっと五十は破ることになるわね」

「あと一か月ぐらいして、もし君が説明してもいいというお気持ちにおなりになったら、その時は僕たちにご連絡くださいませ、だ」ロンはいらいらしていた。

「承知しました、だ」ハーマイオニーが冷たく言った。

「何をやらなければならないかというとね、私たちがスリザリンの談話室に入り込んで、マルフォイに正体を気づかれずに、いくつか質問することなのよ」

「だけど、不可能だよ」ハリーが言った。ロンは笑った。

「いいえ、そんなことないわ」ハーマイオニーが言った。

「ポリジュース薬が少し必要なだけよ」

「それ、何？」ロンとハリーが同時に聞いた。

「数週間前、スネイプが授業で話してた――」

「魔法薬の授業中に、僕たち、スネイプの話を聞いてると思ってるの？　もっとましなことをやってるよ」ロンがブツブツ言った。

「自分以外の誰かに変身できる薬なの。考えてもみてよ！　私たち三人が、スリザリンの誰か三人に変身できるってことなのよ。誰も私たちの正体を知らない。マルフォイはたぶん、なんでも話してくれるわ。いまごろマルフォイが、スリザリン寮の談話室でその自慢話の真っ最中かもしれない。それさえ聞ければ」

「そのポリジュースなんとかって、少し危なっかしいな」ロンがしかめっ面をした。「もし、元に戻れなくて、永久にスリザリンの誰か三人の姿のままだったらどうする？」

「しばらくすると効き目は切れるの」

ハーマイオニーがもどかしげに手を振った。

「むしろ材料を手に入れるのがとっても難しい。『最も強力な薬』という本にそれが書いてあるって、スネイプがそう言ってたわ。その本、きっと図書館の『禁書』の棚にあるはずだわ」

「禁書」の棚の本を持ち出す方法はたった一つ、先生のサイン入りの許可証をもらうことだった。

「でも、薬を作るつもりはないけど、そんな本が読みたいって言ったら、そりゃ変だって思われるだろう？」ロンが言った。

「たぶん」ハーマイオニーはかまわず続けた。「理論的な興味だけなんだって思い込ませれば、もしかしたらうまくいくかも……」

「なーに言ってるんだか。先生だってそんなに甘くないぜ」ロンが言った。「――でも……だまされるとしたら、よっぽど鈍い先生だな……」

第10章　狂ったブラッジャー

ピクシー小妖精の悲惨な事件以来、ロックハート先生は教室に生き物を持ってこなくなった。そのかわり、自分の著書を拾い読みし、時には、その中でも劇的な場面を演じてみせた。現場を再現するとき、たいていハリーを指名して自分の相手役を務めさせた。ハリーがこれまでに無理やり演じさせられた役は、「おしゃべりの呪い」を解いてもらったトランシルバニアの田舎っぺ、鼻かぜをひいた雪男、ロックハートにやっつけられてからレタスしか食べなくなった吸血鬼などだった。

今日の「闇の魔術に対する防衛術」のクラスでも、ハリーはまたもやみんなの前に引っ張り出され、狼男《おおかみおとこ》をやらされることになった。今日だけはロックハートを上機嫌にしておかなければならないという、やむをえない理由がなければ、ハリーはこんな役は断るところだった。

「ハリー。大きく吠《ほ》えて――そう、そう――そしてですね、信じられないかもしれないが、私《わたくし》は飛びかかった――こんなふうに――相手を床に**たたきつけた**――こうして――片手でなんとか押さえつけ――もう一方の手で杖《つえ》をのど元に突きつけ――それから残った力を振りしぼって非常に複雑な『異形戻しの術』をかけた――敵は哀れなうめき声を上げ――ハリー、さあうめいて――もっと高い声で――そう――毛が抜け落ち――牙は縮み――そいつはヒトの姿に戻った。簡単だが効果的だ――こうして、その村も、満月のたびに狼男に襲われる恐怖から救われ、私を永久に英雄と称えることになったわけです」

終業のベルが鳴り、ロックハートは立ち上がった。

「宿題、ワガワガの狼男が私に敗北したことについての詩を書くこと！　一番よく書けた生徒にはサイン入りの『私はマジックだ』を進呈！」

みんなが教室から出ていきはじめた。ハリーは教室の一番後ろに戻り、そこで待機していたロン、ハーマイオニーと一緒になった。

「用意は？」ハリーがつぶやいた。

「みんないなくなるまで待つのよ」ハーマイオニーは神経をピリピリさせていた。

「いいわ……」

ハーマイオニーは紙切れを一枚しっかり握りしめ、ロックハートのデスクに近づいていった。ハリーとロンがすぐあとからついていった。

「あの――ロックハート先生？」ハーマイオニーは口ごもった。「私、あの――図書館からこの本を借りたいんです。参考に読むだけです」

ハーマイオニーは紙を差し出した。かすかに手が震えている。

「問題は、これが『禁書』の棚にあって、それで、どなたか先生にサインをいただかないといけないんです――先生の『グールお化けとのクールな散策』に出てくる、ゆっくり効く毒薬を理解するのに、きっと役に立つと思います……」

「あぁ、『グールお化けとのクールな散策』ね！」ロックハートは紙を受け取り、ハーマイオニーにニッコリと笑いかけながら言った。「私の一番のお気に入りの本といえるかもしれない。おもしろかった？」

「はい。先生」ハーマイオニーが熱を込めて答えた。

「ほんとうにすばらしいわ。先生が最後のグールを、茶こしで引っかけるやり方なんて……」

「そうね、学年の最優秀生をちょっと応援してあげても、誰も文句は言わないでしょう」

ロックハートはにこやかにそう言うと、とてつもなく大きい孔雀《くじゃく》の羽根ペンを取り出した。

「どうです、すてきでしょう?」

ロンのあきれ返った顔をどうかんちがいしたか、ロックハートはそう言った。

「これは、いつもは本のサイン用なんですがね」

とてつもなく大きい丸文字ですらすらとサインをし、ロックハートはそれをハーマイオニーに返した。

ハーマイオニーがもたもたしながらそれを丸め、鞄《かばん》にすべり込ませている間、ロックハートがハリーに話しかけた。

「で、ハリー。明日はシーズン最初のクィディッチ試合だね? グリフィンドール対スリザリン。そうでしょう? 君はなかなか役に立つ選手だって聞いてるよ。私もシーカーだった。ナショナル・チームに入らないかと誘いも受けたのですがね。闇の魔力を根絶することに生涯をささげる生き方を選んだのですよ。しかし、軽い個人訓練が必要とあらば、ご遠慮なくね。私より能力のおとる選手には、いつでも喜んで、経験を伝授しますよ……」

ハリーはのどからあいまいな音を出し、急いでロンやハーマイオニーのあとを追った。

「信じられないよ」

三人でサインを確認しながら、ハリーが言った。

「僕たちがなんの本を借りるのか、**見もしなかったよ**」

「そりゃ、あいつ、能無しだもの。ま、どうでもいいけど。僕たちは欲しいものを手に入れたんだし」

ロンが言った。

「能無しなんかじゃ**ないわ**」図書館に向かって半分走りながら、ハーマイオニーが抗議した。

「君が学年で最優秀の生徒だって、あいつがそう言ったからって……」

図書館の押し殺したような静けさの中で、三人とも声をひそめた。

司書のマダム・ピンスはやせて怒りっぽい人で、飢えたハゲタカのようだった。

「『最も強力な魔法薬』?」マダム・ピンスは疑わしげにもう一度聞き返し、許可証をハーマイオニーから受け取ろうとした。しかし、ハーマイオニーは離さない。

「これ、私が持っていてもいいでしょうか」息をはずませ、ハーマイオニーが頼んだ。

「やめろよ」

ハーマイオニーがしっかりつかんだ紙を、ロンがむしり取ってマダム・ピンスに差し出した。

「サインならまたもらってあげるよ。ロックハートときたら、サインする間だけ動かないでじっとしてるものなら、なんにでもサインするよ」

マダム・ピンスは、偽物なら何がなんでも見破ってやるというように、紙を明かりに透かして見た。しかし、検査は無事通過だった。見上げるような書棚の間を、マダム・ピンスはツンとして闊歩し、数分後には大きなかび臭そうな本を持ってきた。ハーマイオニーが大切そうにそれを鞄に入れ、三人はあまりあわてた歩き方に見えないよう、後ろめたそうに見えないよう気をつけながら、その場を離れた。

五分後、三人は嘆きのマートルの「故障中」のトイレに再び立てこもっていた。ハーマイオニーがロンの異議を却下したのだ――まともな神経の人はこんな所には絶対来ない。だから私たちのプライバシーが保証される――というのが理由だった。

嘆きのマートルは自分の小部屋でうるさく泣きわめいていたが、三人はマートルを無視したし、マートルも三人を無視した。

ハーマイオニーは『最も強力な魔法薬』を大事そうに開き、湿ってしみだらけのページを、三人は覆いかぶさるようにしてのぞき込んだ。ちらっと見ただけでも、なぜこれが禁書棚行きなのか明らかだった。身の毛のよだつような結果をもたらす魔法薬がいくつかあったし、気持ちが悪くなるような挿絵も描いてある。たとえば体の内側と外側がひっくり返ったヒトの絵とか、頭から腕が数本生えている魔女の絵とかがあった。

「あったわ」ハーマイオニーが興奮した顔で「**ポリジュース薬**」という題のついたページを指した。そこには他人に変身していく途中のイラストがあった。挿絵の表情がとても痛そうだった。画家がそんなふうに想像しただけでありますように、とハリーは心から願った。

「こんなに複雑な魔法薬は、初めてお目にかかるわ」

三人で薬の材料にざっと目を通しながら、ハーマイオニーが言った。

「クサカゲロウ、ヒル、満月草にニワヤナギ」ハーマイオニーは材料のリストを指で追いながらブツブツひとり言を言った。

「ウン、こんなのは簡単ね。生徒用の材料棚にあるから、自分で勝手に取れるわ。ウーッ、見てよ。二《バイ》角獣《コーン》の粉末――これ、どこで手に入れたらいいかわからないわ……毒ツルヘビの皮の千切り――これも難しいわね――それに、当然だけど、変身したい相手の一部」

「なんだって？」ロンが鋭く聞いた。

「どういう意味？　変身したい相手の一部って。僕、クラッブの足の爪なんか入ってたら、**絶対**飲まないからね」

ハーマイオニーはなんにも聞こえなかったかのように話し続けた。

「でも、それはまだ心配する必要はないわ。最後に入れればいいんだから……」

ロンは絶句してハリーのほうを見たが、ハリーは別なことを心配していた。

「ハーマイオニー、どんなにいろいろ盗まなきゃならないか、わかってる？　毒ツルヘビの皮の千切りなんて、生徒用の棚には絶対にあるはずないし。どうするの？　スネイプの個人用の保管倉庫に盗みに入るの？　うまくいかないような気がする……」

　ハーマイオニーは本をピシャッと閉じた。

「そう。二人ともおじけづいて、やめるって言うなら、けっこうよ」

ハーマイオニーのほおはパーッと赤みが差し、目はいつもよりキラキラしている。

「**私**は規則を破りたくはない。わかってるでしょう。だけどマグル生まれの者を脅迫するなんて、ややこしい魔法薬を密造することよりずーっと悪いことだと思うの。でも、二人ともマルフォイがやってるのかどうか知りたくないって言うんなら、これからまっすぐマダム・ピンスの所へ行ってこの本をお返ししてくるわ……」

「僕たちに規則を破れって、君が説教する日が来ようとは思わなかったぜ」ロンが言った。

「わかった。やるよ。だけど、足の爪だけは勘弁してくれ。いいかい？」

「でも、作るのにどのぐらいかかるの？」

　ハーマイオニーが機嫌を直してまた本を開いたところで、ハリーが尋ねた。

「そうね。満月草は満月のときにつまなきゃならないし、クサカゲロウは二十一日間煎じる必要があるから……そう、材料が全部手に入れば、だいたい一か月ででき上がると思うわ」

「一か月も？　マルフォイはその間に学校中のマグル生まれの半分を襲ってしまうよ！」

　ロンが言った。しかし、ハーマイオニーの目がまた吊《つ》り上がって険悪になってきたので、ロンはあわてて付け足した。

「でも、いまのとこ、それがベストの計画だな。全速前進だ」

　ところが、トイレを出るとき、ハーマイオニーが誰もいないことを確かめている間、ロンはハリーにささやいた。
「あした、君がマルフォイを箒《ほうき》からたたき落としゃ、ずっと手間が省けるぜ」

土曜日の朝、ハリーは早々と目が覚めて、しばらく横になったまま、これからのクィディッチ試合のことを考えていた。グリフィンドールが負けたらウッドがなんと言うか、それが一番心配だったが、その上、金に物を言わせて買った競技用最高速度の箒にまたがったチームと対戦するかと思うと、落ち着かなかった。スリザリンを負かしてやりたいと、いまほど強く願ったことはなかった。腸《はらわた》がねじれるような思いで小一時間横になっていたが、起きだし、服を着て早めの朝食に下りていった。グリフィンドール・チームのほかの選手もすでに来ていて、ほかには誰もいない長テーブルに固まって座っていた。みんな緊張した面持ちで、口数も少なかった。

十一時が近づき、学校中がクィディッチ競技場へと向かいはじめた。なんだか蒸し暑く、雷でも来そうな気配が漂っていた。ハリーが更衣室に入ろうとすると、ロンとハーマイオニーが急いでやってきて「幸運を祈る」と元気づけた。選手はグリフィンドールの真紅のユニフォームに着替え、座って、お定まりのウッドの激励演説を聞いた。

「スリザリンには我々よりすぐれた箒がある」ウッドの第一声だ。「それは、否定すべくもない。しかしだ、我々の箒には、よりすぐれた**乗り手**がいる。我々は敵より厳しい訓練をしてきた。我々はどんな天候でも空を飛んだ――」

「まったくだ」ジョージ・ウィーズリーがつぶやいた。「八月からずっと、俺なんかちゃんと乾いてたためしがないぜ」

「――そして、あの小賢《こざか》しいねちねち野郎のマルフォイが、金の力でチームに入るのを許したその日を、連中に後悔させてやるんだ」

感極まって胸を波打たせながら、ウッドはハリーのほうを向いた。

「ハリー、君しだいだぞ。シーカーの資格は、金持ちの父親だけではダメなんだと、目に物見せてやれ。マルフォイより先にスニッチをつかめ。しからずんば死あるのみだ、ハリー。なぜならば、我々は今日は勝たねばならないのだ。何がなんでも」

「だからこそ、プレッシャーを感じるなよ、ハリー」フレッドがハリーにウィンクした。

グリフィンドール選手がピッチに入場すると、ワーッというどよめきが起こった。ほとんどが声援だった。レイブンクローもハッフルパフも、スリザリンが負けるところを見たくてたまらないのだ。それでもその群衆の中から、スリザリン生のブーイングやヤジもしっかり聞こえた。クィディッチを教えるマダム・フーチが、フリントとウッドに握手するよう指示した。二人は握手したが、互いに威嚇するようににらみ合い、必要以上に固く相手の手を握りしめた。

「笛が鳴ったら開始」マダム・フーチが合図した。

「三――二――」

観客のワーッという声にあおられるように、十四人の選手が鉛色の空に高々と飛翔した。ハリーは誰よりも高く舞い上がり、スニッチを探して四方に目を凝らした。

「調子はどうだい？　傷モノ君」

マルフォイが箒のスピードを見せつけるように、ハリーのすぐ下を飛び去りながら叫んだ。

ハリーは答える余裕がなかった。ちょうどその瞬間、真っ黒の重いブラッジャーがハリーめがけて突進してきたからだ。間一髪でかわしたが、ハリーの髪が逆立つほど近くをかすめた。

「危なかったな！　ハリー」ジョージが棍棒《こんぼう》を手に、ハリーのそばを猛スピードで通り過ぎ、ブラッジャーをスリザリンめがけて打ち返そうとした。ジョージがエイドリアン・ピュシーめがけて強烈にガツンとブラッジャーをたたくのを、ハリーは見ていた。ところが、ブラッジャーは途中で向きを変え、またしてもハリーめがけてまっしぐらに飛んできた。

ハリーはヒョイと急降下してかわし、ジョージがそれをマルフォイめがけて強打した。ところが、ブラッジャーはまたまたブーメランのように曲線を描き、ハリーの頭をねらい撃ちしてきた。

ハリーはスピード全開で、ピッチの反対側めがけてビュンビュン飛んだ。ブラッジャーがあとを追って、ビュービュー飛んでくる音が、ハリーの耳に入った。

――いったいどうなってるんだろう？　ブラッジャーがこんなふうに一人の選手だけをねらうなんてことはなかった。なるべくたくさんの選手を振り落とすのがブラッジャーの役目のはずなのに……。

ピッチの反対側でフレッド・ウィーズリーが待ちかまえていた。フレッドが力まかせにブラッジャーをかっ飛ばした。それにぶつからないよう、ハリーは身をかわし、ブラッジャーはそれていった。

「やっつけたぞ！」

フレッドが満足げに叫んだ。が、そうではなかった。まるでハリーに磁力で引きつけられたかのように、ブラッジャーはまたもやハリーめがけて突進してくる。しかたなくハリーは全速力でそこから離れた。

雨が降りだした。大粒の雨がハリーの顔に降りかかり、めがねをピシャピシャと打った。いったいゲームそのものはどうなっているのか、ハリーにはさっぱりわからなかったが、解説者のリー・ジョーダンの声が聞こえてきた。

「スリザリン、リードです。六〇対〇」

スリザリンの高級箒の力が明らかに発揮されていた。狂ったブラッジャーが、ハリーを空中からたたき落とそうと全力でねらってくるので、フレッドとジョージがハリーすれすれに飛び回り、ハリーには二人がブンブン振り回す腕だけしか見えなかった。スニッチを捕まえるどころか、探すこともできない。

「誰かが――この――ブラッジャー――に――いたずらしたんだ――」またしてもハリーに攻撃を仕掛けるブラッジャーを全力でたたきつけながらフレッドが唸《うな》った。

「タイムアウトが必要だ」

ジョージは、ウッドにサインを送りながら、同時にハリーの鼻をへし折ろうとするブラッジャーを食い止めようとした。

ウッドはサインを理解したらしい。マダム・フーチのホイッスルが鳴り響き、ハリー、フレッド、ジョージの三人は、狂ったブラッジャーをさけながら地面に急降下した。

「何をやってるんだ？」

観衆のスリザリン生がヤジる中、グリフィンドール選手が集まり、ウッドが詰問した。

「ボロ負けしてるんだぞ。フレッド、ジョージ、アンジェリーナがブラッジャーに邪魔されてゴールを決められなかったんだ。あの時どこにいたんだ？」

「オリバー、俺たち、その六メートルぐらい上のほうで、もう一つのブラッジャーがハリーを殺そうとするのを食い止めてたんだ」

ジョージは腹立たしげに言った。

「誰かが細工したんだ――ハリーにつきまとって離れない。ゲームが始まってからずっとハリー以外はねらわないんだ。スリザリンのやつら、ブラッジャーに何か仕掛けたにちがいない」

「しかし、最後の練習のあと、ブラッジャーはマダム・フーチの部屋に、鍵をかけてずっとしまったままだった。練習のときは何も変じゃなかったぜ……」

ウッドは心配そうに言った。

マダム・フーチがこっちへ向かって歩いてくる。その肩越しに、ハリーはスリザリン・チームが自分のほうを指差してヤジっているのを見た。

「聞いてくれ」

マダム・フーチがだんだん近づいてくるので、ハリーが意見を述べた。

「君たち二人がずっと僕の周りを飛び回っていたんじゃ、むこうから僕のそでの中にでも飛び込んでくれないかぎり、スニッチを捕まえるのは無理だよ。だから、二人ともほかの選手のところに戻ってくれ。あの狂ったブラッジャーは僕に任せてくれ」

「バカ言うな」フレッドが言った。「頭を吹っ飛ばされるぞ」

ウッドはハリーとウィーズリー兄弟とを交互に見た。

「オリバー、そんなのありえないわ」

アリシア・スピネットが怒った。

「ハリー一人にあれを任せるなんてダメよ。調査を依頼しましょうよ――」

「いま中止したら、没収試合になる！」ハリーが叫んだ。「たかが狂ったブラッジャー一個のせいで、スリザリンに負けられるか！　オリバー、さあ、僕をほっとくように、あの二人に言ってくれ！」

「オリバー、すべて君のせいだぞ。『スニッチをつかめ。しからずんば死あるのみ』――そんなバカなことをハリーに言うからだ！」ジョージが怒った。

マダム・フーチがやってきた。

「試合再開できるの？」ウッドに聞いた。

ウッドはハリーの決然とした表情を見た。

「よーし」ウッドが言った。「フレッド、ジョージ。ハリーの言ったことを聞いただろう――ハリーをほっとけ。あのブラッジャーは彼一人に任せろ」

雨はますます激しくなっていた。マダム・フーチのホイッスルで、ハリーは強く地面を蹴り、空に舞い上がった。あのブラッジャーが、はっきりそれとわかるビュービューという音を立てながらあとを追ってくる。高く、高く、ハリーは昇っていった。輪を描き、急降下し、螺旋《らせん》、ジグザグ、回転と、ハリーは少しくらくらした。しかし、目だけは大きく見開いていた。雨がめがねを点々とぬらした。またしても激しく上から突っ込んでくるブラッジャーをさけるため、ハリーは箒から逆さにぶら下がった。鼻の穴に、雨が流れ込んだ。観衆が笑っているのが聞こえる――バカみたいに見えるのはわかってる――しかし、狂ったブラッジャーは重いので、ハリーほどすばやく方向転換ができない。ハリーは競技場の縁に沿ってジェットコースターのような動きをしはじめた。目を凝らし、銀色の雨のカーテンを透かしてグリフィンドールのゴールを見ると、エイドリアン・ピュシーがゴールキーパーのウッドを抜いて得点しようとしていた……。

ハリーの耳元でヒュッという音がして、またブラッジャーがかすった。ハリーはくるりと向きを変え、ブラッジャーと反対方向に疾走した。

「バレエの練習かい？　ポッター」

ブラッジャーをかわすのに、ハリーが空中でくるくるとバカげた動きをしているのを見て、マルフォイが叫んだ。ハリーは逃げ、ブラッジャーはそのすぐあとを追跡した。憎らしいマルフォイのほうをにらむように振り返ったハリーは、その時、見た！　**金色のスニッチを**。マルフォイの左耳のわずかに上のほうを漂っている――マルフォイは、ハリーを笑うのに気を取られて、まだ気づいていない。

スピードを上げてマルフォイのほうに飛びたい。それができない。マルフォイが上を見てスニッチを見つけてしまうかもしれないから。つらい一瞬だ。ハリーは空中で立ち往生した。

バシッ！

ほんの一秒のすきだった。ブラッジャーがついにハリーをとらえ、ひじを強打した。ハリーは腕が折れたのを感じた。燃えるような腕の痛みでぼうっとしながら、ハリーはずぶぬれの箒の上で、横様にすべった。使えなくなった右腕をだらんとぶら下げ、片足のひざだけで箒に引っかかっている。ブラッジャーが二度目の攻撃に突進してきた。今度は顔をねらっている。ハリーはそれをかわした。意識が薄れる中で、たった一つのことだけが脳に焼きついていた――**マルフォイの所へ行け**。

雨と痛みですべてがかすむ中、ハリーは、下のほうにちらっちらっと見え隠れするマルフォイのあざ笑うような顔に向かって急降下した。ハリーが襲ってくると思ったのだろう――マルフォイの目が恐怖で大きく見開かれるのが見えた。

「い、いったい――」

マルフォイは息をのみ、ハリーの行く手をさけて疾走した。

ハリーは折れていないほうの手を箒から放し、激しく空をかいた――指が冷たいスニッチを握りしめるのを感じた。もはや脚だけで箒をはさみ、気を失うまいと必死にこらえながら、ハリーはまっしぐらに地面に向かって突っ込んだ。下の観衆から叫び声が上がった。

バシャッと跳ねを上げて、ハリーは泥の中に落ちた。そして箒から転がり落ちた。腕が不自然な方向にぶら下がっている。痛みとうずきの中で、ワーワーというどよめきや口笛が、遠くの音のように聞こえた。やられなかったほうの手にしっかりと握ったスニッチに、ハリーは全神経を集中した。

「ああ」ハリーはかすかに言葉を発した。「勝った」

そして、気を失った。

顔に雨がかかり、ふと気がつくと、まだピッチに横たわったままだった、誰かが上からのぞき込んでいる。輝くような歯だ。

「やめてくれ。よりによって」ハリーがうめいた。

「自分の言っていることがわかってないのだ」

心配そうにハリーを取り囲んでいるグリフィンドール生に向かって、ロックハートが高らかに言った。

「ハリー、心配するな。私が君の腕を治してやろう」

「**やめて！**」ハリーが言った。「僕、腕をこのままにしておきたい。かまわないで……」

ハリーは上半身を起こそうとしたが、激痛が走った。すぐそばで聞き覚えのある「カシャッ」という音が聞こえた。

「コリン、こんな写真は撮らないでくれ」ハリーは大声を上げた。

「横になって、ハリー」ロックハートがあやすように言った。「この私が、数えきれないほど使ったことがある簡単な魔法だからね」

「どうか医務室に行かせてください」ハリーが歯を食いしばりながら頼んだ。

「先生、そうするべきです」

泥んこのウッドが言った。チームのシーカーがけがをしているというのに、ウッドはどうしても笑顔を隠せないでいる。

「ハリー、ものすごいキャッチだった。すばらしいの一言だ。君の自己ベストだ。ウン」

周りに立ち並んだ脚のむこうに、フレッドとジョージが見えた。狂ったブラッジャーを箱に押し込めようと格闘している。ブラッジャーはまだがむしゃらに戦っていた。

「みんな、下がって」ロックハートが翡翠《ひすい》色のそでをたくし上げながら言った。

「やめて――ダメ……」

ハリーが弱々しい声を上げたが、ロックハートは杖を振り回し、次の瞬間それをまっすぐハリーの腕に向けた。

奇妙な気持ちの悪い感覚が、肩から始まり、指先までずうっと広がっていった。まるで腕がペシャンコになったような感じがした。何が起こったのか、ハリーはとても見る気がしなかった。ハリーは目を閉じ、腕から顔をそむけた。ハリーの予想した最悪の事態が起こったらしい。のぞき込んだ人たちが息をのみ、コリン・クリービーが夢中でシャッターを切る音でわかる。腕はもう痛みはしなかった――しかし、もはやとうてい腕とは思えない感覚だった。

「あっ」ロックハートの声だ。

「そう。まあね。時にはこんなことも起こりますね。でも、要するにもう骨は折れていない。それが肝心だ。それじゃ、ハリー、医務室まで気をつけて歩いていきなさい。――あっ、ウィーズリー君、ミス・グレンジャー、付き添っていってくれないかね？――マダム・ポンフリーが、その――少し君を――あー――きちんとしてくれるでしょう」

ハリーが立ち上がったとき、なんだか体が傾いているような気がした。深呼吸して、体の右半分を見下ろしたとたんに、ハリーはまた失神しそうになった。

ローブの端から突き出ていたのは、肌色の分厚いゴムの手袋のようなものだった。指を動かしてみた。ぴくりとも動かない。

ロックハートはハリーの腕の骨を治したのではない。骨を抜き取ってしまったのだ。

マダム・ポンフリーはおかんむりだった。

「まっすぐに私の所に来るべきでした！」

マダム・ポンフリーは憤慨して、三十分前まではれっきとした腕、そしていまや哀れな骨抜きの腕の残骸を持ち上げた。

「骨折ならあっという間に治せますが――骨を元どおりに生やすとなると……」

「先生、できますよね？」ハリーはすがる思いだった。

「もちろん、できますとも。でも、痛いですよ」

マダム・ポンフリーは怖い顔でそう言うと、パジャマをハリーのほうに放ってよこした。

「今夜はここに泊まらないと……」

ハリーがロンの手を借りてパジャマに着替える間、ハーマイオニーはベッドの周りに張られたカーテンの外で待った。骨なしのゴムのような腕をそでに通すのに、かなり時間がかかった。

「ハーマイオニー、これでもロックハートの肩を持つっていうの？　えっ？」

ハリーのなえた指をそで口から引っ張り出しながら、ロンがカーテン越しに話しかけた。

「頼みもしないのに骨抜きにしてくれるなんて」

「誰にだって、まちがいはあるわ。それに、もう痛みはないんでしょう？　ハリー？」

「ああ」ハリーが答えた。「痛みもないけど、おまけになんにも感じないよ」

ハリーがベッドに飛び乗ると、腕は勝手な方向にパタパタはためいた。

カーテンのむこうからハーマイオニーとマダム・ポンフリーが現れた。マダム・ポンフリーは「骨生え薬のスケレ・グロ」とラベルの貼ってある大きな瓶を手にしている。

「今夜はつらいですよ」ビーカーになみなみと湯気の立つ薬を注ぎ、ハリーにそれを渡しながら、マダム・ポンフリーが言った。

「骨を再生するのは荒療治です」

「スケレ・グロ」を飲むことがすでに荒療治だった。ひと口飲むと口の中ものども焼けつくようで、ハリーは咳《せ》き込んだり、むせたりした。マダム・ポンフリーは、「あんな危険なスポーツ」とか、「能無しの先生」とか、文句を言いながら出ていき、ロンとハーマイオニーが残って、ハリーが水を飲むのを手伝った。

「とにかく、僕たちは勝った」ロンは顔中をほころばせた。

「ものすごいキャッチだったなあ。マルフォイのあの顔……殺してやる！　って顔だったな」

「あのブラッジャーに、マルフォイがどうやって仕掛けをしたのか知りたいわ」

ハーマイオニーが恨みがましい顔をした。

「質問リストに加えておけばいいよ。ポリジュース薬を飲んでからあいつに聞く質問にね」

ハリーはまた横になりながら言った。

「さっきの薬よりましな味だといいんだけど……」

「スリザリンの連中のかけらが入ってるのに？　冗談言うなよ」ロンが言った。

その時、医務室のドアがパッと開き、泥んこでびしょびしょのグリフィンドール選手全員がハリーの見舞いにやってきた。

「ハリー、超すごい飛び方だったぜ」ジョージが言った。

「たったいま、マーカス・フリントがマルフォイをどなりつけてるのを見たよ。なんとか言ってたな——スニッチが自分の頭の上にあるのに気がつかなかった、とか。マルフォイのやつ、しゅんとしてたよ」

みんながケーキやら、菓子やら、かぼちゃジュースやらを持ち込んで、ハリーのベッドの周りに集まり、まさに楽しいパーティが始まろうとしていた。その時、マダム・ポンフリーが鼻息も荒く入ってきた。

「この子は休息が必要なんですよ。骨を三十三本も再生させるんですから。出ていきなさい！　**出なさい！**」

ハリーはこうしてひとりぼっちになり、誰にも邪魔されずに、なえた腕のずきずきという痛みとたっぷりつき合うことになった。


何時間も何時間も過ぎた。真っ暗闇の中、ハリーは急に目が覚めて、痛みで小さく悲鳴を上げた。腕はいまや、大きなとげがぎゅうぎゅう詰めになっているような感覚だった。一瞬、この痛みで目が覚めたのだと思った。ところが、闇の中で誰かが、ハリーの額の汗を海綿でぬぐっている。ハリーは恐怖でゾクッとした。

「やめろ！」

ハリーは大声を出した。そして――。

「**ドビー！**」

あの屋敷しもべ妖精の、テニスボールのようなグリグリ目玉が、暗闇を透かしてハリーをのぞき込んでいた。ひと筋の涙が、長い、とがった鼻を伝ってこぼれた。

「ハリー・ポッターは学校に戻ってきてしまった」

ドビーが打ちひしがれたようにつぶやいた。

「ドビーめが、ハリー・ポッターに何べんも何べんも警告したのに。あぁ、なぜあなた様はドビーの申し上げたことをお聞き入れにならなかったのですか？　汽車に乗り遅れたとき、なぜにお戻りにならなかったのですか？」

ハリーは体を起こして、ドビーの海綿を押しのけた。

「なぜここに来たんだい？　それに、どうして僕が汽車に乗り遅れたことを知ってるの？」

ドビーは唇を震わせた。ハリーは突然、もしやと思い当たった。

「あれは、**君**だったのか！」ハリーはゆっくりと言った。「僕たちがあの壁を通れないようにしたのは**君だった**んだ」

「そのとおりでございます」

ドビーが激しくうなずくと、耳がパタパタはためいた。

「ドビーめは隠れてハリー・ポッターを待ちかまえておりました。そして入口をふさぎました。ですから、ドビーはあとで、自分の手にアイロンをかけなければなりませんでした――」

ドビーは包帯を巻いた十本の長い指をハリーに見せた。

「――でも、ドビーはそんなことは気にしませんでした。これでハリー・ポッターは安全だと思ったからです。ハリー・ポッターが別の方法で学校へ行くなんて、ドビーめは**夢にも**思いませんでした！」

ドビーは醜い頭を振りながら、体を前後に揺すった。

「ドビーめはハリー・ポッターがホグワーツに戻ったと聞いたとき、あんまり驚いたので、ご主人様の夕食を焦がしてしまったのです！　あんなにひどく鞭《むち》打たれたのは、初めてでございました……」

ハリーは枕に体を戻して横になった。

「君のせいでロンも僕も退校処分になるところだったんだ」

ハリーは声を荒らげた。

「ドビー、僕の骨が生えてこないうちに、とっとと出ていったほうがいい。じゃないと、君をしめ殺してしまうかもしれない」

ドビーは弱々しくほほえんだ。

「ドビーめは殺すという脅しには慣れっこでございます。お屋敷では一日五回も脅されます」

ドビーは、自分が着ている汚らしい枕カバーの端で鼻をかんだ。その様子があまりにも哀れで、ハリーは思わず怒りが潮のように引いていくのを感じた。

「ドビー、どうしてそんなものを着ているの？」ハリーは好奇心から聞いた。

「これのことでございますか？」

ドビーは着ている枕カバーをつまんで見せた。

「これは、屋敷しもべ妖精が、奴隷だということを示しているのでございます。ドビーめはご主人様が衣服をくださったとき、初めて自由の身になるのでございます。家族全員がドビーにはソックスの片方さえ渡さないように気をつけるのでございます。もし渡せば、ドビーは自由になり、その屋敷から永久にいなくなってもよいのです」

ドビーは飛び出した目をぬぐい、出し抜けにこう言った。

「ハリー・ポッターは**どうしても**家に帰らなければならない。ドビーめは考えました。ドビーのブラッジャーでそうさせることができると――」

「**君の**ブラッジャー？」怒りがまた込み上げてきた。「いったいどういう意味？　**君の**ブラッジャーって？　**君が**、ブラッジャーで僕を殺そうとしたの？」

「殺すのではありません。めっそうもない！」ドビーは驚愕《きょうがく》した。「ドビーめは、ハリー・ポッターの命をお助けしたいのです！　ここにとどまるより、大けがをして家に送り返されるほうがよいのでございます！　ドビーめは、ハリー・ポッターが家に送り返される程度にけがをするようにしたかったのです！」

「その程度のけがって言いたいわけ？」

ハリーは怒っていた。

「僕がバラバラになって家に送り返されるようにしたかったのは、**いったいなぜ**なのか、話せないの？」

「ああ、ハリー・ポッターが、おわかりくだされればよいのに！」

ドビーはうめき、またポロポロとボロ枕カバーに涙をこぼした。

「あなた様が私《わたくし》どものように卑しい、奴隷の、魔法界のくずのような者にとって、どんなに大切なお方なのか、おわかりくださっていれば！　ドビーめは覚えております。『名前を言ってはいけないあの人』が権力の頂点にあったときのことをでございます！　屋敷しもべ妖精の私どもは、害虫のように扱われたのでございます」

ドビーは枕カバーで、涙でぬれた顔をふきながら、「もちろん、ドビーめはいまでもそうでございます」と認めた。

「でも、あなた様が『名前を言ってはいけないあの人』に打ち勝ってからというもの、私どものような者にとって、生活は全体によくなったのでございます。ハリー・ポッターが生き残った。闇の帝王の力は打ち砕かれた。それは新しい夜明けでございました。暗闇の日に終わりはないと思っていた私どもにとりまして、ハリー・ポッターは希望の道しるべのように輝いたのでございます……。それなのに、ホグワーツで恐ろしいことが起きようとしている。もう起こっているのかもしれません。ですから、ドビーめはハリー・ポッターをここにとどまらせるわけにはいかないのです。歴史がくり返されようとしているのですから。またしても『秘密の部屋』が開かれたのですから――」

ドビーはハッと恐怖で凍りついたようになり、やにわにベッドの脇机にあったハリーの水差しをつかみ、自分の頭にぶっつけて、ひっくり返って見えなくなってしまった。次の瞬間、「ドビーは悪い子、とっても悪い子……」とブツブツ言いながら、目をくらくらさせ、ドビーはベッドの上に這《は》い戻ってきた。

「それじゃ、『秘密の部屋』はほんとにあるんだね？」ハリーがつぶやいた。「そして――君、それが**以前にも**開かれたことがあるって言ったね？ **教えてよ、**ドビー！」

ドビーの手がそろそろと水差しのほうに伸びたので、ハリーはそのやせこけた手首をつかんで押さえた。

「だけど、僕はマグル出身じゃないのに――その部屋がどうして僕にとって危険だというの？」

「あぁ、どうぞもう聞かないでくださいまし。哀れなドビーめにもうお尋ねにならないで」

ドビーは暗闇の中で大きな目を見開いて口ごもった。

「闇の罠《わな》がここに仕掛けられています。それが起こるとき、ハリー・ポッターはここにいてはいけないのです。家に帰って。ハリー・ポッター、家に帰って。ハリー・ポッターはそれに関わってはいけないのでございます。危険すぎます――」

「ドビー、いったい誰が？」

ドビーがまた水差しで自分をぶったりしないよう、手首をしっかりつかんだまま、ハリーが聞いた。

「今度は誰がそれを開いたの？ 以前に開いたのは誰だったの？」

「ドビーには言えません。言えないのでございます。ドビーは言ってはいけないのです！」

しもべ妖精はキーキー叫んだ。「家に帰って。ハリー・ポッター、家に帰って！」

「僕はどこにも帰らない！」ハリーは激しい口調で言った。

「僕の親友の一人はマグル生まれだ。もし『部屋』がほんとうに開かれたのなら、彼女がまっさきにやられる――」

「ハリー・ポッターは友達のために自分の命を危険にさらす！」ドビーはみじめさと恍惚《こうこつ》感でうめいた。

「なんと気高い！　なんと勇敢な！　でも、ハリー・ポッターは、まず自分を助けなければいけない。そうしなければ。ハリー・ポッターはけっして……」

ドビーは突然凍りついたようになり、コウモリのような耳がピクピクした。ハリーにも聞こえた。外の廊下をこちらに向かってくる足音がする。

「ドビーは行かなければ！」

しもべ妖精は恐怖におののきながらつぶやいた。パチッと大きな音がしたとたん、ハリーの手は空をつかんでいた。ハリーは再びベッドにもぐり込み、医務室の暗い入口のほうに目を向けた。足音がだんだん近づいてくる。

次の瞬間、ダンブルドアが後ろ向きで入ってきた。長いウールのガウンを着てナイトキャップをかぶっている。石像のようなものの片端を持って運んでいる。そのすぐあと、マクゴナガル先生が石像の足のほうを持って現れた。二人は持っていたものをドサリとベッドに下ろした。

「マダム・ポンフリーを――」ダンブルドアがささやいた。

マクゴナガル先生はハリーのベッドの端の所を急いで通り過ぎ、姿が見えなくなった。ハリーは寝ているふりをしてじっと横たわっていた。あわただしい声が聞こえてきたと思うと、マクゴナガル先生がスイッと姿を現した。そのすぐあとにマダム・ポンフリーが、ねまきの上にカーディガンを羽織りながらついてきた。ハリーの耳にあっと息をのむ声が聞こえた。

「何があったのですか？」

ベッドに置かれた石像の上にかがみ込んで、マダム・ポンフリーがささやくようにダンブルドアに尋ねた。

「また襲われたのじゃ。ミネルバがこの子を階段の所で見つけてのう」

「この子のそばにブドウがひと房落ちていました」マクゴナガル先生の声だ。

「たぶんこの子はこっそりポッターのお見舞いに来ようとしたのでしょう」

ハリーは胃袋がひっくり返る思いだった。ゆっくりと用心深く、ハリーはわずかに身を起こし、むこうのベッドの石像を見ようとした。一条の月明かりが、目をカッと見開いた石像の顔を照らし出していた。

コリン・クリービーだった。目を大きく見開き、手を前に突き出して、カメラを持っている。

「石になったのですか？」マダム・ポンフリーがささやいた。

「そうです」マクゴナガル先生だ。

「考えただけでもぞっとします……アルバスがココアを飲みたくなって階段を下りていらっしゃらなかったら、いったいどうなっていたかと思うと……」

三人はコリンをじっと見下ろしている。ダンブルドアはちょっと前かがみになってコリンの指をこじ開けるようにして、握りしめているカメラをはずした。

「この子が、襲った者の写真を撮っているとお思いですか？」マクゴナガル先生が熱っぽく言った。

ダンブルドアは何も言わず、カメラの裏ぶたをこじ開けた。

シューッと音を立てて、カメラから蒸気が噴き出した。

「なんてことでしょう！」マダム・ポンフリーが声を上げた。

三つ先のベッドからハリーの所まで、焼けたプラスチックのツーンとするにおいが漂ってきた。

「溶けてる」マダム・ポンフリーが腑《ふ》に落ちないという顔をした。「全部溶けてる……」

「アルバス、これは**どういう意味**なのでしょう？」マクゴナガル先生が急《せ》き込んで聞いた。

「その意味は」ダンブルドアが言った。「『秘密の部屋』が再び開かれたということじゃ」

マダム・ポンフリーはハッと手で口を覆い、マクゴナガル先生はダンブルドアをじっと見た。

「でも、アルバス……いったい……**誰が？**」

「誰がという問題ではないのじゃ」

ダンブルドアはコリンに目を向けたまま言った。

「問題は、**どうやって**じゃよ……」

ハリーは薄明かりの中でマクゴナガル先生の表情を見た。マクゴナガル先生でさえ、ハリーと同じように、ダンブルドアの言ったことがわからないようだった。

第11章　決闘クラブ

日曜の朝、ハリーが目を覚ますと、医務室の中は冬の陽射《ひざ》しで輝いていた。腕の骨は再生していたが、まだこわばったままだった。ハリーは急いで起き上がり、コリンのベッドのほうを見た。きのうハリーが着替えをしたときと同じように、コリンのベッドも周りを丈長のカーテンで囲ってあり、外からは見えないようになっていた。ハリーが起きだしたのに気づいたマダム・ポンフリーが、朝食をお盆にのせてあわただしくやってきて、ハリーの右腕や指の曲げ伸ばしを始めた。

「すべて順調」

オートミールを左手でぎこちなく口に運んでいるハリーに向かって、マダム・ポンフリーが言った。

「食べ終わったら帰ってよろしい」

ハリーは、ぎこちない腕でできるかぎり速く着替えをすませ、グリフィンドール塔へと急いだ。ロンとハーマイオニーに、コリンやドビーのことを話したくてうずうずしていた。しかし、二人はいなかった。いったいどこに行ったのだろうと考えながら、ハリーはまた外に出たが、骨が生えたかどうかを二人は気にもしなかったのだろうか、と少し傷ついていた。

図書館の前を通り過ぎようとしたとき、パーシー・ウィーズリーが中からふらりと現れた。この前出会ったときよりずっと機嫌がよさそうだった。

「あぁ、おはよう、ハリー。きのうはすばらしい飛びっぷりだったね。ほんとにすばらしかった。グリフィンドールが寮杯獲得のトップに躍り出たよ――君のおかげで五〇点も獲得した！」

「ロンとハーマイオニーを見かけなかった？」とハリーが聞いた。

「いいや、見てない」

パーシーの笑顔が曇った。

「ロンはまさかまた**女子用トイレ**なんかにいやしないだろうね……」

ハリーは無理に笑い声を上げてみせた。そして、パーシーの姿が見えなくなるとすぐ「嘆きのマートル」のトイレに直行した。なぜロンとハーマイオニーがまたあそこへ行くのか、わけがわからなかったが、とにかく、フィルチも監督生も誰も周りにいないことを確かめてから、トイレのドアを開けると、二人の声が、内鍵をかけた小部屋の一つから聞こえてきた。

「僕だよ」

ドアを後ろ手に閉めながらハリーが声をかけた。小部屋の中からゴツン、パシャ、ハッと息をのむ声がしたかと思うと、ハーマイオニーの片目が鍵穴からこっちをのぞいた。

「**ハリー**！　ああ、驚かさないでよ。入って——腕はどう？」

「大丈夫」

ハリーは狭い小部屋にぎゅうぎゅう入り込みながら答えた。古い大鍋が便座の上にちょこんと置かれ、パチパチ音がするので、鍋の下で火をたいていることがわかった。防水性の持ち運びできる火をたく呪文は、ハーマイオニーの十八番《おはこ》だった。

「君に面会に行くべきだったんだけど、先にポリジュース薬に取りかかろうって決めたんだ」

ハリーがぎゅう詰めの小部屋の内鍵をなんとかかけなおしたとき、ロンが説明した。

「ここが薬を隠すのに一番安全な場所だと思って」

ハリーはコリンのことを二人に話しはじめたが、ハーマイオニーがそれをさえぎった。

「もう知ってるわ。マクゴナガル先生が今朝、フリットウィック先生に話してるのを聞いちゃったの。だから私たち、すぐに始めなきゃって思ったのよ――」

「マルフォイに吐かせるのは、早ければ早いほどいい」

ロンが唸《うな》るように言った。

「僕が何を考えてるか言おうか？　マルフォイのやつ、クィディッチの試合のあと、気分最低で、腹いせにコリンをやったんだと思うな」

「もう一つ話があるんだ」

ハーマイオニーがニワヤナギの束をちぎっては、煎じ薬の中に投げ入れているのを眺めながら、ハリーが言った。

「夜中にドビーが僕の所に来たんだ」

ロンとハーマイオニーが驚いたように顔を上げた。ハリーはドビーの話したこと――というより話してくれなかったこと――を全部二人に話して聞かせた。ロンもハーマイオニーも口をポカンと開けたまま聞いていた。

「『秘密の部屋』は**以前にも**開けられたことがあるの？」ハーマイオニーが聞いた。

「これで決まったな」ロンが意気揚々と言った。

「ルシウス・マルフォイが学生だったときに『部屋』を開けたにちがいない。今度は我らが親愛なるドラコに開け方を教えたんだ。まちがいない。それにしても、ドビーがそこにどんな怪物がいるか、教えてくれてたらよかったのに。そんな怪物が学校の周りをうろうろしてるのに、どうしていままで誰も気づかなかったのか、それが知りたいよ」

「それ、きっと透明になれるのよ」

ヒルをつついて大鍋の底のほうに沈めながらハーマイオニーが言った。

「でなきゃ、何かに変装してるわね――鎧《よろい》とか何かに。『カメレオンお化け』の話、読んだことあるわ……」

「ハーマイオニー、君、本の読みすぎだよ」

ロンがヒルの上から死んだクサカゲロウを、袋ごと鍋にあけながら言った。からになった袋をくしゃくしゃに丸めながら、ロンはハリーのほうを振り返った。

「それじゃ、ドビーが僕たちの邪魔をして汽車に乗れなくしたり、君の腕をへし折ったりしたのか……」

ロンは困ったもんだ、というふうに首を振りながら言った。

「ねえ、ハリー、わかるかい? ドビーが君の命を救おうとするのをやめないと、結局、君を死なせてしまうよ」

コリン・クリービーが襲われ、いまは医務室に死んだように横たわっているというニュースは、月曜の朝には学校中に広まっていた。疑心暗鬼が黒雲のように広がった。一年生はしっかり固まってグループで城の中を移動するようになり、一人で勝手に動くと襲われると怖がっているようだった。

ジニー・ウィーズリーは呪文学のクラスでコリンと隣り合わせの席だったので、すっかり落ち込んでいた。フレッドとジョージが励まそうとしたが、ハリーは、二人のやり方では逆効果だと思った。双子は毛を生やしたり、おできだらけになったりして、銅像の陰からかわりばんこにジニーの前に飛び出したのだ。パーシーがカンカンに怒って、ジニーが悪夢にうなされているとママに手紙を書くぞと脅して、やっと二人をやめさせた。

やがて、先生に隠れて、魔よけ、お守りなどの護身用グッズの取引が、校内で爆発的にはやりだした。ネビル・ロングボトムは悪臭のする大きな青タマネギ、とがった紫の水晶、くさったイモリのしっぽを買い込んだ。買ってしまったあとで、ほかのグリフィンドール生が「君は純血なのだから襲われるはずはない」と指摘した。

「最初にフィルチがねらわれたもの」丸顔に恐怖を浮かべてネビルが言った。「それに、僕がスクイブだってこと、みんな知ってるんだもの」

十二月の二週目に、例年のとおり、マクゴナガル先生が、クリスマス休暇中、学校に残る生徒の名前を調べにきた。ハリー、ロン、ハーマイオニーの三人は名前を書いた。マルフォイも残ると聞いて、三人はますます怪しいとにらんだ。休暇中なら、ポリジュース薬を使って、マルフォイをうまく白状させるのに絶好のチャンスだ。

残念ながら、煎じ薬はまだ半分しかでき上がっていない。あと必要なのは、二角獣の角と毒ツルヘビの皮だった。それを手に入れることができるのは、ただ一か所、スネイプ個人の薬棚しかない。ハリー自身は、スネイプの研究室に盗みに入って捕まるより、スリザリンの伝説の怪物と対決するほうがまだましだと思えた。

「必要なのは――」

木曜日の午後の、スリザリンと合同の魔法薬の授業がだんだん近づいてきたとき、ハーマイオニーがきびきびと言った。

「気をそらすことよ。そして私たちのうち誰か一人がスネイプの研究室に忍び込み、必要なものをいただくの」

ハリーとロンは不安げにハーマイオニーを見た。

「私が実行犯になるのがいいと思うの」

ハーマイオニーは、平然と続けた。

「あなたたち二人は今度事を起こしたら退校処分でしょ。私なら前科がないし。だから、あなたたちはひと騒ぎ起こして、ほんの五分ぐらいスネイプを足止めしておいてくれればそれでいいの」

ハリーは力なくほほえんだ。スネイプの魔法薬のクラスで騒ぎを起こすなんて、それで無事と言えるなら、眠れるドラゴンの目をつっついても無事だ、と言うようなものだ。

魔法薬のクラスは大地下牢《ろう》の一つで行われた。木曜の午後の授業は、いつもと変わらず進行した。大鍋が二十個、机と机の間で湯気を立て、机の上には真鍮《しんちゅう》のはかりと、材料の入った広口瓶が置いてある。スネイプは煙の中を歩き回り、グリフィンドール生の作業に意地の悪い批評をし、スリザリン生はそれを聞いてザマミロとあざ笑った。スネイプのお気に入りのドラコ・マルフォイは、ロンとハリーにフグの目玉を投げつけていた。それに仕返しをしようものなら、「不公平です」と抗議するすきも与えず、二人とも処罰を受けることを、ドラコは知っているのだ。

ハリーの「膨れ薬」は水っぽすぎたが、頭はもっと重要なことでいっぱいだった。ハーマイオニーの合図を待っていたのだ。スネイプが立ち止まって薬が薄すぎるとあざけったのもほとんど耳に入らなかった。スネイプがハリーに背を向けてそこを立ち去り、ネビルをいびりに行ったとき、ハーマイオニーがハリーの視線をとらえて、こっくりと合図した。

ハリーはすばやく大鍋の陰に身を隠し、ポケットからフレッドの「フィリバスターの長々花火」を取り出し、杖《つえ》でちょいとつついた。花火はシュウシュウ、パチパチと音を立てはじめた。あと数秒しかない。ハリーはすっと立ち上がり、狙い定めて花火をポーンと高く放り投げた。まさに命中。花火はゴイルの大鍋にポトリと落ちた。

ゴイルの薬が爆発し、クラス中に雨のように降り注いだ。「膨れ薬」のしぶきがかかった生徒は、悲鳴を上げた。マルフォイは、顔いっぱいに薬を浴びて、鼻が風船のようにふくれはじめた。ゴイルは、大皿のように大きくなった目を、両手で覆いながら右往左往していた。スネイプは騒ぎをしずめ、原因を突き止めようとしていた。どさくさ紛れにハーマイオニーがこっそり教室を抜け出すのを、ハリーは見届けた。

「静まれ！　**静まらんか！**」

スネイプがどなった。

「薬を浴びた者は『ペシャンコ薬』をやるからここへ来い。誰の仕業か判明したあかつきには……」

マルフォイが急いで進み出た。鼻が小さいメロンほどにふくれ、その重みで頭を垂れているのを見て、ハリーは必死で笑いをこらえた。クラスの半分は、ドシンドシンとスネイプの机の前に重い体を運んだ。棍棒《こんぼう》のようになった腕を、だらりとぶら下げている者、唇が巨大にふくれ上がって、口をきくこともできない者。そんな中で、ハリーは、ハーマイオニーがするりと地下牢教室に戻ってきたのを見た。ローブの前のほうが盛り上がっている。

みんなが解毒剤を飲み、いろいろな「膨れ」が収まったとき、スネイプはゴイルの大鍋の底をさらい、黒焦げの縮れた花火の燃えかすをすくい上げた。急にみんなシーンとなった。

「これを投げ入れた者が誰かわかったあかつきには」スネイプが低い声で言った。「我輩が、**まちがいなく**そやつを退学にさせてやる」

ハリーは、いったい誰なんだろうという表情――どうぞそう見えますように――を取りつくろった。スネイプがハリーの顔をまっすぐに見すえていた。それから十分後に鳴った終業ベルが、どんなにありがたかったかしれない。

三人が急いで嘆きのマートルのトイレに戻る途中、ハリーは、二人に話しかけた。

「スネイプは僕がやったってわかってるよ。ばれてるよ」

ハーマイオニーは、大鍋に新しい材料を放り込み、夢中でかき混ぜはじめた。

「あと二週間ででき上がるわよ」とうれしそうに言った。

「スネイプは君がやったって証明できやしない。あいつにいったい何ができる？」

ロンがハリーを安心させるように言った。

「相手はスネイプだもの。きっといやーなことをするさ」

ハリーがそう言ったとき、煎じ薬がブクブクと泡立った。


それから一週間後、ハリー、ロン、ハーマイオニーが玄関ホールを歩いていると、掲示板の前にちょっとした人だかりができていて、貼り出されたばかりの羊皮紙を読んでいた。シェーマス・フィネガンとディーン・トーマスが、興奮した顔で三人を手招きした。

「『決闘クラブ』を始めるんだって！」

シェーマスが言った。

「今夜が一回目だ。決闘の練習なら悪くないな。近々役に立つかも……」

「え？　君、スリザリンの怪物が、決闘なんかできると思ってるの？」

そう言いながらも、ロンも興味津々で掲示を読んだ。

「役に立つかもね」三人で夕食に向かう途中、ロンがハリーとハーマイオニーに言った。

「僕たちも行こうか？」

ハリーもハーマイオニーも大乗り気で、その晩八時に、三人は再び大広間へと急いだ。食事用の長いテーブルは取り払われ、一方の壁に沿って、金色の舞台が出現していた。何千本ものろうそくが上を漂い、舞台を照らしている。天井は何度も見慣れたビロードのような黒で、その下には、おのおの杖を持ち、興奮した面持ちで、ほとんど学校中の生徒が集まっているようだった。

「いったい誰が教えるのかしら？」

ペチャクチャとおしゃべりな生徒たちの群れの中に割り込みながら、ハーマイオニーが言った。

「誰かが言ってたけど、フリットウィック先生って、若いとき、決闘チャンピオンだったんですって。たぶん彼だわ」

「誰だっていいよ。あいつでなければ――」

とハリーが言いかけたが、そのあとはうめき声だった。ギルデロイ・ロックハートが舞台に登場したのだ。きらびやかに深紫のローブをまとい、後ろに、誰あろう、いつもの黒装束のスネイプを従えている。

ロックハートは観衆に手を振り、「静粛に」と呼びかけた。

「みなさん、集まって。さあ、集まって。みなさん、私《わたくし》がよく見えますか？　私の声が聞こえますか？　結構、結構！」

「ダンブルドア校長先生から、私がこの小さな決闘クラブを始めるお許しをいただきました。私自身が、数えきれないほど経験してきたように、自らを護《まも》る必要が生じた万一の場合に備えて、みなさんをしっかり鍛え上げるためにです――詳しくは、私の著書を読んでください」

「では、助手のスネイプ先生をご紹介しましょう」

ロックハートは満面の笑みを振りまいた。

「スネイプ先生がおっしゃるには、決闘についてごくわずかご存じらしい。訓練を始めるにあたり、短い模範演技をするのに、勇敢にも、手伝ってくださるというご了承をいただきました。さてさて、お若いみなさんにご心配をおかけしたくはありません――私が彼と手合わせしたあとでも、みなさんの魔法薬の先生は、ちゃんと存在します。ご心配めさるな！」

「相討ちで、両方やられっちまえばいいと思わないか？」ロンがハリーの耳にささやいた。

スネイプの上唇が冷笑していた。ロックハートはよく笑っていられるな、とハリーは思った――スネイプがあんな表情で**僕を**見たら、僕なら回れ右して、全速力でスネイプから逃げるけど――。

ロックハートとスネイプは向き合って互いに一礼した。少なくともロックハートは、腕を振り上げ、くねくね回しながら体の前に持ってきて、大げさに礼をした。スネイプは不機嫌にぐいと頭を下げただけだった。それから二人とも杖を剣のように前に突き出してかまえた。

「ご覧のように、私たちは作法に従って杖をかまえています」

ロックハートはシーンとした観衆に向かって説明した。

「三つ数えて、最初の術をかけます。もちろん、どちらも相手を殺すつもりはありません」

「僕にはそうは思えないけど」スネイプが歯をむき出しているのを見て、ハリーがつぶやいた。

「一――二――三――」

二人とも杖を肩より高く振り上げた。スネイプが叫んだ。

「**エクスペリアームス！　武器よ去れ**」

目もくらむような紅の閃光《せんこう》が走ったかと思うと、ロックハートは舞台から吹き飛んで、後ろ向きに宙を飛び、壁に激突し、壁伝いにずるずるとすべり落ちて、床にぶざまに大の字になった。

マルフォイや数人のスリザリン生が歓声を上げた。ハーマイオニーはつま先立ちでピョンピョン跳ねながら、顔を手で覆い、指の間から「先生、大丈夫かしら？」と悲痛な声を上げた。

「知るもんか！」ハリーとロンが声をそろえて答えた。

ロックハートはふらふら立ち上がった。帽子は吹っ飛び、カールした髪が逆立っていた。

「さあ、みんなわかったでしょうね！」

よろめきながら壇上に戻ったロックハートが言った。

「あれが、『武装解除の術』です――ご覧のとおり、私は杖を失ったわけです――あぁ、ミス・ブラウン、ありがとう。スネイプ先生、確かに、生徒にあの術を見せようとしたのは、すばらしいお考えです。しかし、遠慮なく一言申し上げれば、先生が何をなさろうとしたかが、あまりにも見え透いていましたね。それを止めようと思えば、いとも簡単だったでしょう。しかし、生徒に見せたほうが、教育的によいと思いましてね……」

スネイプは殺気立っていた。ロックハートもそれに気づいたらしく、こう言った。

「模範演技はこれで充分！　これからみなさんの所へ下りていって、二人ずつ組にします。スネイプ先生、お手伝い願えますか……」

二人は生徒の群れに入り、二人ずつ組ませた。ロックハートは、ネビルとジャスティン・フィンチ－フレッチリーとを組ませた。スネイプは、最初にハリーとロンの所にやってきた。

「どうやら、名コンビもお別れのときが来たようだな」

スネイプが薄笑いを浮かべた。

「ウィーズリー、君はフィネガンと組みたまえ。ポッターは――」

ハリーは思わずハーマイオニーのほうに寄っていった。

「そうはいかん」スネイプは冷笑した。

「マルフォイ君、来たまえ。かの有名なポッターを、君がどうさばくのか拝見しよう。それに、君、ミス・グレンジャー――君はミス・ブルストロードと組みたまえ」

マルフォイはニヤニヤしながら気取ってやってきた。その後ろを歩いてきた女子スリザリン生を見て、ハリーは『鬼婆《おにばば》とのオツな休暇』にあった挿絵を思い出した。大柄で四角張っていて、がっちりしたあごが戦闘的に突き出している。ハーマイオニーはかすかに会釈したが、むこうは会釈を返さなかった。

「相手と向き合って！　そして礼！」壇上に戻ったロックハートが号令をかけた。

ハリーとマルフォイは、互いに目をそらさず、わずかに頭を傾《かし》げただけだった。

「杖をかまえて！」ロックハートが声を張り上げた。

「私が三つ数えたら、相手の武器を取り上げる術をかけなさい――武器を取り上げる**だけ**ですよ――みなさんが事故を起こすのはいやですからね。一――二――三――」

ハリーは杖を肩の上に振り上げた。が、マルフォイは「二」ですでに術を始めていた。呪文は強烈に効いて、ハリーは、まるで頭をフライパンでなぐられたような気がした。ハリーはよろけたが、ほかはどこもやられていない。間髪をいれず、ハリーは杖をまっすぐにマルフォイに向け、「**リクタスセンプラ！　笑い続けよ！**」と叫んだ。

銀色の閃光がマルフォイの腹に命中し、マルフォイは体をくの字に曲げて、ゼイゼイ言った。

「**武器を取り上げるだけだと言ったのに！**」

ロックハートがあわてて、戦闘まったただ中の生徒の頭越しに叫んだ。マルフォイがひざをついて座り込んだ。ハリーがかけたのは「くすぐりの術」で、マルフォイは笑い転げて動くことさえできない。相手が座り込んでいる間に術をかけるのはスポーツマン精神に反する――そんな気がして、ハリーは一瞬ためらった。これがまちがいだった。息も継げないまま、マルフォイは杖をハリーのひざに向け、声を詰まらせて「**タラントアレグラ！　踊れ！**」と唱えた。次の瞬間、ハリーの両足がピクピク動き、勝手にクイック・ステップを踏みだした。

「やめなさい！　ストップ！」ロックハートは叫び、スネイプがずいと乗り出した。

「**フィニート　インカンターテム！　呪文よ終われ！**」とスネイプが叫ぶと、ハリーの足は踊るのをやめ、マルフォイは笑うのをやめた。やっと周囲を見ることができた。

緑がかった煙が、あたりに霧のように漂っていた。そして二人とも、ネビルもジャスティンも、ハアハア言いながら床に横たわり、ロンは蒼白《そうはく》な顔をしたシェーマスを抱きかかえて、折れた杖がしでかした何かを謝っていた。ハーマイオニーとミリセント・ブルストロードはまだ動いていた。ミリセントがハーマイオニーにヘッドロックをかけ、ハーマイオニーは痛みでヒイヒイわめいていた。二人の杖は床に打ち捨てられたままだった。ハリーは飛び込んでミリセントを引き離した。彼女のほうがハリーよりずっと図体が大きかったので、一筋縄ではいかなかった。

「なんと、なんと」ロックハートは生徒の群れの中をすばやく動きながら、決闘の結末を見て回った。「マクミラン、立ち上がって……。ミス・フォーセット、気をつけてゆっくり……。ブート……しっかり押さえていなさい。鼻血はすぐ止まるから」

「むしろ、非友好的な術の**防ぎ方**をお教えするほうがいいようですね」

大広間の真ん中に面くらって突っ立ったまま、ロックハートが言った。ロックハートはスネイプをちらりと見たが、暗い目がギラッと光ったと思うと、スネイプはプイと顔をそむけた。

「さて、誰か進んでモデルになってくれる組はありますか？——ロングボトムとフィンチ－フレッチリー、どうですか？」

「ロックハート先生、それはまずい」

性悪な大コウモリを思わせるスネイプが、サッと進み出た。

「ロングボトムは、簡単極まりない呪文でさえ惨事を引き起こす。フィンチ－フレッチリーの残骸を、マッチ箱に入れて医務室に運び込むのが落ちでしょうな」

ネビルのピンク色の丸顔がますますピンクになった。

「マルフォイとポッターはどうかね？」スネイプは口元をゆがめて笑った。

「それは名案！」

ロックハートは、ハリーとマルフォイに大広間の真ん中に来るよう手招きした。ほかの生徒たちは下がって二人のために空間をあけた。

「さあ、ハリー。ドラコが君に杖を向けたら、**こういうふうに**しなさい」

ロックハートは自分の杖を振り上げ、何やら複雑にくねくねさせたあげく、杖を取り落とした。

「オットット――私の杖はちょっと張り切りすぎたようですね」

と言いながら、ロックハートが急いで杖を拾い上げるのを、スネイプは、あざけるような笑いを浮かべて見ていた。

スネイプはマルフォイのほうに近づいて、かがみ込み、マルフォイの耳に何事かをささやいた。マルフォイもあざけるようにニヤリとした。ハリーは不安げにロックハートを見上げた。

「先生、その防衛技とかを、もう一度見せてくださいませんか？」

「怖くなったのか？」マルフォイは、ロックハートに聞こえないように低い声で言った。

「そっちのことだろう」ハリーも唇を動かさずに言った。

ロックハートは、陽気にハリーの肩をポンとたたき、「ハリー、私がやったようにやるんだよ！」と言った。

「え？　杖を落とすんですか？」

ロックハートは聞いてもいなかった。

「一――二――三――それ！」と号令がかかった。

マルフォイはすばやく杖を振り上げ、「**サーペンソーティア！　蛇出よ！**」と大声でどなった。

マルフォイの杖の先が炸裂《さくれつ》した。その先から、長い黒蛇がにょろにょろと出てきたのを見て、ハリーはぎょっとした。蛇は二人の間の床にドスンと落ち、鎌首をもたげて攻撃の体勢を取った。周りの生徒は悲鳴を上げ、サーッとあとずさりして、そこだけが広くあいた。

「動くな、ポッター」

スネイプが悠々と言った。ハリーが身動きもできず、怒った蛇と、目を見合わせて立ちすくんでいる光景を、スネイプが楽しんでいるのがはっきりわかる。

「我輩が追い払ってやろう……」

「私にお任せあれ！」ロックハートが叫んだ。蛇に向かって杖を振り回すと、バーンと大きな音がして、蛇は消え去るどころか二、三メートル宙を飛び、ビシャッと大きな音を立ててまた床に落ちてきた。挑発され、怒り狂ってシューシューと、蛇はジャスティン・フィンチ－フレッチリーめがけてすべり寄り、再び鎌首をもたげ、牙をむき出して攻撃のかまえを取った。

ハリーは、何が自分をかり立てたのかわからなかったし、何かを決心したのかどうかさえ意識にならなかった。ただ、まるで自分の足にキャスターがついたかのように、体が前に進んでいったこと、そして、蛇に向かって考えもせずに叫んだことだけはわかっていた。

「手を出すな。去れ！」

すると、不思議なことに――説明のしようがないのだが――蛇は、まるで庭の水まき用の太いホースのようにおとなしくなり、床に平たく丸まり、従順にハリーを見上げた。ハリーは、恐怖がすうっと体から抜け落ちていくのを感じた。もう蛇は誰も襲わないとわかっていた。だが、なぜそれがわかったのか、ハリーには説明できなかった。

ハリーはジャスティンを見てニッコリした。ジャスティンは、きっとホッとした顔をしているか、不思議そうな顔か、あるいは、感謝の表情を見せるだろうと思っていた――まさか、怒った顔、恐怖の表情をしているとは、思いもよらなかった。

「いったい、何を悪ふざけしてるんだ?」ジャスティンが叫んだ。

ハリーが何か言う前に、ジャスティンはくるりと背を向け、怒って大広間から出ていってしまった。

スネイプが進み出て杖を振り、蛇は、ポッと黒い煙を上げて消え去った。スネイプも、ハリーが思ってもみなかったような、鋭く探るような目つきでこちらを見ている。ハリーはその目つきがいやだった。その上、周り中がヒソヒソと、何やら不吉な話をしているのにハリーはぼんやり気づいていた。そのとき、誰かが後ろからハリーのそでを引いた。

「来いよ」ロンの声だ。「行こう――さあ、来て……」ハリーの耳にささやいた。

ロンがハリーをホールの外へと連れ出した。ハーマイオニーも急いでついてきた。三人がドアを通り抜けるとき、人垣が割れ、両側にサッと引いた。まるで病気でもうつされるのが怖いとでも言うかのようだった。ハリーには何がなんだかさっぱりわからない。ロンもハーマイオニーも何も説明してはくれなかった。人気《ひとけ》のないグリフィンドールの談話室までハリーを延々引っ張ってきて、ロンはハリーをひじかけ椅子に座らせてから、初めて口をきいた。

「君はパーセルマウスなんだ。どうして僕たちに話してくれなかったの?」

「僕がなんだって?」

「**パーセルマウスだよ！**」ロンがくり返した。「君は蛇と話ができるんだ！」

「そうだよ」ハリーが答えた。「でも、今度で二度目だよ。一度、動物園で偶然、ボア・コンストリクターをいとこのダドリーにけしかけた――話せば長いけど――その蛇が、ブラジルなんか一度も見たことがないって僕に話しかけて、僕が、そんなつもりはなかったのに、その蛇を逃がしてやったような結果になったんだ。自分が魔法使いだってわかる前だったけど……」

「蛇が、君に一度もブラジルに行ったことがないって話したの？」

ロンが力なくくり返した。

「それがどうかしたの？　ここにはそんなことできる人、掃いて捨てるほどいるだろうに」

「それが、いないんだ」ロンが言った。

「そんな能力はざらには持っていない。ハリー、まずいよ」

「何がまずいんだい？」

ハリーはかなり腹が立ってきた。

「みんな、どうかしたんじゃないか？　考えてもみてよ。もし僕が、ジャスティンを襲うなって蛇に言わなけりゃ――」

「へえ、君はそう言ったのかい？」

「どういう意味？　君たちあの場にいたし……僕の言うことを聞いたじゃないか」

「僕、君がパーセルタングを話すのは聞いた。つまり蛇語だ」

ロンが言った。

「君が何を話したか、ほかの人にはわかりゃしないんだよ。ジャスティンがパニックになったのもわかるな。君ったら、まるで蛇をそそのかしてるような感じだった。あれにはぞっとしたよ」

ハリーはまじまじとロンを見た。

「僕がちがう言葉をしゃべったって？　だけど——僕、気がつかなかった——自分が話せるってことさえ知らないのに、どうしてそんな言葉が話せるんだい？」

ロンは首を振った。ロンもハーマイオニーも通夜の客のような顔をしていた。ハリーは、いったい何がそんなに悪いことなのか理解できなかった。

「あの蛇が、ジャスティンの首を食いちぎるのを止めたのに、いったい何が悪いのか教えてくれないか？　ジャスティンが、『首無し狩』に参加するはめにならずにすんだんだよ。**どういうやり方で止め**たかなんて、問題になるの？」

「問題になるのよ」

ハーマイオニーがやっとヒソヒソ声で話しだした。

「どうしてかというと、サラザール・スリザリンは、蛇と話ができることで有名だったからなの。だからスリザリン寮のシンボルが蛇でしょう」

ハリーはポカンと口を開けた。

「そうなんだ。今度は学校中が君のことを、スリザリンの曽《ひ》々《ひ》々《ひ》々《ひ》孫《まご》だとかなんとか言いだすだろうな……」ロンが言った。

「だけど、僕はちがう」ハリーは、言いようのない恐怖にかられた。

「それは証明しにくいことね」ハーマイオニーが言った。

「スリザリンは千年ほど前に生きていたんだから、あなただという可能性もありうるのよ」

ハリーはその夜、何時間も寝つけなかった。四本柱のベッドのカーテンのすきまから、寮塔の窓の外に雪がちらつきはじめたのを眺めながら、思いにふけった。

——僕はサラザール・スリザリンの子孫**なのだろうか?**——ハリーは結局父親の家族のことは何も知らなかった。ダーズリー一家は、ハリーが親戚の魔法使いのことを質問するのを、いっさい禁止した。

ハリーはこっそり蛇語を話そうとした。が、言葉が出てこなかった。蛇と顔を見合わせないと話せないらしい。

——でも、僕は**グリフィンドール生**だ。僕にスリザリンの血が流れていたら、「組分け帽子」が僕をここに入れなかったはずだ……。

「**フン**」頭の中で小さい意地悪な声がした。「しかし、『組分け帽子』は君をスリザリンに**入れたい**と思った。忘れたのかい?」

ハリーは寝返りを打った——明日、薬草学でジャスティンに会う。その時に説明するんだ。僕は蛇をけしかけてたのじゃなく、攻撃をやめさせてたんだって。どんなバカだって、そのぐらいわかるはずじゃないか——腹が立って、ハリーは枕を拳でたたいた。


しかし、翌朝、前夜に降りだした雪が大吹雪になり、学期最後の薬草学の授業は休講になった。スプラウト先生がマンドレイクに靴下をはかせ、マフラーを巻く作業をしなければならないからだ。やっかいな作業なので、ほかの誰にも任せられないらしい。特にいまは、ミセス・ノリスやコリン・クリービーを蘇生《そせい》させるため、マンドレイクが一刻も早く育ってくれることが重要だった。

グリフィンドールの談話室の暖炉のそばで、ハリーは休講になったことにいらだちをつのらせていた。ロンとハーマイオニーは、あいた時間を、魔法チェスをして過ごしていた。

「ハリー、いいかげんにしてよ」

ロンのビショップが、ハーマイオニーのナイトを馬から引きずり降ろして、チェス盤の外までずるずる引っ張っていったとき、ハリーの様子を見かねたハーマイオニーが言った。

「そんなに気になるんだったら、こっちからジャスティンを**探しにいけば**いいじゃない」

ハリーは立ち上がり、ジャスティンはどこにいるかなと考えながら、肖像画の穴から外に出た。

窓という窓の外を、灰色の雪が渦巻くように降っていたので、昼だというのに城の中はいつもより暗かった。寒さに震え、ハリーは授業中の教室の物音を聞きながら歩いた。マクゴナガル先生は誰かを叱りつけていた。どうやら誰かがクラスメートをアナグマに変えてしまったらしい。ハリーはのぞいてみたい気持ちをおさえて、そばを通り過ぎた。ジャスティンはあいた時間に授業の遅れを取り戻そうとしているかもしれないと思いつき、ハリーは図書館をチェックしてみることにした。

薬草学で一緒になるはずだったハッフルパフ生たちが、思ったとおり図書館の奥のほうで固まっていた。しかし、勉強している様子ではない。背の高い本棚がずらりと立ち並ぶ間で、みんな額を寄せ合って、夢中で何かを話しているようだった。ジャスティンがその中にいるかどうか、ハリーには見えなかった。みんなのほうに歩いていく途中で、話が耳に入った。ハリーは立ち止まり、ちょうど「隠れ術」の本が並ぶ本棚の所に隠れて耳を澄ました。

「だからさ」太った男の子が話している。「僕、ジャスティンに言ったんだ。自分の部屋に隠れてろって。つまりさ、もしポッターが、あいつを次の餌食にねらってるんだったら、しばらくは目立たないようにしてるのが一番いいんだよ。もちろん、あいつ、うっかり自分がマグル出身だなんてポッターにもらしちゃったから、いつかはこうなるんじゃないかって思ってたさ。ジャスティンのやつ、イートン校に入る予定だったなんて、ポッターに**しゃべっちまった**んだ。そんなこと、スリザリンの継承者がうろついてるときに、言いふらすべきことじゃないよな？」

「じゃ、アーニー、あなた、**絶対に**ポッターだって思ってるの？」

金髪を三つ編みにした女の子はもどかしげに聞いた。

「ハンナ」太った子が重々しく言った。「彼はパーセルマウスだぜ。それは闇の魔法使いの印だって、みんなが知ってる。蛇と話ができるまともな魔法使いなんて、聞いたことがあるかい？　スリザリンその人のことを、みんなが『蛇舌』って呼んでたぐらいなんだ」

ザワザワと重苦しいささやきが起こり、アーニーは話し続けた。

「壁に書かれた言葉を覚えてるか？『継承者の敵よ、気をつけよ』。ポッターはフィルチと何かごたごたがあったんだ。そして気がつくと、フィルチの猫が襲われていた。あの一年坊主のクリービーは、クィディッチの試合でポッターが泥の中に倒れてるとき、写真を撮りまくってポッターにいやがられた。そして気がつくと、クリービーがやられていた」

「でも、ポッターって、いい人に見えるけど」

ハンナは納得できない様子だ。

「それに、ほら、彼が『例のあの人』を消したのよ。そんなに悪人であるはずがないわ。どう？」

アーニーはわけありげに声を落とし、ハッフルパフ生はより間近に額を寄せ合った。ハリーはアーニーの言葉が聞き取れるように近くまでにじり寄った。

「ポッターが『例のあの人』に襲われてもどうやって生き残ったのか、誰も知らないんだ。つまり、事が起こったとき、ポッターはほんの赤ん坊だった。こっぱみじんに吹き飛ばされて当然さ。それほどの呪いを受けても生き残ることができるのは、ほんとうに強力な『闇の魔法使い』だけだよ」

アーニーの声がさらに低くなり、ほとんど耳打ちしているようだ。

「**だからこそ**、『例のあの人』が初めっから彼を殺したかったんだ。闇の帝王がもう一人いて、**競争に**

なるのがいやだったんだ。ポッターのやつ、いったいほかにどんな力を隠してるんだろう?」

ハリーはもうこれ以上がまんできなかった。大きく咳《せき》払いして、本棚の陰から姿を現した。カンカンに腹を立てていなかったら、ふいをつかれたみんなの様子を見て、ハリーはきっと滑稽だと思っただろう。ハリーの姿を見たとたん、ハッフルパフ生はいっせいに石になったように見えた。アーニーの顔からサッと血の気が引いた。

「やあ」ハリーが声をかけた。「僕、ジャスティン・フィンチ-フレッチリーを探してるんだけど……」

ハッフルパフ生の恐れていた最悪の事態が現実のものになった。みんな、こわごわ、アーニーのほうを見た。

「あいつになんの用なんだ?」アーニーが震え声で聞いた。

「決闘クラブでの蛇のことだけど、ほんとは何が起こったのか、彼に話したいんだよ」

アーニーは蒼白になった唇をかみ、深呼吸した。

「僕たちみんなあの場にいたんだ。みんな、何が起こったのか見てた」

「それじゃ、僕が話しかけたあとで、蛇が退いたのに気がついただろう?」

「僕が見たのは」アーニーが、震えているくせに頑固に言い張った。「君が蛇語を話したこと、そして蛇をジャスティンのほうに追い立てたことだ」

「追い立てたりなんかしてない!」ハリーの声は怒りで震えていた。「蛇はジャスティンを**かすりもしなかった!**」

「もう少しってとこだった」アーニーが言った。「それから、君が何かかんぐってるんだったら」とあわててつけ加えた。「言っとくけど、僕の家系は九代前までさかのぼれる魔女と魔法使いの家系で、僕の血は誰にも負けないぐらい純血で、だから——」

「君がどんな血だろうとかまうもんか！」ハリーは激しい口調で言った。「なんで僕がマグル生まれの者を襲う必要がある？」

「君が一緒に暮らしているマグルを憎んでるって聞いたよ」アーニーが即座に答えた。

「ダーズリーたちと一緒に暮らしていたら、憎まないでいられるもんか。できるものなら、君がやってみればいいんだ」ハリーが言った。

ハリーはきびすを返し、怒り狂って図書館を出ていった。大きな呪文の本の箔押しの表紙を磨いていたマダム・ピンスが、じろりととがめるような目でハリーを見た。

ハリーは、むちゃくちゃに腹が立って、自分がどこに行こうとしているのかさえほとんど意識せず、つまずきながら廊下を歩いた。そのあげく、何か大きくて硬いものにぶつかって、ハリーは仰向けに床に転がってしまった。

「あ、やあ、ハグリッド」ハリーは見上げながら挨拶した。

雪にまみれたウールのバラクラバ頭巾で頭から肩まですっぽり覆われてはいたが、モールスキンのオーバーを着て、廊下をほとんど全部ふさいでいるのは、紛れもなくハグリッドだ。手袋をした巨大な手の一方に鶏の死骸をぶら下げている。

「ハリー、大丈夫か？」

ハグリッドはバラクラバを引き下げて話しかけた。

「おまえさん、なんで授業に行かんのかい？」

「休講になったんだ」

ハリーは床から起き上がりながら答えた。

「ハグリッドこそ何してるの？」

ハグリッドはだらんとした鶏を持ち上げて見せた。

「殺《や》られたのは今学期になって二羽目だ。狐のしわざか、『吸血お化け』か。そんで、校長先生から鶏小屋の周りに魔法をかけるお許しをもらわにゃ」

ハグリッドは雪がまだらについたぼさぼさ眉毛の下から、じっとハリーをのぞき込んだ。

「おまえさん、ほんとに大丈夫か？　かっかして、なんかあったみたいな顔しとるが」

ハリーはアーニーやハッフルパフ生が、いましがた自分のことをなんと言っていたか、口にすることさえ耐えられなかった。

「なんでもないよ」ハリーはそう答えた。

「ハグリッド、僕、もう行かなくちゃ。次は変身術だし、教科書取りに帰らなきゃ」

その場を離れたものの、ハリーはまだアーニーの言ったことで頭がいっぱいだった。

「**ジャスティンのやつ、うっかり自分がマグル出身だなんてポッターにもらしちゃったから、いつかはこうなるんじゃないかって思ってたさ……**」

ハリーは階段を踏み鳴らして上り、次の廊下の角を曲がった。そこは一段と暗かった。はめ込みの甘い窓ガラスの間から、激しく吹き込む氷のようなすきま風が、松明《たいまつ》の灯《あか》りを消してしまっていた。廊下の真ん中あたりまで来たとき、床に転がっている何かにもろに足を取られ、ハリーは頭から先につんのめった。

振り返っていったい何につまずいたのか、目を細めて見たハリーは、とたんに胃袋が溶けてしまったような気がした。

ジャスティン・フィンチ－フレッチリーが転がっていた。冷たく、ガチガチに硬直し、恐怖の跡が顔に凍りつき、うつろな目は天井を凝視している。その隣にもう一つ、ハリーがいままで見たこともない不可思議なものがあった。

「ほとんど首無しニック」だった。もはや透明な真珠色ではなく、黒くすすけて、床から十五センチほど上に、真横にじっと動かずに浮いていた。首は半分落ち、顔にはジャスティンと同じ恐怖がはりついていた。

ハリーは立ち上がったが、息はたえだえ、心臓は早打ち太鼓のように肋骨《ろっこつ》を打った。人影のない廊下のあちらこちらを、ハリーは狂ったように見回した。すると、二つの物体から逃げるように、クモが一列になって、全速力でガサゴソ移動しているのが目に入った。物音といえば、両側の教室からぼんやりと聞こえる、先生方の声だけだった。

逃げようと思えば逃げられる。ここにハリーがいたことなど、誰にもわかりはしない。なのに、ハリーは二人を放っておくことができなかった――助けを呼ばなければ……。でも、僕がまったく関係ないってこと、信じてくれる人がいるだろうか――？

パニック状態で突っ立っていると、すぐそばの戸がバーンと開き、ポルターガイストのピーブズがシューッと飛び出してきた。

「おやまあ、ポッツリ、ポッツン、チビのポッターー！」

ヒョコヒョコ上下に揺れながら、ハリーの脇を通り過ぎるとき、めがねをたたいてずっこけさせながら、ピーブズがかん高い声ではやし立てた。

「ポッター、ここで何してる？　ポッター、どうしてここにいる――」

ピーブズは空中宙返りの途中ではたと止まった。逆さまで、ジャスティンとほとんど首無しニックを見つけた。ピーブズはもう半回転して元に戻り、肺いっぱいに息を吸いこむと、ハリーが止める間もなく、大声で叫んだ。

「**襲われた！　襲われた！　またまた襲われた！　生きてても死んでても、みんな危ないぞ！　命からがら逃げろ！　おーそーわーれーたー！**」

バタン――バタン――バタン。次々と廊下の両側のドアが勢いよく開き、中からドッと人が出てきた。それからの数分間は長かった。大混乱のドタバタで、ジャスティンは踏みつぶされそうになったし、ほとんど首無しニックの体の中で立ちすくむ生徒たちが何人もいた。先生たちが大声で「静かに」となっている中で、ハリーは壁にぴったり磔《はりつけ》になったような格好だった。

マクゴナガル先生が走ってきた。あとに続いたクラスの生徒の中に、白と黒の縞《しま》模様の髪のままの子が一人いる。マクゴナガル先生は杖を使ってバーンと大きな音を出し、静かになったところで、みんな自分の教室に戻るように命令した。なんとか騒ぎが収まりかけたちょうどその時、ハッフルパフのアーニーが息せき切ってその場に現れた。

「**現行犯だ！**」顔面蒼白のアーニーが芝居のしぐさのようにハリーを指差した。

「おやめなさい、マクミラン！」マクゴナガル先生が厳しくたしなめた。

ピーブズは上のほうでニヤニヤ意地の悪い笑いを浮かべ、成り行きを見ながらふわふわしている。ピーブズは大混乱が好きなのだ。先生たちがかがみ込んで、ジャスティンとほとんど首無しニックを調べているときに、ピーブズは突然歌いだした。

オー、ポッター、いやなやつだー
いったいおまえは何をしたー
おまえは生徒をみな殺し
おまえはそれが大ゆかい

「おだまりなさい、ピーブズ」

マクゴナガル先生が一喝した。ピーブズはハリーに向かってベーッと舌を出し、すうっと後ろに引くように、ズームアウトして消えてしまった。

ジャスティンは、フリットウィック先生と天文学のシニストラ先生が医務室に運んだ。しかし、ほとんど首無しニックをどうしたものか、誰も思いつかない。結局マクゴナガル先生がどこからともなく大きなうちわを取り出して、それをアーニーに持たせ、ほとんど首無しニックを階段の一番上まであおり上げるよう言いつけた。アーニーは言いつけどおり、物言わぬ黒いホバークラフトのようなニックをあおいだ。あとに残されたのはマクゴナガル先生とハリーだけだった。

「おいでなさい、ポッター」

「先生、誓って言います。僕、やってません――」ハリーは即座に言った。

「ポッター、私の手に負えないことです」マクゴナガル先生はそっけない。

二人は押しだまって歩いた。角を曲がると、先生はとほうもなく醜い大きな石の怪獣の前で立ち止まった。

「**レモン・キャンディ！**」

先生が言った。これが合言葉だったにちがいない。怪獣《ガーゴイル》の石像が突然生きた本物になり、ピョンと跳んで脇に寄り、その背後にあった壁が左右に割れた。いったいどうなることかと、恐れで頭がいっぱいだったハリーも、怖さを忘れてびっくりした。壁の裏には螺旋《らせん》階段があり、エスカレーターのようになめらかに上のほうへと動いている。ハリーが先生と一緒に階段に乗ると、二人の背後で壁はドシンと閉じた。二人はくるくると螺旋状に上へ上へと運ばれていった。そしてついに、少しめまいを感じながら、ハリーは前方に輝くような樫《かし》の扉を見た。扉にグリフィンをかたどったノック用の金具がついている。

ハリーはどこに連れていかれるのかに気がついた。ここはダンブルドアの住居《すまい》にちがいない。

第12章　ポリジュース薬

二人は石の螺旋《らせん》階段の一番上で降り、マクゴナガル先生が扉をたたいた。音もなく扉が開き、二人は中に入った。マクゴナガル先生は、待っていなさいとハリーをそこに一人残し、どこかに行った。

ハリーはあたりを見回した。今学期になってハリーはいろいろな先生の部屋に入ったが、ダンブルドアの校長室が、断トツにおもしろい。学校からまもなく放り出されるのではないかと、恐怖で縮み上がっていなかったら、きっとハリーは、こんなふうにじっくりと部屋を眺めるチャンスができて、とてもうれしかったことだろう。

そこは広くて美しい円形の部屋で、おかしな小さな物音で満ちあふれていた。紡錘《ぼうすい》形のきゃしゃな脚がついたテーブルの上には、奇妙な銀の道具が立ち並び、くるくる回りながらポッポッと小さな煙を吐いている。壁には歴代の校長先生の写真がかかっていたが、額縁の中でみんなすやすや眠っていた。大きな鉤爪《かぎづめ》脚の机もあり、その後ろの棚には、みすぼらしいぼろぼろの三角帽子がのっている――**組分け帽子**だ。

ハリーは眠っている壁の校長先生たちをそうっと見渡した。「帽子」を取って、もう一度かぶってみてもかまわないだろうか？　ハリーはためらった。かまわないだろう。ちょっとだけ……確認するだけなんだ。僕の組分けは**正しかったのか**どうかって――。

ハリーはそっと机の後ろに回り込み、棚から帽子を取り上げ、そろそろとかぶった。帽子が大きすぎて、前のときもそうだったが、今度も目の上まですべり落ちてきた。ハリーは帽子の内側の闇を見つめて待った。すると、かすかな声がハリーの耳にささやいた。

「何か、思いつめているね？　ハリー・ポッター」

「ええ、そうです」

ハリーは口ごもった。

「あの――お邪魔してごめんなさい――お聞きしたいことがあって――」

「私が君を組分けした寮が、まちがいではないかと気にしてるね」帽子はさらりと言った。

「さよう……君の組分けは特に難しかった。しかし、私が前に言った言葉はいまも変わらない――」

ハリーは心が躍った。

「――君はスリザリンでうまくやれる**可能性がある**」

ハリーの胃袋がズシンと落ち込んだ。帽子のてっぺんをつかんでぐいっと脱ぐと、薄汚れてくたびれた帽子が、だらりとハリーの手からぶら下がっていた。気分が悪くなり、ハリーは帽子を棚に押し戻した。

「あなたはまちがっている」

動かず物言わぬ帽子に向かって、ハリーは声を出して話しかけた。帽子はじっとしている。ハリーは帽子を見つめながらあとずさりした。ふと、奇妙なゲッゲッという音が聞こえて、ハリーはくるりと振り返った。

ハリーは、ひとりきりではなかった。扉の裏側に金色の止まり木があり、羽根を半分むしられた七面鳥のようなよぼよぼの鳥が止まっていた。ハリーがじっと見つめると、鳥はまたゲッゲッと声を上げながら哀れっぽい目で見返した。ハリーは、鳥が重い病気ではないかと思った。目はどんよりとし、ハリーが見ている間にもまた尾羽根が二、三枚抜け落ちた。

――ダンブルドアのペットの鳥が、僕のほかには誰もいないこの部屋で死んでしまったら、万事休すだ、僕はもうダメだ――そう思ったとたん、鳥が炎に包まれた。

ハリーは驚いて叫び声を上げ、あとずさりして机にぶつかった。どこかにコップ一杯の水でもないかと、ハリーは夢中で周りを見回した。が、どこにも見当たらない。その間に鳥は火の玉となり、ひと声鋭く鳴いたかと思うと、次の瞬間、跡形もなくなってしまった。ひと握りの灰が床の上でブスブスと煙を上げているだけだった。

校長室のドアが開いた。ダンブルドアが陰鬱な顔をして現れた。

「先生」ハリーはあえぎながら言った。「先生の鳥が――僕、何もできなくて――急に火がついたんです――」

驚いたことに、ダンブルドアはほほえんだ。

「そろそろだったのじゃ。あれはこのごろみじめな様子だったのでな、早くすませてしまうようにと、何度も言い聞かせておったんじゃ」

ハリーがポカンとしているので、ダンブルドアがクスクス笑った。

「ハリー、フォークスは不死鳥じゃよ。死ぬ時が来ると炎となって燃え上がる。そして灰の中からよみがえるのじゃ。見ててごらん……」

ハリーが見下ろすと、ちょうど小さなくしゃくしゃの雛《ひな》が灰の中から頭を突き出しているところだった。雛も老鳥のときと同じくらい醜かった。

「ちょうど『燃焼日』にあれの姿を見ることになって、残念じゃったの」

ダンブルドアは事務机に座りながら言った。

「あれはいつもは実に美しい鳥なんじゃ。羽は見事な赤と金色でな。うっとりするような生き物じゃよ、不死鳥というのは。驚くほどの重い荷を運び、涙には癒しの力があり、ペットとしては**忠実**なことこの上ない」

フォークスの火事騒ぎのショックで、ハリーは自分がなぜここにいるのかを忘れていた。一挙に思い出したのは、ダンブルドアが机に座り、背もたれの高い椅子に腰かけ、明るいブルーの瞳で、すべてを見透《みとお》すようなまなざしをハリーに向けたときだ。

ダンブルドアが何も言いださないうちに、バーンとどえらい音を立てて扉が勢いよく開き、ハグリッドが飛び込んできた。目を血走らせ、真っ黒なもじゃもじゃ頭の上にバラクラバ頭巾をちょこんとのせて、手には鶏の死骸をまだぶらぶらさせている。

「ハリーじゃねえです。ダンブルドア先生」ハグリッドが急《せ》き込んで言った。「俺はハリーと話してたです。あの子が発見される**ほんの数秒前**のこってす。先生さま、ハリーにはそんな時間はねえです……」

ダンブルドアは何か言おうとしたが、ハグリッドがわめき続けていた。興奮して鶏を振り回すので、そこら中に羽根が飛び散った。

「……ハリーのはずがねえです。俺は魔法省の前で証言したってようがす……」

「ハグリッド、わしは――」

「……先生さま、まちがってなさる。俺は**知っとる**です。ハリーは絶対そんな――」

「**ハグリッド!**」ダンブルドアは大きな声で言った。「わしはハリーがみんなを襲ったとは考えて**おらんよ**」

「ヘッ」手に持った鶏がグニャリと垂れ下がった。「へい。そんじゃ俺は外で待ってますだ。校長先生」

そして、ハグリッドはきまり悪そうにドシンドシンと出ていった。

「先生、僕じゃないとお考えなのですか?」

ハリーは祈るようにくり返した。ダンブルドアは机の上に散らばった、鶏の羽根を払いのけていた。

「そうじゃよ、ハリー」

ダンブルドアはそう言いながらも、また陰鬱な顔をした。

「しかし、君には話したいことがあるのじゃ」

ダンブルドアは長い指の先を合わせ、何事か考えながらハリーをじっと見ていた。ハリーは落ち着かない気持ちでじっと待った。

「ハリー、まず、君に聞いておかねばならん。わしに何か言いたいことはないかの？」

やわらかな口調だった。

「どんなことでもよい」

ハリーは何を言ってよいかわからなかった。マルフォイの叫びを思い出した。「次はおまえたちの番だぞ、『穢《けが》れた血』め！」それから、嘆きのマートルのトイレでふつふつ煮えているポリジュース薬。さらに、ハリーが二回も聞いた正体の見えない声。ロンが言ったことを思い出した。「**誰にも聞こえない声が聞こえるのは、魔法界でも狂気の始まりだって思われてる**」そして、みんなが自分のことをなんと言っていたかを思い浮かべた。自分はサラザール・スリザリンとなんらかの関わりがあるのではないかという恐れがつのっていること……。

「いいえ。先生、何もありません」ハリーは答えた。


ジャスティンとほとんど首無しニックの二人が一度に襲われた事件で、これまでのように単なる不安感ではすまなくなり、パニック状態になった。奇妙なことに、一番不安をあおったのはニックの運命だった。ゴーストにあんなことをするなんて、いったい何者なのかと、寄ると触るとその話だった。もう死んでいる者に危害を加えるなんて、どんな恐ろしい力を持っているんだろう？　クリスマスに帰宅しようと、生徒たちがなだれを打ってホグワーツ特急の予約を入れた。

「この調子じゃ、居残るのは僕たちだけになりそうだ」

ロンがハリーとハーマイオニーに言った。

「僕たちと、マルフォイ、クラッブ、ゴイルだ。こりゃ楽しい休暇になるぞ」

クラッブとゴイルは、常にマルフォイのやるとおりに行動したので、居残り組に名前を書いた。ほとんどみんないなくなることが、ハリーにはむしろうれしかった。廊下で誰かに出会うと、まるでハリーが牙を生やしたり毒を吐き出したりするとでも思っているのか、みんなハリーをさけて通った。逆にハリーがそばを通ると、指差しては「シーッ」と言ったり、ヒソヒソ声になったり、ハリーはもううんざりだった。

フレッドとジョージにしてみれば、こんなおもしろいことはないらしい。二人でわざわざハリーの前に立って廊下を行進し、「したーに、下に、まっこと邪悪な魔法使い、スリザリンの継承者様のお通りだ……」と先触れした。

パーシーはこのふざけをまったく認めなかった。

「笑いごとじゃ**ない**ぞ」パーシーは冷たく言った。

「おい、パーシー、どけよ。ハリー様は、はやく行かねばならぬ」とフレッド。

「そうだとも。牙をむき出した召使いとお茶をお飲みになるので、『秘密の部屋』にお急ぎなのだ」

ジョージがうれしそうにクックッと笑った。

ジニーも冗談だとは思っていなかった。

フレッドがハリーに「次は誰を襲うつもりか」と大声で尋ねたり、ジョージがハリーと出会ったとき、大きなニンニクの束で追い払うふりをしたりすると、そのたびに、ジニーは「お願い、**やめて**」と涙声になった。

ハリーは気にしていなかった。少なくともフレッドとジョージは、ハリーがスリザリンの継承者だなんて、まったくバカげた考えだと思っている。そう思うと気が楽になった。しかし、二人の道化ぶりを見るたび、ドラコ・マルフォイはいらいらし、ますます不機嫌になっていくようだった。

「そりゃ、ほんとうは自分なのだって、**言いたくてしょうがない**からさ」

ロンがわけ知り顔で言った。

「あいつ、ほら、どんなことだって、自分を負かすやつは憎いんだ。何しろ君は、やつの悪行の功績を全部自分のものにしてるわけだろ」

「長くはお待たせしないわ」ハーマイオニーが満足げに言った。「ポリジュース薬がまもなく完成よ。彼の口から真実を聞く日も近いわ」


とうとう学期が終わり、降り積もった雪と同じくらい深い静寂が城を包んだ。ハリーにとっては、憂鬱どころか安らかな日々だった。ハーマイオニーやウィーズリー兄弟たちと一緒に、グリフィンドール塔を思いどおりにできるのは楽しかった。誰にも迷惑をかけずに大きな音を出してトランプの「爆発スナップ」をしたり、密《ひそ》かに決闘の練習をした。フレッド、ジョージ、ジニーも、両親と一緒にエジプトにいる兄のビルを訪ねるより、学校に残るほうを選んだ。パーシーは「おまえたちの子供っぽい行動はけしからん」と、グリフィンドールの談話室にはあまり顔を出さなかった。「クリスマスに僕が居残るのは、この困難な時期に先生方の手助けをするのが、監督生としての義務だからだ」と、パーシーはもったいぶって説明していた。

クリスマスの朝が来た。寒い、真っ白な朝だった。寮の部屋にはハリーとロンしか残っていなかったが、朝早く起こされてしまった。二人分のプレゼントを持って、すっかり着替えをすませたハーマイオニーが、部屋に飛び込んできたのだ。

「起きなさい」

ハーマイオニーは窓のカーテンを開けながら、大声で呼びかけた。

「ハーマイオニー――君は男子寮に来ちゃいけないはずだよ」

ロンはまぶしそうに目を覆いながら言った。

「あなたにもメリークリスマスよ」ハーマイオニーは、ロンにプレゼントをポーンと投げながら言った。「私、もう一時間も前から起きて、煎じ薬にクサカゲロウを加えてたの。完成よ」

ハリーはとたんに目がパッチリ覚めて起き上がった。

「ほんと？」

「絶対よ」

ハーマイオニーはネズミのスキャバーズを脇に押しやって、自分がベッドの片隅に腰かけた。

「やるんなら、今夜だわね」

ちょうどその時、ヘドウィグがスイーッと部屋に入ってきた。くちばしにちっぽけな包みをくわえている。

「やあ」ベッドに降り立ったヘドウィグに、ハリーはうれしそうに話しかけた。「また僕と口をきいてくれるのかい？」

ヘドウィグはハリーの耳をやさしくかじった。そのほうが、運んできてくれた包みよりずっといい贈り物だった。包みはダーズリー一家からで、つまようじ一本とメモが入っており、メモには、夏休み中も学校に残れないかどうか聞いておけ、と書いてあった。

ほかのプレゼントはもっとずっとうれしいものばかりだった。ハグリッドは糖蜜ヌガーを大きな缶一杯贈ってくれた。ハリーはそれを火のそばに置いてやわらかくしてから食べることにした。ロンは、お気に入りのクィディッチ・チームのおもしろいことがあれこれ書いてある『キャノンズと飛ぼう』という本をくれた。ハーマイオニーは鷲《わし》羽根の豪華なペンをくれた。最後の包みを開くと、ウィーズリーおばさんからの新しい手編みのセーターと、大きなプラムケーキが出てきた。おばさんのクリスマスカードを飾りながら、ハリーの胸に新たな自責の念が押し寄せてきた――。ウィーズリーおじさんの車は「暴れ柳」に衝突して以来、行方が知れないし、その上、ロンと一緒にこれからひとしきり校則を破る計画を立てているのだ。


ホグワーツのクリスマス・ディナーだけは、何があろうと楽しい。たとえこれからポリジュース薬を飲むことを恐れていても、やっぱり楽しい。

大広間は豪華絢爛《けんらん》だった。霜に輝くクリスマスツリーが何本も立ち並び、柊《ひいらぎ》と宿木《やどりぎ》の小枝が、天井を縫うように飾られ、魔法で天井から温かく乾いた雪が降りしきっていた。ダンブルドアは、お気に入りのクリスマス・キャロルを二、三曲指揮し、ハグリッドは、エッグノッグをゴブレットでがぶ飲みするたびに、もともと大きい声がますます大きくなった。フレッドがいたずらして「監督生」のバッジの文字を「劣等生」に変えてしまったことに気がつかないパーシーは、みんながクスクス笑うたびに、どうして笑うのか聞いていた。マルフォイはスリザリンのテーブルのほうから、聞こえよがしにハリーの新しいセーターの悪口を言っていたが、ハリーは気にもとめなかった。うまくいけば、あと数時間でマルフォイは罪の報いを受けることになるのだ。

ハリーとロンが、まだクリスマス・プディングの三皿目を食べているのに、ハーマイオニーが二人を追い立てて大広間から連れ出し、今夜の計画の詰めに入った。

「これから変身する相手の一部分が必要なの」

ハーマイオニーは、まるで二人にスーパーに行って洗剤を買ってこいとでも言うように、こともなげに言った。

「当然、クラッブとゴイルから取るのが一番だわ。マルフォイの腰巾着だから、あの二人にだったらなんでも話すでしょうし。それと、マルフォイの取り調べをしてる最中に、本物のクラッブとゴイルが乱入するなんてことが絶対ないようにしておかなきゃ」

「私、みんな考えてあるの」

ハリーとロンが度肝を抜かれた顔をしているのを無視して、ハーマイオニーはすらすらと言った。そしてふっくらしたチョコレートケーキを二個差し出した。

「簡単な眠り薬を仕込んでおいたわ。あなたたちはクラッブとゴイルがこれを見つけるようにしておけば、それだけでいいの。あの二人がどんなに意地汚いか、ご存じのとおりだから、絶対食べるに決まってる。眠ったら、髪の毛を二、三本引っこ抜いて、それから二人を箒《ほうき》用の物置に隠すのよ」

ハリーとロンは大丈夫かなと顔を見合わせた。

「ハーマイオニー、僕、ダメなような――」

「それって、ものすごく失敗するんじゃ――」

しかし、ハーマイオニーの目には、厳格そのもののきらめきがあった。ときどきマクゴナガル先生が見せるあれだ。

「煎じ薬は、クラッブとゴイルの毛がないと役に立ちません」断固たる声だ。

「あなたたち、マルフォイを尋問したいの？　したくないの？」

「ああ、わかったよ。わかったよ」とハリーが言った。

「でも、君のは？　誰の髪の毛を引っこ抜くの？」

「私のはもうあるの！」

ハーマイオニーは高らかにそう言うと、ポケットから小瓶を取り出し、中に入っている一本の髪の毛を見せた。

「覚えてる？　決闘クラブで私と取っ組み合ったミリセント・ブルストロード。私の首をしめようとしたとき、私のローブにこれが残ってたの！　それに彼女、クリスマスで帰っちゃっていないし――だから、スリザリン生には、学校に戻ってきちゃったと言えばいいわ」

ハーマイオニーがポリジュース薬の様子を見にあわただしく出ていったあとで、ロンが運命に打ちひしがれたような顔でハリーを見た。

「こんなにしくじりそうなことだらけの計画って、聞いたことあるかい？」


ところが、作戦第一号はハーマイオニーの言ったとおりに、苦もなく進行した。これにはハリーもロンも驚嘆した。クリスマス・ディナーのあと、二人で誰もいなくなった玄関ホールに隠れ、クラッブとゴイルを待ち伏せした。スリザリンのテーブルに、たった二人残ったクラッブとゴイルは、デザートのトライフルの四皿目をガツガツたいらげていた。ハリーはチョコレートケーキを、階段の手すりの端にちょんとのせておいた。大広間からクラッブとゴイルが出てきたので、ハリーとロンは、正面の扉の脇に立っている鎧《よろい》の陰に急いで隠れた。

クラッブが大喜びでケーキを指差してゴイルに知らせ、二つとも引っつかんだのを見て、ロンが有頂天になってハリーにささやいた。

「あそこまでバカになれるもんかな？」

ニヤニヤとバカ笑いしながら、クラッブとゴイルはケーキを丸ごと大きな口に収めた。しばらくは二人とも、「もうけた」という顔で意地汚くもごもご口を動かしていた。それから、そのまんまの表情で、二人ともパタンと仰向けに床に倒れた。

一番難しいひと幕は、ホールの反対側にある物置に二人を隠すことだった。バケツやモップの間に二人を安全にしまい込んだあと、ハリーはゴイルの額を覆っているごわごわの髪を二、三本、えいっと引き抜いた。ロンは、クラッブの髪を数本引っこ抜いた。二人の靴も失敬した。何しろハリーたちの靴では、クラッブ、ゴイル・サイズの足には小さすぎるからだ。それから、自分たちのやり遂げたことがまだ信じられないまま、二人は嘆きのマートルのトイレへと全速力で駆けだした。

ハーマイオニーが大鍋をかき混ぜている小部屋から、もくもくと濃い黒い煙が立ち昇り、二人はほとんど何も見えなかった。ローブをたくし上げて鼻を覆いながら、二人は小部屋の戸をそっとたたいた。

「ハーマイオニー？」

かんぬきがはずれる音がして、ハーマイオニーが顔を輝かせ、待ちきれない様子で現れた。その後ろで、どろりと水あめ状になった煎じ薬がグツグツ、ゴボゴボ泡立つ音が聞こえた。便座にタンブラー・グラスが三つ用意されていた。

「取れた？」ハーマイオニーが息をはずませて聞いた。

ハリーはゴイルの髪の毛を見せた。

「けっこう。私のほうは、洗濯物置き場から、着替え用のローブを三着、こっそり調達しといたわ」

ハーマイオニーは小ぶりの袋を持ち上げて見せた。

「クラッブとゴイルになったときに、サイズの大きいのが必要でしょ」

三人は大鍋をじっと見つめた。近くで見ると、煎じ薬はどろりとした黒っぽい泥のようで、ボコッボコッとにぶく泡立っていた。

「すべて、まちがいなくやったと思うわ」

ハーマイオニーが、しみだらけの『最も強力な魔法薬』のページを神経質に読み返しながら言った。

「見た目もこの本に書いてあるとおりだし……。これを飲むと、また自分の姿に戻るまできっかり一時間よ」

「次はなんだい？」ロンがささやいた。

「薬を三杯に分けて、髪の毛をそれぞれ薬に加えるの」

ハーマイオニーがひしゃくでそれぞれのグラスに、どろりとした薬をたっぷり入れた。それから震える手で、小瓶に入ったミリセント・ブルストロードの髪を、自分のグラスに振り入れた。

煎じ薬はやかんのお湯が沸騰するようなシューシューという音を立て、激しく泡立った。次の瞬間、薬はむかむかするような黄色に変わった。

「おぇー——ミリセント・ブルストロードのエキスだ」

ロンが胸くそが悪いという目つきをした。

「きっとイヤーな味がするよ」

「さあ、あなたたちも加えて」ハーマイオニーがうながした。

ハリーはゴイルの髪を真ん中のグラスに落とし入れ、ロンも三つ目のグラスにクラッブのを入れた。二つともシューシューと泡立ち、ゴイルのは鼻くそのようなカーキ色、クラッブのはにごった暗褐色になった。

「ちょっと待って」

ロンとハーマイオニーがグラスを取り上げたとき、ハリーが止めた。

「三人一緒にここで飲むのはやめたほうがいい。クラッブやゴイルに変身したら、この小部屋に収まりきらないよ。それに、ミリセント・ブルストロードだって、とても小柄とは言えないんだから」

「よく気づいたな」ロンは戸を開けながら言った。「三人別々の小部屋にしよう」

ポリジュース薬を一滴もこぼすまいと注意しながら、ハリーは真ん中の小部屋に入り込んだ。

「いいかい？」ハリーが呼びかけた。

「いいよ」ロンとハーマイオニーの声だ。

「一……二の……三……」

鼻をつまんで、ハリーはゴックンとふた口で薬を飲み干した。煮込みすぎたキャベツのような味がした。とたんに、生きた蛇を何匹も飲み込んだみたいに内臓がよじれだした――吐き気がして、ハリーは体をくの字に折った――すると、焼けるような感触が胃袋からサーッと広がり、手足の指先まで届いた。

次に、息が詰まりそうになって、全身が溶けるような気持ちの悪さに襲われ、四つんばいになった。体中の皮膚が、熱で溶けるろうのように泡立ち、ハリーの目の前で手は大きくなり、指は太くなり、爪は横に広がり、拳がボルトのようにふくれ上がった。両肩はベキベキと広がって痛かったし、額はチクチクする感じで髪の毛が眉の所まで這《は》い下りてきたことがわかった。胸囲もひろがり、樽《たる》のタガが引きちぎられるようにハリーのローブを引き裂いた。足は四サイズも小さいハリーの靴の中でうめいていた。

始まるのも突然だったが、終わるのも突然だった。ハリーは冷たい石の床の上にうずくまったまま、一番奥の小部屋で嘆きのマートルが気難しげにゴボゴボ音を立てているのを聞いていた。ハリーはやっとこさ靴を脱ぎ捨てて、立ち上がった――そうか、ゴイルになるって、こういう感じだったのか。巨大な震える手で、ハリーは、くるぶしから三十センチほど上にぶら下がっている自分の服をはぎ取り、着替えのローブを上からかぶり、ゴイルのボートのような靴のひもをしめた。手を伸ばして目を覆っている髪をかき上げようとしたが、ごわごわの短い髪が額の下のほうにあるだけだった。目がよく見えなかったのはめがねのせいだったと気づいた。もちろんゴイルはめがねがいらない。ハリーはめがねをはずし、二人に呼びかけた。

「二人とも大丈夫？」

口から出てきたのは、ゴイルの低いしわがれ声だった。

「ああ」

右のほうからクラッブの唸《うな》るような低音が聞こえた。

ハリーは戸のかんぬきを開け、ひび割れた鏡の前に進み出た。ゴイルが、くぼんだどんよりまなこでハリーを見つめ返していた。ハリーが耳をかくとゴイルもかいた。

ロンの戸が開いた。二人は互いにじろじろ見た。ちょっと青ざめてショックを受けた様子を別にすれば、お椀《わん》カットの髪型もゴリラのように長い手も、ロンはクラッブそのものだった。

「おっどろいたなあ」鏡に近寄り、クラッブのペチャンコの鼻をつっつきながらロンがくり返し言った。「**おっどろいたなあ**」

「急いだほうがいい」ハリーはゴイルの太い手首に食い込んでいる腕時計のベルトをゆるめながら言った。「スリザリンの談話室がどこにあるか見つけないと。誰かのあとをつけられればいいんだけど……」

ハリーをじっと見つめていたロンが言った。

「ねえ、ゴイルがなんか**考えてる**のって気味悪いよな」

ロンはハーマイオニーの戸をドンドンたたいた。

「出てこいよ。行かなくちゃ……」

かん高い声が返ってきた。

「私――私行けないと思うわ。二人だけで行って」

「ハーマイオニー、ミリセント・ブルストロードがブスなのはわかってるよ。誰も君だってこと、わかりゃしない」

「ダメ――ほんとにダメ――行けないわ。二人とも急いで。時間をむだにしないで」

ハリーは当惑してロンを見た。

「**その目つき**のほうがゴイルらしいや」ロンが言った。

「先生がやつに質問すると、必ずそんな目をする」

「ハーマイオニー、大丈夫なの？」ハリーがドア越しに声をかけた。

「大丈夫……私は大丈夫だから……行って――」

ハリーは腕時計を見た。貴重な六十分のうち、五分もたってしまっていた。

「あとでここで会おう。いいね？」ハリーが言った。

ハリーとロンはトイレの入口の戸をそろそろと開け、周りに誰もいないことを確かめてから出発した。

「腕をそんなふうに振っちゃダメだよ」ハリーがロンにささやいた。

「えっ？」

「クラッブって、こんなふうに腕を突っ張ってる……」

「こうかい？」

「うん、そのほうがいい」

二人は大理石の階段を下りていった。あとは、誰かスリザリン生が来れば、談話室までついていけばいい。しかし、誰もいない。

「何かいい考えはない？」ハリーがささやいた。

「スリザリン生は朝食のとき、いつもあの辺から現れるな」

ロンは地下牢《ろう》への入口あたりをあごでしゃくった。その言葉が終わらないうちに、長い巻き毛の女子生徒が、その入口から出てきた。

「すみません」ロンが急いで彼女に近寄った。「僕たちの談話室への道を忘れちゃった」

「なんですって？」そっけない言葉が返ってきた。「**僕たち**の談話室ですって？　私、**レイブンクロー**よ」

女子生徒はうさんくさそうに二人を振り返りながら立ち去った。

ハリーとロンは急いで石段を下りていった。下は暗く、クラッブとゴイルのデカ足が床を踏むので足音がひときわ大きくこだました――思ったほど簡単じゃない――二人はそう感じていた。

迷路のような廊下には人影もなかった。二人は、あと何分あるかとしょっちゅう時間を確認しながら、奥へ奥へと学校の地下深く入っていった。十五分も歩いて、二人があきらめかけたとき、急に前のほうで何か動く音がした。

「オッ！」ロンが勇み立った。「今度こそ連中の一人だ！」

脇の部屋から誰か出てきた。しかし、急いで近寄ってみると、がっくりした。スリザリン生ではなく、パーシーだった。

「こんな所でなんの用だい？」ロンが驚いて聞いた。

パーシーはむっとした様子だ。そっけない返事をした。

「そんなこと、君の知ったことじゃない。そこにいるのはクラッブだな？」

「エ――あぁ、ウン」ロンが答えた。

「それじゃ、自分の寮に戻りたまえ」パーシーが厳しく言った。「このごろは暗い廊下をうろうろしていると危ない」

「**自分は**どうなんだ」とロンがつっついた。

「僕は」パーシーは胸を張った。「監督生だ。**僕を**襲うものは何もない」

突然、ハリーとロンの背後から声が響いた。ドラコ・マルフォイがこっちへやってくる。ハリーは生まれて初めて、ドラコに会えてうれしいと思った。

「おまえたち、こんな所にいたのか」

マルフォイが二人を見て、いつもの気取った言い方をした。

「二人とも、いままで大広間でバカ食いしていたのか？　ずっと探していたんだ。すごくおもしろいものを見せてやろうと思って」

マルフォイはパーシーを威圧するようににらみつけた。

「ところで、ウィーズリー、こんな所でなんの用だ？」マルフォイがせせら笑った。

パーシーはカンカンになった。

「監督生に少しは敬意を示したらどうだ！　君の態度は気にくわん！」

マルフォイはフンと鼻であしらい、ハリーとロンについてこいと合図した。ハリーはもう少しでパーシーに謝りそうになったが、危うく踏みとどまった。二人はマルフォイのあとに続いて急いだ。角を曲がって次の廊下に出るとき、マルフォイが言った。

「あのピーター・ウィーズリーのやつ――」

「パーシー」思わずロンが訂正した。

「なんでもいい」とマルフォイ。

「あいつ、どうもこのごろかぎ回っているようだ。何が目的なのか、僕にはわかってる。スリザリンの継承者を、一人で捕まえようと思ってるんだ」

マルフォイはあざけるように短く笑った。ハリーとロンはドキドキして目と目を見交わした。

湿ったむき出しの石が並ぶ壁の前でマルフォイは立ち止まった。

「新しい合言葉はなんだったかな？」マルフォイはハリーに聞いた。

「えーと――」

「あ、そうそう――**純血！**」マルフォイは答えも聞かずに合言葉を言った。壁に隠された石の扉がするすると開いた。マルフォイがそこを通り、ハリーとロンがそれに続いた。

スリザリンの談話室は、天井の低い細長い地下室で、壁と天井は粗削りの石造りだった。天井から丸い緑がかったランプが鎖で吊《つ》るしてある。前方の壮大な彫刻をほどこした暖炉ではパチパチと火がはじけ、その周りに、彫刻入りの椅子に座ったスリザリン生の影がいくつか見えた。

「ここで待っていろ」

マルフォイは暖炉から離れた所にあるからの椅子を二人に示した。

「いま持ってくるよ――父上が僕に送ってくれたばかりなんだ――」

いったい何を見せてくれるのかといぶかりながら、ハリーとロンは椅子に座り、できるだけくつろいだふうを装った。

マルフォイはまもなく戻ってきた。新聞の切り抜きのようなものを持っている。それをロンの鼻先に突き出した。

「これは笑えるぞ」マルフォイが言った。

ハリーはロンが驚いて目を見開いたのを見た。ロンは切り抜きを急いで読み、無理に笑ってそれをハリーに渡した。

「日刊予言者新聞」の切り抜きだった。

魔法省での尋問
マグル製品不正使用取締局局長のアーサー・ウィーズリー氏は、マグルの自動車に魔法をかけたかどで、今日、金貨五十ガリオンの罰金を言い渡された。

ホグワーツ魔法魔術学校の理事の一人、ルシウス・マルフォイ氏は、今日、ウィーズリー氏の辞任を要求した。なお、問題の車は先ごろ前述の学校に墜落している。

「ウィーズリーは魔法省の評判をおとしめた」マルフォイ氏は当社の記者にこう語った。「彼は我々の法律を制定するにふさわしくないことは明らかで、彼の手になるばかばかしい『マグル保護法』はただちに廃棄すべきである」

ウィーズリー氏のコメントは取ることができなかったが、彼の妻は記者団に対し、「とっとと消えないと、家《うち》の屋根裏お化けをけしかけるわよ」と発言した。


「どうだ?」

ハリーが切り抜きを返すと、マルフォイは待ちきれないように答えをうながした。

「おかしいだろう?」

「ハッ、ハッ」ハリーは沈んだ声で笑った。

「アーサー・ウィーズリーはあれほどマグルびいきなんだから、杖《つえ》を真っ二つにへし折ってマグルの仲間に入ればいい」

マルフォイはさげすむように言った。

「ウィーズリーの連中の行動を見てみろ。ほんとに純血かどうか怪しいもんだ」

ロンの――いや、クラップの――顔が怒りでゆがんだ。

「クラップ、どうかしたか？」マルフォイがぶっきらぼうに聞いた。

「腹が痛い」ロンがうめいた。

「ああ、それなら医務室に行け。あそこにいる『穢れた血』の連中を、僕からだと言って蹴っ飛ばしてやれ」

マルフォイがクスクス笑いながら言った。

「それにしても、『日刊予言者新聞』が、これまでの事件をまだ報道していないのには驚くよ」

マルフォイが考え深げに話し続けた。

「たぶん、ダンブルドアが口止めしてるんだろう。こんなことがすぐにもおしまいにならないと、彼はクビになるよ。父上は、ダンブルドアがいることが、この学校にとって最悪の事態だと、いつもおっしゃっている。彼はマグルびいきだ。きちんとした校長なら、あんなクリービーみたいなくずのおべんちゃらを、絶対入学させたりはしない」

マルフォイはカメラをかまえて写真を撮る格好をし、コリンそっくりの残酷なものまねをしはじめた。

「ポッター、写真を撮ってもいいかい？　ポッター、サインをもらえるかい？　君の靴をなめてもいいかい？　ポッター？」

マルフォイは手をぱたりと下ろしてハリーとロンを見た。

「二人とも、**いったい**どうしたんだ？」

もう遅すぎたが、二人は無理やり笑いをひねり出した。それでもマルフォイは満足したようだった。

たぶん、クラッブもゴイルもいつもこれくらい鈍いのだろう。

「聖ポッター、『穢れた血』の友」

マルフォイはゆっくりと言った。

「あいつもやっぱりまともな魔法使いの感覚を持っていない。そうでなければあの身のほど知らずのグレンジャー、ハーマイオニーなんかとつき合ったりしないはずだ。それなのに、みんなが**あいつを**スリザリンの継承者だなんて考えている！」

ハリーとロンは息を殺して待ちかまえた。あとちょっとでマルフォイは自分がやったと口を割る。しかし、その時――。

「いったい**誰が**継承者なのか僕が知ってたらなあ」

マルフォイがじれったそうに言った。

「手伝ってやれるのに」

ロンはあごがカクンと開いた。クラッブの顔がいつもよりもっと愚鈍に見えた。幸いマルフォイは気づかない。ハリーはすばやく質問した。

「誰が陰で糸を引いてるのか、君に考えがあるんだろう……」

「いや、ない。ゴイル、何度も同じことを言わせるな」マルフォイが短く答えた。

「それに、父上は前回『部屋』が開かれたときのことも、**まったく**話してくださらない。もっとも五十年前だから、父上の前の時代だ。でも、父上はすべてご存じだし、すべてが沈黙させられているから、僕がそのことを知りすぎていると怪しまれるとおっしゃるんだ。でも、一つだけ知っている。この前『秘密の部屋』が開かれたとき、『穢れた血』が一人**死んだ**。だから、今度も時間の問題だ。あいつらのうち誰かが殺される。グレンジャーだといいのに」

マルフォイは小気味よさそうに言った。

ロンはクラッブの巨大な拳を握りしめていた。ロンがマルフォイにパンチを食らわしたら、正体がばれてしまう、とハリーは目で警戒信号を送った。

「前に『部屋』を開けた者が捕まったかどうか、知ってる？」ハリーが聞いた。

「ああ、うん……誰だったにせよ、追放された」とマルフォイが答えた。

「たぶん、まだアズカバンにいるだろう」

「アズカバン？」ハリーはキョトンとした。

「アズカバン——**魔法使いの牢獄《ろうごく》**だ」マルフォイは信じられないという目つきでハリーを見た。

「まったく、ゴイル、おまえがこれ以上ウスノロだったら、後ろに歩きはじめるだろうよ」

「父上は、僕は目立たないようにして、スリザリンの継承者にやるだけやらせておけっておっしゃる。この学校には『穢れた血』の粛清が必要だって。でも関わり合いになるなって。もちろん、父上はいま、自分のほうも手一杯なんだ。ほら、魔法省が先週、僕たちの館を立入検査しただろう？」

マルフォイは椅子に座ったまま落ち着かない様子で体を揺すった。

ハリーはゴイルの鈍い顔をなんとか動かして心配そうな表情をした。

「そうなんだ……」とマルフォイ。

「幸い、たいしたものは見つからなかったけど。父上は**非常に**貴重な闇の魔術の道具を持っているんだ。応接間の床下にわが家の『秘密の部屋』があって——」

「ホー！」ロンが言った。

マルフォイがロンを見た。ハリーも見た。ロンが赤くなった。髪の毛まで赤くなった。鼻もだんだん伸びてきた——時間切れだ。ロンは自分に戻りつつあった。ハリーを見るロンの目に急に恐怖の色が浮かんだのは、ハリーもそうだからにちがいない。

二人は大急ぎで立ち上がった。

「胃薬だ」ロンがうめいた。二人は振り向きもせず、スリザリンの談話室を端から端まで一目散に駆け抜け、石の扉に猛然と体当たりし、廊下を全力疾走した。——何とぞマルフォイがなんにも気づきませんように——と二人は祈った。ハリーはゴイルのダボ靴の中で足がずるずるすべるのを感じたし、体が縮んでいくので、ローブをたくし上げなければならなかった。二人は階段をドタバタと駆け上がり、暗い玄関ホールにたどり着いた。クラッブとゴイルを閉じ込めて鍵をかけた物置の中から、激しくドンドンと戸をたたくこもった音がしている。物置の戸の外側に靴を置き、ソックスのまま全速力で大理石の階段を上り、二人は嘆きのマートルのトイレに戻った。

「まあ、まったく時間のむだにはならなかったよな」ロンがゼイゼイ息を切らしながら、トイレの中からドアを閉めた。

「襲っているのが誰なのかはまだわからないけど、明日、パパに手紙を書いてマルフォイの応接間の床下を調べるように言おう」

ハリーはひび割れた鏡で自分の顔を調べた。普段の顔に戻っていた。めがねをかけていると、ロンがハーマイオニーの入っている小部屋の戸をドンドンたたいていた。

「ハーマイオニー、出てこいよ。僕たち君に話すことが山ほどあるんだ——」

「帰って！」ハーマイオニーが叫んだ。

ハリーとロンは顔を見合わせた。

「どうしたんだい？」ロンが聞いた。「もう元の姿に戻ったはずだろ。僕たちは……」

嘆きのマートルが急にスルリとその小部屋の戸から出てきた。こんなにうれしそうなマートルを、ハリーは初めて見た。

「オォォォォォー。見てのお楽しみ」マートルが言った「**ひどいから！**」

かんぬきが横にすべる音がして、ハーマイオニーが出てきた。しゃくりあげ、頭のてっぺんまでローブを引っ張り上げている。

「どうしたんだよ？」ロンがためらいながら聞いた。「ミリセントの鼻かなんか、まだくっついてるのかい？」

ハーマイオニーはローブを下げた。ロンがのけぞって手洗い台にはまった。

ハーマイオニーの顔は黒い毛で覆われ、目は黄色に変わっていたし、髪の毛の中から、長い三角耳が突き出していた。

「あれ、ね、猫の毛だったの！」ハーマイオニーが泣きわめいた。「ミ、ミリセント・ブルストロードは猫を飼ってたに、ち、ちがいないわ！　それに、このせ、煎じ薬は動物変身に使っちゃいけないの！」

「う、ぁ」とロン。

「あんた、**ひどーく**からかわれるわよ」マートルはうれしそうだ。

「大丈夫だよ、ハーマイオニー」ハリーは即座に言った。「医務室に連れていってあげるよ。マダム・ポンフリーはうるさく追及しない人だし……」

ハーマイオニーにトイレから出るよう説得するのに、ずいぶん時間がかかった。嘆きのマートルがゲラゲラ大笑いして三人をあおりたて、マートルの言葉に追われるように、三人は足を速めた。

「みんながあんたの**しっぽ**を見つけて、なーんて言うかしらー！」

第13章　重大秘密の日記

ハーマイオニーは数週間医務室に泊まった。クリスマス休暇を終えて戻ってきた生徒たちは、当然、誰もがハーマイオニーは襲われたと思ったので、彼女の姿が見えないことで、さまざまなうわさが乱れ飛んだ。ちらりとでも姿を見ようと、医務室の前を入れ代わり立ち代わり、往《い》き来するので、マダム・ポンフリーは、毛むくじゃらの顔が人目に触れたら恥ずかしいだろうと、またいつものカーテンを取り出して、ハーマイオニーのベッドの周りを囲った。

ハリーとロンは毎日夕方に見舞いにいった。新学期が始まってからは、毎日その日の宿題を届けた。

「ひげが生えてきたりしたら、僕なら勉強は休むけどなあ」

ある夜ロンは、ハーマイオニーのベッドの脇机に、本をひと抱えドサドサと落としながら言った。

「バカなこと言わないでよ、ロン。遅れないようにしなくちゃ」元気な答えだ。

顔の毛がきれいさっぱりなくなり、目も少しずつ褐色に戻ってきていたので、ハーマイオニーの気分もずいぶん前向きになっていた。

「何か新しい手がかりはないの？」

マダム・ポンフリーに聞こえないようにハーマイオニーが声をひそめた。

「なんにも」ハリーは憂鬱な声を出した。

「**絶対**マルフォイだと思ったのになぁ」ロンはその言葉をもう百回はくり返していた。

「それ、なあに？」

ハーマイオニーの枕の下から何か金色のものがはみ出しているのを見つけて、ハリーがたずねた。

「ただのお見舞いカードよ」

ハーマイオニーが慌てて押し込もうとしたが、ロンがそれよりすばやく引っ張り出し、サッと広げて声に出して読んだ。

ミス・グレンジャーへ、早くよくなるようお祈りしています。
貴女のことを心配しているギルデロイ・ロックハート教授より
勲三等マーリン勲章、闇の力に対する防衛術連盟名誉会員、
『週刊魔女』五回連続チャーミング・スマイル賞受賞

ロンがあきれはててハーマイオニーを見た。

「君、こんなもの、**枕**の下に入れて寝ているのか?」

しかし、マダム・ポンフリーが夜の薬を持って威勢よく入ってきたので、ハーマイオニーは言い逃れをせずにすんだ。

「ロックハートって、おべんちゃらの最低なやつ!　だよな?」

医務室を出て、グリフィンドール塔へ向かう階段を上りながら、ロンがハリーに言った。

スネイプはものすごい量の宿題を出していたので、やり終える前に六年生になってしまうかもしれない、とハリーは思った。「髪を逆立てる薬」にはネズミのしっぽを何本入れたらいいのかハーマイオニーに聞けばよかった、とロンが言ったちょうどその時、上の階で誰かが怒りを爆発させている声が聞

こえてきた。

「あれはフィルチだ」とハリーがつぶやいた。

二人は階段を駆け上がり、立ち止まって身を隠し、じっと耳を澄ました。

「誰かまた、襲われたんじゃないよな?」ロンは緊張した。

その場から動かずに、首だけを声の方向に傾けていると、フィルチのヒステリックな声が聞こえた。

「**……またよけいな仕事ができた! ひと晩中モップをかけるなんて。これでもまだ働き足りんとでも言うのか。たくさんだ。堪忍袋の緒が切れた。ダンブルドアの所に行くぞ……**」

足音がだんだん小さくなり、遠くのほうでドアの閉まる音がした。

二人は廊下の曲がり角から首を突き出した。フィルチがいつもの所に陣取って見張りをしていたことは明らかだ。二人はまたしてもミセス・ノリスが襲われたあの場所に来ていた。なぜフィルチが大声を上げていたのか、ひと目でわかった。おびただしい水が、廊下の半分を水浸しにし、その上、嘆きのマートルのトイレのドアの下からまだもれ出しているようだ。フィルチのどなる声が聞こえなくなったので、今度はマートルの泣き叫ぶ声がトイレの壁にこだましているのが聞こえた。

「マートルに**今度はいったい**何があったんだろう?」ロンが言った。

「行ってみよう」

ハリーはローブのすそをくるぶしまでたくし上げ、水でぐしょぐしょの廊下を横切り、トイレの「故障中」の掲示をいつものように無視して、ドアを開け、中へ入っていった。

嘆きのマートルはいつもよりいっそう大声で——そんな大声が出せるならの話だが——激しく泣きわめいていた。マートルはいつもの便器の中に隠れているようだ。大量の水があふれて床や壁がびっしょりとぬれたせいで、ろうそくが消え、トイレの中は暗かった。

「どうしたの？　マートル」ハリーが聞いた。

「誰なの？」

マートルは哀れっぽくゴボゴボと言った。

「また何か、わたしに投げつけにきたの？」

ハリーは水たまりを渡り、奥の小部屋まで行き、マートルに話しかけた。

「どうして僕が君に何かを投げつけたりすると思うの？」

「わたしに聞かないでよ」

マートルはそう叫ぶと、またもや大量の水をこぼしながら姿を現した。水浸しの床がさらに水をかぶった。

「わたし、ここで誰にも迷惑をかけずに過ごしているのに、わたしに本を投げつけておもしろがる人がいるのよ……」

「だけど、何かを君にぶつけても、痛くないだろう？　君の体を通り抜けていくだけじゃないの？」

ハリーは理屈に合ったことを言った。

それが大きなまちがいだった。マートルは、わが意を得たりとばかりにふくれ上がってわめいた。

「さあ、マートルに本をぶっつけよう！　大丈夫、あいつは感じないんだから！　腹に命中すれば一〇点！　頭を通り抜ければ五〇点！　そうだ、ハ、ハ、ハ！　なんてゆかいなゲームだ――。**どこが**ゆかいだっていうのよ！」

「いったい誰が投げつけたの？」ハリーがたずねた。

「知らないわ……U字溝の所に座って、死について考えていたの。そしたら頭のてっぺんを通って、落ちてきたわ」

マートルは二人をにらみつけた。

「そこにあるわ。わたし、流し出してやった」

マートルが指差す手洗い台の下を、ハリーとロンは探してみた。小さな薄い本が落ちていた。ぼろぼろの黒い表紙が、トイレの中のほかのものと同じようにびしょぬれだった。ハリーは本を拾おうと一歩踏み出したが、ロンがあわてて腕を伸ばし、ハリーを止めた。

「なんだい？」とハリー。

「気は確かか？　危険かもしれないのに」とロン。

「**危険？**　よせよ。なんでこんなのが危険なんだい？」ハリーは笑いながら言った。

「見かけによらないんだ」ロンは、不審げに本を見ていた。

「魔法省が没収した本の中には――パパが話してくれたんだけど――目を焼いてしまう本があるんだって。それとか、『魔法使いのソネット（十四行詩）』を読んだ人はみんな、死ぬまでバカバカしい詩の口調でしかしゃべれなくなったり。それにバース市の魔法使いの老人が持ってた本は、読みだすと**絶対やめられないんだ！**　本に没頭したっきりで歩き回り、何をするにも片手でしなきゃならなくなるんだって。それから――」

「もういいよ、わかったよ」ハリーが言った。

床に落ちている小さな本は、水浸しで、何やら得体が知れなかった。

「だけど、見てみないと、どんな本かわからないだろう」

ハリーは、ロンの制止をヒョイとかわして、本を拾い上げた。

それは日記だった。ハリーにはひと目でわかった。表紙の文字は消えかけているが、五十年前のものだとわかる。ハリーはすぐに開けてみた。最初のページに名前がやっと読み取れる。

――T・M・リドル――。

インクがにじんでいる。

「ちょっと待ってよ」

用心深く近づいてきたロンが、ハリーの肩越しにのぞき込んだ。

「この名前、知ってる……T・M・リドル。五十年前、学校から『特別功労賞』をもらったんだ」

「どうしてそんなことまで知ってるの?」ハリーは感心した。

「だって、処罰を受けたとき、フィルチに五十回以上もこいつの盾を磨かされたんだ」

ロンは恨みがましく言った。

「ナメクジのゲップを引っかけちゃった、あの盾だよ。名前の所についたあのねとねとを一時間も磨いてりゃ、いやでも名前を覚えるさ」

ハリーはぬれたページをはがすようにそっとめくっていった。何も書かれていなかった。どのページにも、何か書いたような形跡がまったくなかった。たとえば、「メイベルおばさんの誕生日」とか、「歯医者三時半」とかさえない。

「この人、日記になんにも書かなかったんだ」ハリーはがっかりした。

「誰かさんは、どうしてこれをトイレに流してしまいたかったんだろう……?」ロンが興味深げに言った。

裏表紙を見ると、ロンドンのボグゾール通りの新聞・雑誌店の名前が印刷してあるのが、ハリーの目にとまった。

「この人、マグル出身にちがいない。ボグゾール通りで日記を買ってるんだから……」ハリーは考え深げに言った。

「どっちみち、君が持ってても役に立ちそうにないよ」

そう言ったあとでロンは声を低くした。

「マートルの鼻に命中すれば五〇点」

だが、ハリーはそれをポケットに入れた。


二月の初めには、ハーマイオニーがひげなし、しっぽなし、顔の毛もなしになって退院した。グリフィンドール塔に帰ってきたその夜、ハリーはT・M・リドルの日記を見せ、それを見つけたときの様子を話した。

「うわー、もしかしたら何か隠れた魔力があるのかもよ」

ハーマイオニーは興味津々で、日記を手に取って、詳細に調べた。

「魔力を隠してるとしたら、完璧に隠しきってるよ。恥ずかしがり屋かな。ハリー、そんなもの、なんで捨ててしまわないのか、僕にはわからないな」

「誰かがどうしてこれを**捨てようとしたのか**、それが知りたいんだよ」ハリーは答えた。

「リドルがどうして、『ホグワーツ特別功労賞』をもらったかも知りたいし」

「そりゃ、なんでもありさ。O・W・L《ふくろう》の試験で三十科目も受かったとか、大イカに捕まった先生を救ったとか。極端な話、もしかしたらマートルを死なせてしまったのかもしれないぞ。それがみんなのためになったとか……」

しかしハリーは、じっと考え込んでいるハーマイオニーの表情から、自分と同じことを考えているのがわかった。

「なんだよ?」その二人の顔を交互に見ながらロンが言った。

「ほら、『秘密の部屋』は五十年前に開けられただろう？」ハリーが言った。「マルフォイがそう言ったよね」

「ウーン……」ロンはまだ飲み込めていない。

「そして、**この日記**は五十年前のものなのよ」

ハーマイオニーが興奮してトントンと日記をたたいた。

「それが？」

「なによ、ロン。目を覚ましなさい」

ハーマイオニーがピシャリと言った。

「『秘密の部屋』を開けた人が**五十年前に**学校から追放されたことは知ってるでしょう。T・M・リドルが**五十年前**『特別功労賞』をもらったことも知ってるでしょう。それなら、もしリドルが**スリザリンの継承者を捕まえた**ことで、賞をもらったとしたらどう？　この日記はすべてを語ってくれるかもしれないわ。『部屋』がどこにあるのか、どうやって開けるのか、その中にどんな生き物がすんでいるのか。今回の襲撃事件の背後にいる人物にとっては、日記がその辺に転がってたら困るでしょ？」

「そいつは**すばらしい論理**だよ、ハーマイオニー」

ロンが混ぜっ返した。

「だけど、ほんのちょっと、ちっちゃな穴がある。**日記にはなーんも書かれていなーい**」

しかし、ハーマイオニーは鞄《かばん》の中から杖《つえ》を取り出した。

「透明インクかもしれないわ！」ハーマイオニーはつぶやいた。

日記を三度軽くたたき「**アパレシウム！　現れよ！**」と唱えた。

何事も起きない。だがハーマイオニーはひるむことなく、鞄の中にぐいっと手を突っ込み、真っ赤な消しゴムのようなものを取り出した。

「『現れゴム』よ。ダイアゴン横丁で買ったの」

一月一日のページをゴシゴシこすった。何も起こらない。

「だから言ってるじゃないか。何も見つかるはずないよ」ロンが言った。

「リドルはクリスマスに日記帳をもらったけど、何も書く気がしなかったんだ」


なぜリドルの日記を捨ててしまわないのか、ハリーは自分でもうまく説明できなかった。何も書いてないことは**百も承知**なのに、ふと気がつくとハリーはなにげなく日記を取り上げて、白紙のページをめくっていることが多かった。まるで最後まで読み終えてしまいたい物語か何かのように。T・M・リドルという名前は、一度も聞いたことがないのに、なぜか知っているような気がした。リドルが小さいときの友達で、ほとんど記憶のかなたに行ってしまった名前のような気さえした。しかし、そんなことはありえない。ホグワーツに来る前は、誰一人友達などいなかった。ダドリーのせいで、それだけは確かだ。

それでも、ハリーはリドルのことをもっと知りたいと、強くそう願った。そこで次の日、休み時間に、リドルの「特別功労賞」を調べようと、トロフィー・ルームに向かった。興味津々のハーマイオニーと、「あの部屋は、もう一生見たくないぐらい充分見た」という不承不承のロンも一緒だった。

リドルの金色の盾は、ピカピカに磨かれ、部屋の隅の飾り棚の奥のほうに収まっていた。なぜそれが与えられたのか、詳しいことは何も書かれていない（「そのほうがいいんだ。何か書いてあったら、盾がもっと大きくなるから、きっと僕はいまでもこれを磨いてただろうよ」とロンが言った）。リドルの名前は「魔術優等賞」の古いメダルと、首席名簿の中にも見つかった。

「パーシーみたいなやつらしいな」

ロンは鼻にしわを寄せ、むかついたような言い方をした。

「監督生、首席――たぶんどの科目でも一番か」

「なんだかそれが悪いことみたいな言い方ね」

ハーマイオニーが少し傷ついたような声で言った。


淡い陽光がホグワーツを照らす季節が再びめぐってきた。城の中には、わずかに明るいムードが漂いはじめた。ジャスティンとほとんど首無しニックの事件以来、誰も襲われてはいなかったし、マンドレイクが情緒不安定で隠し事をするようになったと、マダム・ポンフリーがうれしそうに報告した。急速に思春期に入るところだというわけだ。

「にきびがきれいになくなったら、すぐ二度目の植え替えの時期ですからね。そのあとは、刈り取って、とろ火で煮るまで、もうそんなに時間はかかりません。ミセス・ノリスはもうすぐ戻ってきますよ」

ある日の午後、マダム・ポンフリーがフィルチにやさしくそう言っているのを、ハリーは耳にした。

おそらくスリザリンの継承者は、腰くだけになったんだろう、とハリーは考えた。学校中がこんなに神経をとがらせて警戒している中で、「秘密の部屋」を開けることはだんだん危険になってきたにちがいない。どんな怪物かは知らないが、いまや静かになって、再び五十年の眠りについたのかもしれない……。

ハッフルパフのアーニー・マクミランは、そんな明るい見方はしていなかった。いまだにハリーが犯人だと確信していたし、決闘クラブでハリーが正体を現したのだと信じていた。

ピーブズも状況を悪くする一方だ。人が大勢いる廊下にポンと現れ、「オー、ポッター、いやなやつだー……」といまや歌に合わせた振り付けで踊る始末だった。

ギルデロイ・ロックハートは、自分が襲撃事件をやめさせたと考えているらしかった。グリフィンドール生が、変身術の教室の前で列を作って待っているときに、ロックハートがマクゴナガル先生にそう言っているのを、ハリーは小耳にはさんだ。

「ミネルバ、もうやっかいなことはないと思いますよ」

わけ知り顔にトントンと自分の鼻をたたき、ウィンクしながらロックハートが言った。

「今度こそ、部屋は永久に閉ざされましたよ。犯人は、私《わたくし》に捕まるのは時間の問題だと観念したのでしょう。私にコテンパンにやられる前にやめたとは、なかなか利口ですな」

「そう、いま、学校に必要なのは、気分を盛り上げることですよ。先学期のいやな思い出を一掃しましょう！　いまはこれ以上申し上げませんけどね、まさにこれだ、という考えがあるんですよ……」

ロックハートはもう一度鼻をたたいて、すたすた歩き去った。

ロックハートの言う気分盛り上げが何か、二月十四日の朝食時に明らかになった。前夜遅くまでクィディッチの練習をしていたハリーは、寝不足のまま、少し遅れて大広間に着いた。一瞬、これは部屋をまちがえた、と思った。

壁という壁がけばけばしい大きなピンクの花で覆われ、おまけに、淡いブルーの天井からはハート形の紙吹雪が舞っていた。グリフィンドールのテーブルに行くと、ロンが吐き気をもよおしそうな顔をして座っていた。ハーマイオニーは、クスクス笑いを抑えきれない様子だった。

「これ、何事？」

ハリーはテーブルにつき、ベーコンから紙吹雪を払いながら二人に聞いた。

ロンが口をきくのもアホらしいという顔で、先生たちのテーブルを指差した。部屋の飾りにマッチした、けばけばしいピンクのローブを着たロックハートが、手を挙げて「静粛に」と合図しているところだった。ロックハートの両側に並ぶ先生たちは、石のように無表情だった。ハリーの席から、マクゴナガル先生のほおがヒクヒクけいれんするのが見え、スネイプときたら、たったいま誰かに、大ビーカーになみなみと「骨生え薬」を飲まされたばかりという顔をしていた。

「バレンタインおめでとう！」ロックハートは叫んだ。

「いままでのところ四十六人のみなさんが私にカードをくださいました。ありがとう！　そうです、みなさんをちょっと驚かせようと、私がこのようにさせていただきました――しかも、これがすべてではありませんよ！」

ロックハートがポンと手をたたくと、玄関ホールに続くドアから、無愛想な顔をした小人が十二人ぞろぞろ入ってきた。それもただの小人ではない。ロックハートが全員に金色の翼をつけ、ハープを持たせていた。

「私の愛すべき配達キューピッドです！」

ロックハートがニッコリ笑った。

「今日は学校中を巡回して、みなさんのバレンタイン・カードを配達します。そしてお楽しみはまだまだこれからですよ！　先生方もこのお祝いのムードにはまりたいと思っていらっしゃるはずです！　さあ、スネイプ先生に『愛の妙薬』の作り方を見せてもらってはどうです！　ついでに、フリットウィック先生ですが、『魅惑の呪文』について、私が知っているどの魔法使いよりもよくご存じです。そしらぬ顔して憎いですね！」

フリットウィック先生はあまりのことに両手で顔を覆い、スネイプのほうは、「『愛の妙薬』をもらいにきた最初のやつには毒薬を無理やり飲ませてやる」という顔をしていた。

「ハーマイオニー、頼むよ。君まさか、その四十六人に入ってないだろうな」

大広間から最初の授業に向かうとき、ロンが聞いた。ハーマイオニーは急に、時間割はどこかしらと、鞄の中を夢中になって探しはじめ、答えようとしなかった。

小人たちは一日中教室に乱入し、バレンタイン・カードを配って、先生たちをうんざりさせた。午後も遅くなって、グリフィンドール生が呪文学の教室に向かって階段を上がっているとき、小人がハリーを追いかけてきた。

「オー、あなたにです！　アリー・ポッター」

とびきりしかめっ面の小人がそう叫びながら、人の群れをひじで押しのけてハリーに近づいた。

一年生が並んでいる真ん前で、しかもジニー・ウィーズリーもたまたまその中にいるのに、カードを渡されたらたまらないと、全身カーッと熱くなったハリーは、逃げようとした。

ところが小人は、そこいら中の人のむこうずねを蹴っ飛ばして、ハリーがほんの二歩も歩かないうちに前に立ちふさがった。

「アリー・ポッターに、じきじきにお渡しししたい歌のメッセージがあります」と、小人はまるで脅かすようにハープをビュンビュンかき鳴らした。

「**ここじゃダメだよ**」ハリーは逃げようとして、歯を食いしばって言った。

「**動くな！**」小人は鞄をがっちりつかまえてハリーを引き戻し、唸《うな》るように言った。

「放して！」ハリーが鞄をぐいっと引っ張り返しながらどなった。

ビリビリと大きな音がして、ハリーの鞄は真っ二つに破れた。本、杖、羊皮紙、羽根ペンが床に散らばり、インクつぼが割れて、その上に飛び散った。

小人が歌いだす前にと、ハリーは走り回って拾い集めたが、廊下は渋滞して人だかりができた。

「何をしてるんだい？」

ドラコ・マルフォイの冷たく気取った声がした。ハリーは破れた鞄に何もかもがむしゃらに突っ込み、マルフォイに歌のメッセージを聞かれる前に、逃げ出そうと必死だった。

「この騒ぎはいったい何事だ？」

また聞き慣れた声がした。パーシー・ウィーズリーのご到着だ。

頭の中が真っ白になり、ハリーはともかく一目散に逃げ出そうとした。しかし小人はハリーのひざのあたりをしっかとつかみ、ハリーは床にばったり倒れた。

「これでよし」小人はハリーのくるぶしの上に座り込んだ。

「あなたに、歌うバレンタインです」

あなたの目は緑色、
青いカエルの新漬けのよう
あなたの髪は真っ黒、黒板のよう
あなたがわたしのものならいいのに
あなたはすてき
闇の帝王を征服した、あなたは英雄

この場で煙のように消えることができるなら、グリンゴッツにある金貨を全部やってもいい――。勇気をふりしぼってみんなと一緒に笑ってみせ、ハリーは立ち上がった。小人に乗っかられて、足がしびれていた。笑いすぎて涙が出ている生徒もいる。そんな見物人を、パーシー・ウィーズリーがなんとか追い散らしてくれた。

「さあ、もう行った、行った。ベルは五分前に鳴った。すぐ教室に行くんだ」

パーシーはシッシッと下級生たちを追い立てた。

「マルフォイ、**君もだ**」

ハリーがちらりと見ると、マルフォイがかがんで何かを引ったくったところだった。マルフォイは横目でこっちを見ながら、クラッブとゴイルにそれを見せている。ハリーはそれがリドルの日記だと気がついた。

「それは返してもらおう」ハリーが静かに言った。

「ポッターはいったいこれに何を書いたのかな？」

マルフォイは表紙の年号に気づいてはいないらしい。ハリーの日記だと思い込んでいる。見物人もシーンとしてしまった。ジニーは顔を引きつらせて、日記とハリーの顔を交互に見つめている。

「マルフォイ、それを渡せ」パーシーが厳しく言った。

「ちょっと見てからだ」マルフォイはあざけるようにハリーに日記を振りかざした。

パーシーがさらに言った。「本校の監督生として——」

しかし、ハリーはもうがまんがならなかった。杖を取り出し、ひと声叫んだ。

「**エクスペリアームス！　武器よ去れ！**」

スネイプがロックハートの武器を取り上げたときと同じように、日記はマルフォイの手を離れ、宙を飛んだ。ロンが満足げにニッコリとそれを受け止めた。

「ハリー*！*」

パーシーの声が飛んだ。

「廊下での魔法は禁止だ。これは報告しなくてはならない。いいな！」

ハリーはどうでもよかった。マルフォイより一枚上手に出たんだ。グリフィンドールからいつ五点引かれようと、それだけの価値がある。マルフォイは怒り狂っていた。ジニーが教室に行こうとしてマルフォイのそばを通ったとき、その後ろからわざと意地悪く叫んだ。

「ポッターは君のバレンタインが気に入らなかったみたいだぞ」

ジニーは両手で顔を覆い、教室へ走り込んだ。歯をむき出し、ロンが杖を取り出したが、それはハリーが押しとどめた。呪文学の授業の間中、ナメクジを吐き続けると気の毒だ。

フリットウィック先生の教室に着いたとき、初めてハリーは、リドルの日記が何か変だということに気づいた。ハリーの本はみんな赤インクで染まっている。インクつぼが割れていやというほどインクをかぶったはずなのに、日記は何事もなかったかのように以前のままだ。ロンにそれを教えようとしたが、ロンはまたまた杖にトラブルがあったらしく、先端から大きな紫色の泡が次々と花のように咲き、ほかのことに興味を示すどころではなかった。


その夜、ハリーは同室の誰よりも先にベッドに入った。一つにはフレッドとジョージが「あなたの目は緑色、青いカエルの新漬けのよう」と何度も歌うのがうんざりだったし、それにリドルの日記をもう一度調べてみたかったからだ。ロンにもちかけても、そんなことは時間のむだだと言うにちがいない。

ハリーは天蓋つきベッドに座り、何も書いていないページをパラパラとめくってみた。どのページにも赤インクのしみ一つない。ベッド脇の物入れから、新しいインクつぼを取り出し、羽根ペンを浸し、日記の最初のページにポツンと落としてみた。

インクは紙の上で一瞬明るく光ったが、まるでページに吸い込まれるように消えてしまった。胸をドキドキさせ、羽根ペンをもう一度つけて書いてみた。

「僕はハリー・ポッターです」

文字は一瞬紙の上で輝いたかと思うと、またもや、あとかたもなく消えてしまった。そして、ついに思いがけないことが起こった。

そのページから、いま使ったインクがにじみ出してきて、ハリーが書いてもいない文字が現れたのだ。

「こんにちは、ハリー・ポッター。僕はトム・リドルです。君はこの日記をどんなふうにして見つけたのですか」

この文字も薄くなっていったが、その前にハリーは返事を走り書きした。

「誰かがトイレに流そうとしていました」

リドルの返事が待ちきれない気持ちだった。

「僕の記憶を、インクよりずっと長持ちする方法で記録しておいたのは幸いでした。しかし、僕は、この日記が読まれたら困る人たちがいることを、初めから知っていました」

「どういう意味ですか？」

ハリーは興奮のあまりあちこちしみをつけながら書きなぐった。

「この日記には恐ろしい記憶が記されているのです。覆い隠されてしまった、ホグワーツ魔法魔術学校で起きた出来事が」

「僕はいまそこにいるのです」

ハリーは急いで書いた。

「ホグワーツにいるのです。恐ろしいことが起きています。『秘密の部屋』について何かご存じですか？」

　心臓が高鳴った。リドルの答えはすぐ返ってきた。知っていることをすべて、急いで伝えようとしているかのように、文字も乱れてきた。

「もちろん、『秘密の部屋』のことは知っています。僕の学生時代、それは伝説だ、存在しないものだと言われていました。でもそれはうそだったのです。僕が五年生のとき、部屋が開けられ、怪物が数人の生徒を襲い、とうとう一人が殺されました。僕は、『部屋』を開けた人物を捕まえ、その人物は追放されました。校長のディペット先生は、ホグワーツでそのようなことが起こったことを恥ずかしく思い、僕が真実を語ることを禁じました。死んだ少女は、何かめったにない事故で死んだという話が公表されました。僕の苦労に対するほうびとして、キラキラ輝く、すてきなトロフィーに名を刻み、それを授与するかわりに固く口を閉ざすよう忠告されました。しかし、僕は再び事件が起こるであろうことを知っていました。怪物はそれからも生き続けましたし、それを解き放つ力を持っていた人物は投獄されなかったのです」

　急いで書かなくてはとあせったハリーは、危うくインクつぼをひっくり返しそうになった。

「いま、またそれが起きているのです。三人も襲われ、事件の背後に誰がいるのか、見当もつきません。前のときはいったい誰だったのですか？」

「お望みならお見せしましょう」

　リドルの答えだった。

「僕の言うことを信じる信じないは自由です。僕が犯人を捕まえた夜の思い出の中に、あなたをお連れすることができます」

　羽根ペンを日記の上にかざしたまま、ハリーはためらっていた。――リドルはいったい何を言っているんだろう？　ほかの人の思い出の中にハリーをどうやって連れていくんだろう？――。ハリーは寝室の入口のほうを、ちらりと落ち着かない視線で眺めた。部屋がだんだん暗くなってきていた。ハリーが日記に視線を戻すと、新しい文字が浮かび出てきた。

「お見せしましょう」

ほんの一瞬、ハリーはためらったが、二つの文字を書いた。

「ＯＫ」

日記のページがまるで強風にあおられたようにパラパラとめくられ、六月の中ほどのページで止まった。六月十三日と書かれた小さな枠が、小型テレビの画面のようなものに変わっていた。ハリーはポカンと口を開けて見とれた。すこし震える手で本を取り上げ、小さな画面に目を押しつけると、何がなんだかわからないうちに、体がぐっと前のめりになり、画面が大きくなり、体がベッドを離れ、ページの小窓から真っ逆さまに投げ入れられる感じがした――色と陰の渦巻く中へ――。

ハリーは両足が固い地面に触れたような気がして、震えながら立ち上がった。すると周りのぼんやりした物影が、突然はっきり見えるようになった。

自分がどこにいるのか、ハリーにはすぐわかった。居眠り肖像画のかかっている円形の部屋はダンブルドアの校長室だ――しかし、机のむこうに座っているのはダンブルドアではなかった。しわくちゃで弱々しい小柄な老人が、パラパラと白髪の残るハゲ頭を見せて、ろうそくの灯《あか》りで手紙を読んでいた。ハリーが一度も会ったことのない魔法使いだった。

「すみません」ハリーは震える声で言った。「突然お邪魔するつもりはなかったんですが……」

しかし、その魔法使いは下を向いたまま、少し眉をひそめて読み続けている。ハリーは少し机に近づき、つっかえながら言った。

「あの、僕、すぐに失礼したほうが？」

それでも無視され続けた。どうもハリーの言うことが聞こえてもいないようだ。耳が遠いのかもしれないと思い、ハリーは声を張り上げた。

「お邪魔してすみませんでした。すぐ失礼します」ほとんどどなるように言った。

その魔法使いはため息をついて、羊皮紙の手紙を丸め、立ち上がり、ハリーには目もくれずにそばを通り過ぎて、窓のカーテンを閉めた。窓の外はルビーのように真っ赤な空だった。夕陽《ゆうひ》が沈むところらしい。老人は机に戻って椅子に腰かけ、手を組み、親指をもてあそびながら、入口の扉を見つめていた。

ハリーは部屋を見回した。不死鳥のフォークスもいない。くるくる回る銀の仕掛け装置もない。これはリドルの記憶の中のホグワーツだ。つまりダンブルドアではなく、この見知らぬ魔法使いが校長なんだ。そして自分はせいぜい幻みたいな存在で、五十年前の人たちにはまったく見えないのだ。

誰かが扉をノックした。

「お入り」老人が弱々しい声で言った。

十六歳ぐらいの少年が入ってきて、三角帽子を脱いだ。銀色の監督生バッジが胸に光っている。ハリーよりずっと背が高かったが、この少年も真っ黒の髪だった。

「ああ、リドルか」校長先生は言った。

「ディペット先生、何かご用でしょうか？」リドルは緊張しているようだった。

「お座りなさい。ちょうど君がくれた手紙を読んだところじゃ」

「あぁ」と言ってリドルは座った。両手を固く握り合わせている。

「リドル君」ディペット先生がやさしく言った。「夏休みの間、君を学校に置いてあげることはできないんじゃよ。休暇には、家に帰りたいじゃろう？」

「いいえ」リドルが即座に答えた。

「僕はむしろホグワーツに残りたいんです。その――あそこに帰るより――」

「君は休暇中はマグルの孤児院で過ごすと聞いておるが？」

ディペットは興味深げに尋ねた。

「はい、先生」リドルは少し赤くなった。

「君はマグル出身かね？」

「ハーフです。父はマグルで、母が魔女です」

「それで――ご両親は？」

「母は僕が生まれて間もなく亡くなりました。僕に名前を付けるとすぐに。孤児院でそう聞きました。父の名を取ってトム、祖父の名を取ってマールヴォロです」

ディペット先生はなんとも痛ましいというようにうなずいた。

「しかしじゃ、トム」先生はため息をついた。「特別の措置を取ろうと思っておったが、しかし、いまのこの状況では……」

「先生、襲撃事件のことでしょうか？」リドルが尋ねた。

ハリーの心臓が躍り上がった。一言も聞きもらすまいと、近くに寄った。

「そのとおりじゃ。わかるじゃろう？　学期が終わったあと、君がこの城に残るのを許すのは、どんなに愚かしいことか。特に、先日のあの悲しい出来事を考えると……。かわいそうに、女子学生が一人死んでしもうた……。孤児院に戻っていたほうがずっと安全なんじゃよ。実を言うと、魔法省はいまや、この学校を閉鎖することさえ考えておる。我々はその一連の不ゆかいな事件の怪――アー――源を突き止めることができん……」

リドルは目を大きく見開いた。

「先生——もしその何者かが捕まったら……もし事件が起こらなくなったら……」

「どういう意味かね？」

ディペット先生は椅子に座りなおし、身を起こして上ずった声で言った。

「リドル、何かこの襲撃事件について知っているとでも言うのかね？」

「いいえ、先生」リドルがあわてて答えた。

ハリーにはこの「いいえ」が、ハリー自身がダンブルドアに答えた「いいえ」と同じだ、とすぐにわかった。

かすかに失望の色を浮かべながら、ディペット先生はまた椅子に座り込んだ。

「トム、もう行ってよろしい……」

リドルはすっと椅子から立ち上がり、重い足取りで部屋を出た。ハリーはあとをついて行った。

動く螺旋《らせん》階段を下り、二人は廊下の怪獣像《ガーゴイル》の脇に出た。暗くなりかけていた。リドルが立ち止まったのでハリーも止まって、リドルを見つめた。リドルが何か深刻な考え事をしているのがハリーにもよくわかった。リドルは唇をかみ、額にしわを寄せている。

それから突然何事か決心したかのように、急いで歩きだした。ハリーは音もなくすべるようにリドルについて行った。玄関ホールまで誰にも会わなかったが、そこで、長いふさふさしたとび色の髪とひげを蓄えた背の高い魔法使いが、大理石の階段の上からリドルを呼び止めた。

「トム、こんな遅くに歩き回って、何をしているのかね？」

ハリーはその魔法使いをじっと見た。いまより五十歳若いダンブルドアにまちがいない。

「はい、先生、校長先生に呼ばれましたので」リドルが言った。

「それでは、早くベッドに戻りなさい」

ダンブルドアは、ハリーがよく知っている、あの心の中まで見透《みとお》すようなまなざしでリドルを見つめた。

「このごろは廊下を歩き回らないほうがよい。例の事件以来……」

ダンブルドアは大きくため息をつき、リドルに「おやすみ」と言って、その場を立ち去った。リドルはその姿が見えなくなるまで見ていたが、それから急いで石段を下り、まっすぐ地下牢《ろう》に向かった。ハリーも必死に追跡した。

しかし残念なことに、リドルは隠れた通路や、秘密のトンネルに行ったのではなく、スネイプが魔法薬学の授業で使う地下牢教室に入った。松明《たいまつ》はついていなかったし、リドルが教室のドアをほとんど完全に閉めてしまったので、ハリーにはリドルの姿がやっと見えるだけだった。リドルはドアの陰に立って身じろぎもせず、外の通路に目を凝らしている。

少なくとも一時間はそうしていたような気がする。ハリーの目には、ドアのすきまから目を凝らし、銅像のようにじっと何かを待っているリドルの姿が見えるだけだった。期待も薄れ、緊張もゆるみかけて「現在」に戻りたいと思いはじめたちょうどその時、ドアのむこうで何かが動く気配がした。

誰かが忍び足で通路を歩いてきた。いったい誰なのか、リドルと自分が隠れている地下牢教室の前を通り過ぎる音がした。リドルはまるで影のように静かに、スルリとドアからにじり出て跡をつけた。ハリーも、誰にも聞こえるはずがないことを忘れて、抜き足差し足でリドルのあとに続いた。

五分もたったろうか。二人は何者かの足音について歩いたが、リドルが急に止まって、何か別の物音のする方角に顔を向けた。ドアがギーッと開き、誰かがしわがれ声でささやいているのが、ハリーの耳に聞こえてきた。

「おいで……おまえさんをこっから出さなきゃなんねえ……。さあ、こっちへ……。この箱の中に……」

なんとなく聞き覚えがある声だった。

リドルが物陰から突然飛び出した。ハリーもあとについて出た。どでかい少年の暗い影のような輪郭が見えた。大きな箱をかたわらに置き、開け放したドアの前にしゃがみ込んでいる。

「こんばんは、ルビウス」リドルが鋭く言った。

少年はドアをバタンと閉めて立ち上がった。

「トム。こんな所でおまえ、なんしてる？」

リドルが一歩近寄った。

「観念するんだ」

リドルが言った。

「ルビウス、僕は君を突き出すつもりだ。襲撃事件がやまなければ、ホグワーツ校が閉鎖される話まで出ているんだ」

「なんが言いてえのか――」

「君が誰かを殺そうとしたとは思わない。だけど怪物は、ペットとしてふさわしくない。たぶん君は運動させようとして、ちょっと放したんだろうが、それが――」

「こいつは誰も殺してねえ！」

でかい少年はいま、閉めたばかりのドアのほうへあとずさりした。その少年の背後から、ガサゴソ、カチカチと奇妙な音がした。

「さあ、ルビウス」リドルはもう一歩詰め寄った。

「死んだ女子学生のご両親が、明日学校に来る。娘さんを殺したやつを、確実に始末すること。学校として、少なくともそれだけはできる」

「こいつがやったんじゃねえ！」

少年がわめく声が暗い通路にこだました。

「こいつにできるはずねえ！　絶対やっちゃいねえ！」

「どいてくれ」リドルは杖を取り出した。

リドルの呪文は突然燃えるような光で廊下を照らした。どでかい少年の背後のドアがものすごい勢いで開き、少年は反対側の壁まで吹っ飛ばされた。中から出てきたものを見たとたん、ハリーは思わず鋭い悲鳴をもらした——自分にしか聞こえない長い悲鳴を——。

毛むくじゃらの巨大な胴体が、低い位置に吊《つ》り下げられている。からみ合った黒い肢《あし》、ギラギラ光るたくさんの眼《め》、かみそりのように鋭い鋏《はさみ》——。

リドルがもう一度杖を振り上げたが、遅かった。その生き物はリドルを突き転がし、ガサゴソと大急ぎで廊下を逃げていき、姿を消した。リドルはすばやく起き上がり、後ろ姿を目で追い、杖を振り上げた。

「**やめろおおおおおお！**」少年がリドルに飛びかかり、杖を引ったくり、リドルをまた投げ飛ばした。

場面がぐるぐる回り、真っ暗闇になった。ハリーは自分が落ちていくのを感じた、そして、ドサリと着地した。ハリーは、グリフィンドールの寝室の天蓋つきベッドの上に大の字になっていた。リドルの日記は腹の上に開いたままのっている。

息をはずませている最中に、寝室の戸が開いてロンが入ってきた。

「ここにいたのか」とロン。

ハリーは起き上がった。汗びっしょりでブルブル震えていた。

「どうしたの？」とロンが心配そうに聞いた。

「ロン、ハグリッドだったんだ。五十年前に『秘密の部屋』の扉を開けたのは、ハグリッドだったんだ！」

第14章　コーネリウス・ファッジ

ハグリッドが、大きくて怪物のような生き物が好きだという、困った趣味をもっていることは、ハリー、ロン、ハーマイオニーの三人とも、とっくに知っていた。去年、三人が一年生だったとき、ハグリッドは自分の狭い丸太小屋で、ドラゴンを育てようとしたし、「ふわふわのフラッフィー」と名付けていたあの三頭犬のことは、そう簡単に忘れられるものではない。

――少年時代のハグリッドが、城のどこかに怪物がひそんでいると聞いたら、どんなことをしてでもその怪物をひと目見たいと思ったにちがいない――ハリーはそう思った。

ハグリッドはきっと考えたはずだ――怪物が長い間、狭苦しい所に閉じ込められているなんて気の毒だ。ちょっとの間、そのたくさんの肢《あし》を伸ばすチャンスを与えるべきだ――。

十三歳のハグリッドが、怪物に、首輪と引きひもをつけようとしている姿が、ハリーの目に浮かぶようだった。でも、ハグリッドはけっして誰かを殺そうなどとは思わなかっただろう――ハリーはこれにも確信があった。

ハリーは、リドルの日記の仕掛けを知らないほうがよかったとさえ思った。ロンとハーマイオニーは、ハリーの見たことをくり返し聞きたがった。ハリーは、二人にいやというほど話して聞かせたし、そのあとは堂々めぐりの議論になるのにも、うんざりしていた。

「リドルは犯人をまちがえていた**かもしれないわ**。みんなを襲ったのは別な怪物だったかもしれない……」ハーマイオニーの意見だ。

「ホグワーツにいったい何匹怪物がいれば気がすむんだい？」ロンがぼそりと言った。

「ハグリッドが追放されたことは、僕たち、もう知ってた。それに、ハグリッドが追い出されてからは、誰も襲われなくなったにちがいない。そうじゃなけりゃ、リドルは表彰されなかったはずだもの」ハリーはみじめな気持ちだった。

ロンにはちがった見方もあった。

「リドルって、パーシーにそっくりだ——そもそもハグリッドを密告しろなんて、誰が頼んだ？」

「でも、ロン、誰かが怪物に**殺されたの**よ」とハーマイオニー。

「それに、ホグワーツが閉鎖されたら、リドルはマグルの孤児院に戻らなきゃならなかった。僕、リドルがここに残りたかった気持ち、わかるな……」とハリーは言った。

ロンは唇をかみ、思いついたように聞いた。

「ねえ、ハリー、君、ハグリッドに『夜の闇横丁《ノクターン》』で出会ったって言ったよね？」

「『肉食ナメクジ駆除剤』を買いにきてた」ハリーは急いで答えた。

三人はだまりこくった。ずいぶん長い沈黙のあと、ハーマイオニーがためらいながら一番言いにくいことを言った。

「ハグリッドの所に行って、全部、**聞いてみたらどうかしら？**」

「そりゃあ、楽しいお客様になるだろうね」とロンが言った。「こんにちは、ハグリッド。教えてくれる？　最近、城の中で毛むくじゃらの狂暴なやつをけしかけなかった？　ってね」

結局三人は、また誰かが襲われないかぎり、ハグリッドには何も言わないことに決めた。そして何日かが過ぎていき、「姿なき声」のささやきも聞こえなかった。三人は、ハグリッドがなぜ追放されたか、聞かなくてすむかもしれない、と思いはじめた。

ジャスティンとほとんど首無しニックが石にされてから四か月が過ぎようとしていた。誰が襲ったのかはわからないが、その何者かはもう永久に引きこもってしまったと、みんながそう思っているようだった。

ピーブズもやっと、「オー、ポッター、いやなやつだー」の歌に飽きたらしいし、アーニー・マクミランはある日、薬草学の授業で、「『飛びはね毒キノコ』の入ったバケツを取ってください」とていねいにハリーに声をかけた。三月にはマンドレイクが何本か、第三号温室で乱痴気パーティをくり広げた。スプラウト先生はこれで大満足だった。

「マンドレイクがお互いの植木鉢に入り込もうとしたら、完全に成熟したということです」

スプラウト先生がハリーにそう言った。

「そうなれば、医務室にいるあのかわいそうな人たちを蘇生《そせい》させることができますよ」

復活祭の休暇中に、二年生は新しい課題を与えられた。三年生で選択する科目を決める時期が来たのだ。少なくともハーマイオニーにとっては、これは非常に深刻な問題だった。

「私たちの将来に全面的に影響するかもしれないのよ」

三人で新しい科目のリストになめるように目を通し、選択科目に「✓」の印をつけながら、ハーマイオニーがハリーとロンに言い聞かせた。

「僕、『魔法薬』をやめたいな」とハリー。

「そりゃ、ムリ」

ロンが憂鬱そうに言った。

「これまでの科目は全部続くんだ。そうじゃなきゃ、僕は『闇の魔術に対する防衛術』を捨てるよ」

「だってとっても重要な科目じゃないの！」

ハーマイオニーが衝撃を受けたような声を出した。

「ロックハートの教え方じゃ、そうは言えないな。彼からはなんにも学んでないよ。ピクシー小妖精を暴れさせること以外はね」とロンが言い返した。

ネビル・ロングボトムには、親戚中の魔法使いや魔女が、手紙で、ああしろこうしろと、勝手な意見を書いてよこした。混乱したネビルは、困り果てて、アー、ウーと言いながら、舌をちょっと突き出してリストを読み、「数占い」と「古代ルーン文字」のどっちが難しそうかなどと、聞きまくっていた。ディーン・トーマスはハリーと同じように、マグルの中で育ってきたので、結局目をつぶって杖《つえ》でリストを指し、杖の示している科目を選んだ。

ハーマイオニーは誰からの助言も受けず、全科目を登録した。

――バーノンおじさんやペチュニアおばさんに、自分の魔法界でのキャリアについて相談を持ちかけたら、どんな顔をするだろう――ハリーは一人で苦笑いをした。かといって、ハリーが誰からも指導を受けなかったわけではない。パーシー・ウィーズリーが自分の経験を熱心に教えた。

「ハリー、自分が将来、どっちに**進みたいか**によるんだ。将来を考えるのに、早すぎるということはない。それならまず『占い学』を勧めたいね。『マグル学』なんか選ぶのは軟弱だという人もいるが、僕の個人的意見では、魔法使いたるもの、魔法社会以外のことを完璧に理解しておくべきだと思う。特に、マグルと身近に接触するような仕事を考えているならね。――僕の父のことを考えてみるといい。四六時中マグル関係の仕事をしている。兄のチャーリーは外で何かするのが好きなタイプだったから、『魔法生物飼育学』を取った。自分の強みを生かすことだね、ハリー」

強みといっても、ほんとうに得意なのはクィディッチしか思い浮かばない。結局、ハリーはロンと同じ新しい科目を選んだ。勉強がうまくいかなくても、せめてハリーを助けてくれる友人がいればいいと思ったからだ。

クィディッチの、グリフィンドールの次の対戦相手はハッフルパフだ。ウッドは夕食後に毎晩練習をすると言い張り、おかげでハリーはクィディッチと宿題以外には、ほとんど何もする時間がなかった。とはいえ、練習自体はやりやすくなっていた。少なくとも天気はカラッとしていた。土曜日に試合を控えた前日の夕方、ハリーは箒《ほうき》をいったん置きに、寮の寝室に戻った。グリフィンドールが寮対抗クィディッチ杯を獲得する確率は、いまや最高潮だと感じていた。

しかし、そんな楽しい気分はそう長くは続かなかった。寝室に戻る階段の一番上で、パニック状態のネビル・ロングボトムと出会ったのだ。

「ハリー――誰がやったんだかわかんない。僕、いま、見つけたばかり――」

ハリーのほうを恐る恐る見ながら、ネビルは部屋のドアを開けた。

ハリーのトランクの中身がそこいら中に散らばっていた。床の上にはマントがずたずたになって広がり、天蓋つきベッドのカバーははぎ取られ、ベッド脇の小机の引き出しは引っ張り出されて、中身がベッドの上にぶちまけられている。

ハリーはポカンと口を開けたまま、『トロールとのとろい旅』のバラバラになったページを数枚踏みつけて、ベッドに近寄った。

ネビルと二人で毛布を引っ張って元どおりに直していると、ロン、ディーン、シェーマスが部屋に入ってきた。

「いったいどうしたんだい、ハリー？」ディーンが大声を上げた。

「さっぱりわからない」とハリーが答えた。

ロンはハリーのローブを調べていた。ポケットが全部ひっくり返しになっている。

「誰かが何かを探したんだ」ロンが言った。

「何かなくなってないか？」

ハリーは散らばったものを拾い上げて、トランクに投げ入れはじめた。ロックハートの本の最後の一冊を投げ入れ終わったときに、初めて何がなくなっているかわかった。

「リドルの日記がない」ハリーは声を落としてロンに言った。

「**エーッ？**」

ハリーは「一緒に来て」とロンに合図をして、ドアに向かって急いだ。ロンもあとに続いて部屋を出た。二人はグリフィンドールの談話室に戻った。半数ぐらいの生徒しか残っていなかったが、ハーマイオニーが一人で椅子に腰かけて『古代ルーン文字のやさしい学び方』を読んでいた。

二人の話を聞いてハーマイオニーは仰天した。

「だって――グリフィンドール生しか盗めないはずでしょ――ほかの人は誰もここの合言葉を知らないもの……」

「そうなんだ」とハリーも言った。

翌朝、目を覚ますと、太陽がキラキラと輝き、さわやかなそよ風が吹いていた。

「申し分ないクィディッチ日和だ！」

朝食の席で、チームメートの皿にスクランブルエッグを山のように盛りながら、ウッドが興奮した声で言った。

「ハリー、がんばれよ。朝食をちゃんと食っておけよ」

ハリーは、朝食のテーブルにびっしり並んで座っているグリフィンドール生を、ぐるりと見渡した――もしかしたらハリーの目の前にリドルの日記の新しい持ち主がいるかもしれない――。

ハーマイオニーは盗難届を出すように勧めたが、ハリーはそうしたくなかった。そんなことをすれば、先生に、日記のことをすべて話さなければならなくなる。だいたい五十年前に、ハグリッドが退校処分になったことを知っている者が、何人いるというのか？　ハリーはそれを蒸し返す張本人になりたくなかった。

ロン、ハーマイオニーと一緒に大広間を出たハリーは、クィディッチの箒を取りに戻ろうとした。その時、ハリーの心配の種がまた増えるような深刻な事態が起こった。大理石の階段に足をかけたとたんに、またもやあの声を聞いたのだ。

「今度は殺す……引き裂いて……八つ裂きにして……」

ハリーは叫び声を上げ、ロンとハーマイオニーは驚いて、同時にハリーのそばから飛びのいた。

「あの声だ！」ハリーは振り返った。「また聞こえた――君たちは？」

ロンが目を見開いたまま首を横に振った。が、ハーマイオニーはハッとしたように額に手を当てて言った。

「ハリー――私、たったいま、思いついたことがあるの！　図書館に行かなくちゃ！」

そして、ハーマイオニーは風のように階段を駆け上がっていった。

「いったい**何**を思いついたんだろう？」

ハーマイオニーの言葉が気にかかったが、一方でハリーは周りを見回し、どこから声が聞こえるのか探していた。

「計り知れないね」ロンが首を振り振り言った。

「だけど、どうして図書館なんかに行かなくちゃならないんだろう?」とハリー。

「ハーマイオニー流のやり方だよ」

ロンが肩をすくめて、しょうがないだろ、というしぐさをした。

「何はともあれ、まず図書館ってわけさ」

もう一度あの声をとらえたいと、ハリーは進むことも引くこともできず、その場に突っ立っていた。そうするうちに大広間から次々と人があふれ出てきて、大声で話しながら、正面の扉からクィディッチ競技場へと向かって出ていった。

「もう行ったほうがいい」ロンが声をかけた。「そろそろ十一時になる——試合だ」

ハリーは大急ぎでグリフィンドール塔を駆け上がり、ニンバス２０００を取ってきて、ごった返す人の群れにまじって校庭を横切った。しかし、心は城の中の「姿なき声」にとらわれたままだった。更衣室で紅色のユニフォームに着替えながら、ハリーは、クィディッチ観戦でみんなが城の外に出ているのがせめてもの救いだと感じていた。

対戦する二チームが、万雷の拍手に迎えられて入場した。オリバー・ウッドは、ゴールの周りをひとっ飛びしてウォームアップし、マダム・フーチは、競技用ボールを取り出した。ハッフルパフは、カナリア・イエローのユニフォームで、最後の作戦会議にスクラムを組んでいた。

ハリーは箒にまたがった。その時、マクゴナガル先生が巨大な紫色のメガホンを手に持って、ピッチのむこうから半ば行進するような歩き方で、半ば走るようにやってきた。

ハリーの心臓は石になったようにドシンと落ち込んだ。

「この試合は中止です」

マクゴナガル先生は満員のスタジアムに向かってメガホンでアナウンスした。ヤジや怒号が乱れ飛んだ。オリバー・ウッドはガーンと打ちのめされた顔で地上に降り立ち、箒にまたがったままマクゴナガル先生に駆け寄った。

「先生、そんな！」

オリバーがわめいた。

「是が非でも試合を……優勝杯が……**グリフィンドールの……**」

マクゴナガル先生は耳も貸さずにメガホンで叫び続けた。

「全生徒はそれぞれの寮の談話室に戻りなさい。そこで寮監から詳しい話があります。みなさん、できるだけ急いで！」

マクゴナガル先生は、メガホンを下ろし、ハリーに合図した。

「ポッター、私《わたくし》と一緒にいらっしゃい……」

今度だけは僕を疑えるはずがないのに、といぶかりながら、ふと見ると、不満たらたらの生徒の群れを抜け出して、ロンが、ハリーたちのほうに走ってくる。ハリーは、マクゴナガル先生と二人で城に向かうところだったが、驚いたことに、先生はロンが一緒でも反対しなかった。

「そう、ウィーズリー、あなたも一緒に来たほうがよいでしょう」

群れをなして移動しながら、三人の周りの生徒たちは、試合中止でブーブー文句を言ったり、心配そうな顔をしたりしていた。ハリーとロンは先生について城に戻り、大理石の階段を上がった。しかし、今度は誰かの部屋に連れていかれる様子ではなかった。

「少しショックを受けるかもしれませんが」

医務室近くまで来たとき、マクゴナガル先生が驚くほどのやさしい声で言った。

「また襲われました……今度も**二人一緒**にです」

ハリーは五臓六腑《ごぞうろっぷ》がすべてひっくり返る気がした。先生はドアを開け、二人も中に入った。

マダム・ポンフリーが、長い巻き毛の六年生の女子学生の上にかがみこんでいた。ハリーたちがスリザリンの談話室への道を尋ねた、あのレイブンクローの学生だ、とハリーにはすぐわかった。そして、その隣のベッドには――。

「**ハーマイオニー！**」ロンがうめき声をあげた。

ハーマイオニーは身動きもせず、見開いた目はガラス玉のようだった。

「二人は図書館の近くで発見されました」マクゴナガル先生が言った。

「二人ともこれがなんだか説明できないでしょうね？　二人のそばの床に落ちていたのですが……」

先生は小さな丸い鏡を手にしていた。

二人とも、ハーマイオニーをじっと見つめながら首を横に振った。

「グリフィンドール塔まであなたたちを送っていきましょう」

マクゴナガル先生は重苦しい口調で言った。

「私も、いずれにせよ生徒たちに説明しないとなりません」


「全校生徒は夕方六時までに、各寮の談話室に戻るように。それ以後はけっして寮を出てはなりません。授業に行くときは必ず先生が一人引率します。トイレに行くときも必ず先生に付き添ってもらうこと。クィディッチの練習も試合も、すべて延期です。夕方はいっさい、クラブ活動をしてはなりません」

超満員の談話室で、グリフィンドール生はだまってマクゴナガル先生の話を聞いた。先生は羊皮紙を広げて読み上げたあとで、紙をくるくる巻きながら、少し声を詰まらせた。

「言うまでもないことですが、私はこれほど落胆したことはありません。これまでの襲撃事件の犯人が捕まらないかぎり、学校が閉鎖される可能性もあります。犯人について何か心当たりがある生徒は申し出るよう強く望みます」

マクゴナガル先生は、少しぎこちなく肖像画の裏の穴から出ていった。とたんにグリフィンドール生はしゃべりはじめた。

「これでグリフィンドール生は二人やられた。寮つきのゴーストを別にしても。レイブンクローが一人、ハッフルパフが一人」

ウィーズリー双子兄弟と仲良しの、リー・ジョーダンが指を折って数え上げた。

「先生方は**だーれも**気づかないのかな？　スリザリン生はみんな無事だ。今度のことは、全部スリザリンに関係してるって、誰にだってわかりそうなもんじゃないか？　**スリザリンの継承者、スリザリンの怪物**――どうしてスリザリン生を全部追い出さないんだ？」

リーの大演説にみんなうなずき、パラパラと拍手が起こった。

パーシー・ウィーズリーは、リーの後ろの椅子に座っていたが、いつもと様子がちがって、自分の意見を聞かせたいという気がないようだった。青い顔で声もなくぼうっとしている。

「パーシーはショックなんだ」

ジョージがハリーにささやいた。

「あのレイブンクローの子――ペネロピー・クリアウォーター――監督生なんだ。パーシーは怪物が**監督生**を襲うなんて、けっしてないと思ってたんだろうな」

しかしハリーは半分しか聞いていなかった。ハーマイオニーが石の彫刻のように横たわっている姿が、目に焼きついて離れない。犯人が捕まらなかったら、ハリーは一生ダーズリー一家と暮らすはめになる。

トム・リドルは、学校が閉鎖されたらマグルの孤児院で暮らすはめになっただろう。だからハグリッドのことを密告したのだ。トム・リドルの気持ちが、いまのハリーには痛いほどわかる。

「どうしたらいいんだろう？」ロンがハリーの耳元でささやいた。「ハグリッドが疑われると思うかい？」

「ハグリッドに会って話さなくちゃ」

ハリーは決心した。

「今度はハグリッドだとは思わない。でも、前に怪物を解き放したのが彼だとすれば、どうやって『秘密の部屋』に入るのかを知ってるはずだ。それが糸口だ」

「だけど、マクゴナガルが、授業のとき以外は寮の塔から出るなって――」

「いまこそ」ハリーが一段と声をひそめた。「父さんのあのマントをまた使う時だと思う」

ハリーが父親から受け継いだたった一つのもの、それは、銀ねず色に光る長い「透明マント」だった。誰にも知られずにこっそり学校を抜け出して、ハグリッドを訪ねるのにはそれしかない。二人はいつもの時間にベッドに入り、ネビル、ディーン、シェーマスがやっと「秘密の部屋」の討論をやめ、寝静まるのを待った。それから起き上がり、ローブを着なおして透明マントをかぶった。

暗い、人気《ひとけ》のない城の廊下を歩き回るのは楽しいとは言えなかった。ハリーは前にも何度か夜、城の中をさまよったことがあったが、日没後に、こんなに混み合っている城を見るのは初めてだった。先生や監督生、ゴーストなどが二人ずつ組になって、不審な動きはないかとそこいら中に目を光らせていた。透明マントは二人の物音まで消してはくれない。特に危なかったのが、ロンがつまずいたときだった。ほんの数メートル先にスネイプが見張りに立っていた。うまい具合に、ロンの「コンチキショー」という悪態と、スネイプのくしゃみがまったく同時だった。正面玄関にたどり着き、樫《かし》の扉をそっと開けたとき、二人はやっとホッとした。

星の輝く明るい夜だった。ハグリッドの小屋の灯《あか》りを目指し、二人は急いだ。小屋のすぐ前に来たとき、初めて二人はマントを脱いだ。

戸をたたくと、すぐにハグリッドがバタンと戸を開けた。真正面にヌッと現れたハグリッドは二人に石弓を突きつけていた。ボアハウンド犬のファングが後ろのほうで吠《ほ》えたてている。

「おお」ハグリッドは武器を下ろして、二人をまじまじと見た。

「二人ともこんなとこでなんしとる？」

「それ、なんのためなの？」二人は小屋に入りながら石弓を指差した。

「なんでもねえ……なんでも」ハグリッドがもごもご言った。

「ただ、もしかすると……うんにゃ……座れや……茶、いれるわい……」

ハグリッドは上の空だった。やかんから水をこぼして、暖炉の火を危うく消しそうになったり、巨大な手を神経質に動かしたはずみで、ポットをこなごなに割ったりした。

「ハグリッド、大丈夫？」

ハリーが声をかけた。

「ハーマイオニーのこと、聞いた？」

「あぁ、聞いた。確かに」ハグリッドはちょっと声を詰まらせた。

その間もちらっちらっと不安そうに窓のほうを見ている。それから二人に、たっぷりと熱い湯を入れた大きなマグカップを差し出した――ティーバッグを入れ忘れている――。分厚いフルーツケーキを皿に入れているとき、戸をたたく大きな音がした。

ハグリッドはフルーツケーキをボロリと取り落とし、ハリーとロンはパニックになって顔を見合わせ、サッと透明マントをかぶって部屋の隅に引っ込んだ。ハグリッドは二人がちゃんと隠れたことを見極め、石弓を引っつかみ、もう一度バンと戸を開けた。

「こんばんは、ハグリッド」

ダンブルドアだった。深刻そのものの顔で小屋に入ってきた。後ろからもう一人、なんとも奇妙な風体の男が入ってきた。

見知らぬ男は背の低い恰幅《かっぷく》のいい体にくしゃくしゃの白髪頭で、悩み事があるような顔をしていた。ちぐはぐな組み合わせの服装で、細縞《ほそじま》のスーツ、真っ赤なネクタイ、黒い長いマントを着て先のとがった紫色のブーツをはいている。ライムのような黄緑色の山高帽を小脇に抱えていた。

「パパのボスだ！」

ロンがささやいた。

「コーネリウス・ファッジ、魔法大臣だ！」

ハリーはロンをひじでこづいてだまらせた。

ハグリッドは青ざめて汗をかきはじめた。椅子にドッと座り込み、ダンブルドアの顔を見、それからコーネリウス・ファッジの顔を見た。

「状況はよくない。ハグリッド」

ファッジがぶっきらぼうに言った。

「すこぶるよくない。来ざるをえなかった。マグル出身が四人もやられた。もう始末に負えん。本省が何かしなくては」

「俺は、けっして」ハグリッドが、すがるようにダンブルドアを見た。

「ダンブルドア先生さま、知ってなさるでしょう。俺は、けっして……」

「コーネリウス、これだけはわかってほしい。わしはハグリッドに全幅の信頼を置いておる」

ダンブルドアは眉をひそめてファッジを見た。

「しかし、アルバス」

ファッジは言いにくそうだった。

「ハグリッドには不利な前科がある。魔法省としても、何かしなければならん——学校の理事たちがうるさい」

「コーネリウス、もう一度言う。ハグリッドを連れていったところで、なんの役にも立たんじゃろう」

ダンブルドアのブルーの瞳に、これまでハリーが見たことがないような激しい炎が燃えている。

「私の身にもなってくれ」

ファッジは山高帽をもじもじいじりながら言った。

「プレッシャーをかけられている。何か手を打ったという印象を与えないと。ハグリッドではないとわかれば、彼はここに戻り、なんのとがめもない。ハグリッドは連行せねば、どうしても。私にも立場というものが——」

「俺を連行？」ハグリッドは震えていた。「どこへ？」

「ほんの短い間だけだ」

ファッジはハグリッドと目を合わせずに言った。

「罰ではない。ハグリッド。むしろ念のためだ。ほかの誰かが捕まれば、君は充分な謝罪の上、釈放される……」

「まさかアズカバンじゃ？」ハグリッドの声がかすれた。

ファッジが答える前に、また激しく戸をたたく音がした。ダンブルドアが戸を開けた。今度はハリーが脇腹をこづかれる番だった。みんなに聞こえるほど大きく息をのんだからだ。

ルシウス・マルフォイ氏がハグリッドの小屋に大股で入ってきた。長い黒い旅行マントに身を包み、冷たくほくそ笑んでいる。ファングが低く唸《うな》りだした。

「もう来ていたのか。ファッジ」

マルフォイ氏は「よろしい、よろしい……」と満足げに言った。

「なんの用があるんだ？」ハグリッドが激しい口調で言った。

「俺の家から出ていけ！」

「威勢がいいね。言われるまでもない。君の――あー――これを家と呼ぶのかね？　その中にいるのは、私とてまったく本意ではない」

ルシウス・マルフォイはせせら笑いながら、狭い丸太小屋を見回した。

「ただ学校に立ち寄っただけなのだが、校長がここだと聞いたものでね」

「それでは、いったいわしになんの用があるというのかね？　ルシウス？」

ダンブルドアの言葉はていねいだったが、あの炎が、ブルーの瞳にまだメラメラと燃えている。

「**実にひどい**ことだがね。ダンブルドア」

マルフォイ氏が、長い羊皮紙の巻紙を取り出しながらものうげに言った。

「しかし、理事たちは、あなたが退くときが来たと感じたようだ。ここに『停職命令』がある――十二人の理事が全員署名している。残念ながら、私ども理事は、あなたが現状を掌握できていないと感じておりましてな。これまでいったい何回襲われたというのかね？　今日の午後にはまた二人。そうですな？　この調子では、ホグワーツにはマグル出身者は一人もいなくなりますぞ。それが学校にとってはどんなに**恐るべき損失**か、我々すべてが承知しておる」

「おお、ちょっと待ってくれ、ルシウス」ファッジが驚愕《きょうがく》して言った。「ダンブルドアが『停職』……ダメダメ……いまという時期に、それは絶対困る……」

「校長の任命――それに停職も――理事会の決定事項ですぞ。ファッジ」

マルフォイはよどみなく答えた。

「それに、ダンブルドアは、今回の連続攻撃を食い止められなかったのであるから……」

「ルシウス、待ってくれ。**ダンブルドア**でさえ食い止められないなら――」ファッジは鼻の頭に汗をかいていた。「つまり、**ほかに誰が**できる？」

「それはやってみなければわからん」マルフォイ氏がニタリと笑った。「しかし、十二人全員が投票で……」

ハグリッドが勢いよく立ち上がり、ぼさぼさの黒髪が天井をこすった。

「そんで、いったいきさまは何人脅した？　何人脅迫して賛成させた？　えっ？　マルフォイ」

「おぅ、おぅ、そういう君の気性がそのうち墓穴を掘るぞ、ハグリッド。アズカバンの看守にはそんなふうにどならないよう、ご忠告申し上げよう。あの連中の気にさわるだろうからね」

「ダンブルドアをやめさせられるものなら、やってみろ！」

ハグリッドの怒声で、ボアハウンドのファングは寝床のバスケットの中ですくみ上がり、クィンクィン鳴いた。

「そんなことをしたら、マグル生まれの者はおしまいだ！　この次は『殺し』になる！」

「落ち着くんじゃ。ハグリッド」

ダンブルドアが厳しくたしなめた。そしてルシウス・マルフォイに言った。

「理事たちがわしの退陣を求めるなら、ルシウス、わしはもちろん退こう」

「しかし――」ファッジが口ごもった。

「**だめだ！**」ハグリッドが唸った。

ダンブルドアは、明るいブルーの目でルシウス・マルフォイの冷たい灰色の目をじっと見すえたままだった。

「しかし」

ダンブルドアはゆっくりと明確に、その場にいる者が一言も聞きもらさないように言葉を続けた。

「覚えておくがよい。わしが**ほんとうに**この学校を離れるのは、わしに忠実な者が、ここに一人もいなくなったときだけじゃ。覚えておくがよい。ホグワーツでは助けを求める者には、必ずそれが与えられる」

一瞬、ダンブルドアの目が、ハリーとロンの隠れている片隅にキラリと向けられたと、ハリーは、ほとんど確実にそう思った。

「あっぱれなご心境で」マルフォイは頭を下げて敬礼した。「アルバス、我々は、あなたの――アー――非常に個性的なやり方をなつかしく思うでしょうな。そして、後任者がその――エー――『**殺し**』を未然に防ぐのを望むばかりだ」

マルフォイは小屋の戸のほうに大股で歩いて行き、戸を開け、ダンブルドアに一礼して先に送り出した。ファッジは山高帽をいじりながらハグリッドが先に出るのを待っていたが、ハグリッドは足を踏ん張り、深呼吸すると、言葉を選びながら言った。

「誰か**何か**を見つけたかったら、**クモ**の跡を追っかけていけばええ。そうすりゃちゃんと糸口がわかる。俺が言いてえのはそれだけだ」

ファッジはあっけに取られてハグリッドを見つめた。

「よし。いま行く」

ハグリッドはモールスキンのオーバーを着た。ファッジのあとから外に出るとき、戸口でもう一度立ち止まり、ハグリッドが大声で言った。

「それから、誰か、俺のいねえ間、ファングに餌をやってくれ」

戸がバタンと閉まった。ロンが透明マントを脱いだ。

「大変だ」

ロンがかすれ声で言った。

「ダンブルドアはいない。今夜にも学校を閉鎖したほうがいい。ダンブルドアがいなけりゃ、一日一人は襲われるぜ」

ファングが、閉まった戸をかきむしりながら、悲しげに鳴きはじめた。

第15章　アラゴグ

夏は知らぬ間に城の周りに広がっていた。空も湖も、抜けるような明るいブルーに変わり、キャベツほどもある花々が、温室で咲き乱れていた。しかし、ハグリッドがファングを従えて、校庭を大股で歩き回る姿が窓の外に見えないと、ハリーにとっては、どこか気の抜けた風景に見えた。城の外も変だったが、城の中は何もかもがめちゃめちゃにおかしくなっていた。

ハリーとロンはハーマイオニーの見舞いに行こうとしたが、医務室は面会謝絶になっていた。

「危ないことはもういっさいできません」

マダム・ポンフリーは、医務室のドアの割れ目から二人に厳しく言った。

「せっかくだけど、ダメです。患者の息の根を止めに、また襲ってくる可能性が充分あります……」

ダンブルドアがいなくなったことで、恐怖感がこれまでになく広がった。陽射《ひざ》しが城壁を温めても、固く閉じた窓の桟が太陽をさえぎっているかのようだった。誰もかれもが、心配そうな緊張した顔をしていた。笑い声を上げようものなら、廊下に不自然にかん高く響き渡るので、たちまち押し殺されてしまうのだった。

ハリーはダンブルドアの残した言葉をいく度も反芻《はんすう》していた。

「わしがほんとうにこの学校を離れるのは、わしに忠実な者が、ここに一人もいなくなったときだけじゃ。……ホグワーツでは助けを求める者には、必ずそれが与えられる」

しかし、この言葉がどれだけ役に立つのだろう？　みんながハリーやロンと同じように混乱して怖がっているときに、いったい二人は、誰に助けを求めればいいのだろう？

ハグリッドのクモのヒントのほうが、ずっとわかりやすかった――問題は、跡をつけようにも、城には一匹もクモが残っていないようなのだ。ハリーはロンに――いやいやながら――手伝ってもらい、行く先々でくまなくクモを探した。もっとも、自分勝手に歩き回ることは許されず、ほかのグリフィンドール生と一緒に行動することになっているのも、二人にとっては面倒だった。ほかのほとんどのグリフィンドール生は、先生に引率されて、教室から教室へと移動するのを喜んでいたが、ハリーは、いいかげんうんざりだった。

たった一人だけ、恐怖と疑り合いを思いきり楽しんでいる者がいた。ドラコ・マルフォイだ。首席になったかのように、肩をそびやかして学校中を歩いていた。いったいマルフォイは、何がそんなに楽しいのか、ダンブルドアとハグリッドがいなくなってから二週間ほどたった魔法薬の授業で、ハリーは初めてわかった。マルフォイのすぐ後ろに座っていたので、クラッブとゴイルにマルフォイが満足げに話すのが聞こえてきたのだ。

「父上こそがダンブルドアを追い出す人だろうと、僕はずっとそう思っていた」

マルフォイは声をひそめようともせず話していた。

「おまえたちに言って聞かせたろう。父上は、ダンブルドアがこの学校始まって以来の最悪の校長だと思ってるって。たぶん今度はもっと適切な校長が来るだろう。『秘密の部屋』を閉じたりすることを**望まない**誰かが。マクゴナガルは長くは続かない。単なる穴埋めだから……」

スネイプがハリーのそばをサッと通り過ぎた。ハーマイオニーの席も、大鍋もからっぽなのに何も言わない。

「先生」マルフォイが大声で呼び止めた。「**先生が**校長職に志願なさってはいかがですか？」

「これこれ、マルフォイ」

スネイプは、薄い唇がほころぶのを押さえきれなかった。

「ダンブルドア先生は、理事たちに停職させられただけだ。我輩は、まもなく復職なさると思う」

「さぁ、どうでしょうね」

マルフォイはニンマリした。

「先生が立候補なさるなら、父が支持投票すると思います。**僕が**、父にスネイプ先生がこの学校で最高の先生だと言いますから……」

スネイプは薄笑いしながら地下牢《ろう》教室を闊歩《かっぽ》したが、幸いなことに、シェーマス・フィネガンが大鍋に、ゲーゲー吐くまねをしていたのには気づかなかった。

『穢《けが》れた血』の連中がまだ荷物をまとめてないのにはまったく驚くねぇ」

マルフォイはまだしゃべり続けている。

「次のは死ぬ。金貨で五ガリオン賭けてもいい。グレンジャーじゃなかったのは残念だ……」

その時、終業のベルが鳴ったのは幸いだった。マルフォイの最後の言葉を聞いたとたん、ロンが椅子から勢いよく立ち上がってマルフォイに近づこうとしたのを、みんなが大急ぎで鞄《かばん》や本をかき集める騒ぎの中で、誰にも気づかれずにすんだからだ。

「やらせてくれ」

ハリーとディーンがロンの腕をつかんで引き止めたが、ロンは唸《うな》った。

「かまうもんか。杖《つえ》なんかいらない。素手でやっつけてやる――」

「急ぎたまえ。薬草学のクラスに引率していかねばならん」

スネイプが先頭のほうから生徒の頭越しにどなった。みんなぞろぞろと二列になって移動した。ハリー、ロン、ディーンがしんがりだった。ロンは二人の手を振りほどこうとまだもがいていた。スネイプが生徒を城から外に送り出し、みんなが野菜畑を通って温室に向かうときになって、やっと手を放しても暴れなくなった。

薬草学のクラスは沈んだ雰囲気だった。仲間が二人も欠けている。ジャスティンとハーマイオニーだ。スプラウト先生は、みんなに手作業をさせた。アビシニア無花果《いちじく》の大木の剪定《せんてい》だ。ハリーがなえた茎をひと抱えも切り取って、堆肥用に積み上げていると、ちょうどむかい側にいたアーニー・マクミランと目が合った。アーニーはすうっと深く息を吸って、非常にていねいに話しかけた。

「ハリー、僕は君を一度でも疑ったことを、申し訳なく思っています。君はハーマイオニー・グレンジャーをけっして襲ったりしない。僕がいままで言ったことをおわびします。僕たちはいま、みんなおんなじ運命にあるんだ。だから――」

アーニーはまるまる太った手を差し出した。ハリーは握手した。

アーニーとその友人のハンナが、ハリーとロンの剪定していた無花果を、一緒に刈り込むためにやってきた。

「あのドラコ・マルフォイは、いったいどういう感覚してるんだろ」

アーニーが刈った小枝を折りながら言った。

「こんな状況になってるのを大いに楽しんでるみたいじゃないか？　ねえ、僕、**あいつが**スリザリンの継承者じゃないかと思うんだ」

「まったく、いい勘してるよ。君は」

ロンは、ハリーほどたやすくアーニーを許してはいないようだった。

「ハリー、**君は**、マルフォイだと思うかい？」アーニーが聞いた。

「いや」ハリーがあんまりきっぱり言ったので、アーニーもハンナも目を見張った。

その直後、ハリーは大変なものを見つけて、思わず剪定ばさみでロンの手をぶってしまった。

「**アイタッ！** 何をするるん……」

ハリーは一メートルほど先の地面を指差していた。大きなクモが数匹ガサゴソ這《は》っていた。

「あぁ、ウン」

ロンはうれしそうな顔をしようとして、やはりできないようだった。

「でも、いま追いかけるわけにはいかないよ……」

アーニーもハンナも聞き耳を立てていた。

ハリーは逃げていくクモをじっと見ていた。

「どうやら『禁じられた森』のほうに向かってる……」

ロンはますます情けなさそうな顔をした。

授業が終わると、スプラウト先生が「闇の魔術に対する防衛術」のクラスに生徒を引率した。ハリーとロンはみんなから遅れて歩き、話を聞かれないようにした。

「もう一度『透明マント』を使わなくちゃ」

ハリーがロンに話しかけた。

「ファングを連れていこう。いつもハグリッドと森に入っていたから、何か役に立つかもしれない」

「いいよ」

ロンは落ち着かない様子で、杖を指でくるくる回していた。

「えーと——ほら——あの森には狼男《おおかみおとこ》がいるんじゃなかったかな？」

ロックハートのクラスで、一番後ろのいつもの席に着きながらロンが言った。

ハリーは、質問に直接答えるのをさけた。

「あそこにはいい生き物もいるよ。ケンタウルスも大丈夫だし、ユニコーンも」

ロンは「禁じられた森」に入ったことがなかった。ハリーは一度だけ入ったが、できれば二度と入りたくないと思っていた。

ロックハートが、うきうきと教室に入ってきたので、みんなあぜんとして見つめた。ほかの先生は誰もが、いつもより深刻な表情をしているのに、ロックハートだけは陽気そのものだった。

「さあ、さあ」ロックハートがニッコリと笑いかけながら叫んだ。「なぜそんなに湿っぽい顔ばかりそろってるのですか？」

みんなあきれ返って顔を見合わせ、誰も答えようとしなかった。

「みなさん、まだ気がつかないのですか？」

ロックハートは、生徒がみんな物わかりが悪いとでも言うかのようにゆっくりと話した。

「危険は去ったのです！　犯人は連行されました」

「いったい誰がそう言ったんですか？」ディーン・トーマスが大声で聞いた。

「元気があってよろしい。魔法大臣は百パーセント有罪の確信なくして、ハグリッドを連行したりしませんよ」ロックハートは一＋一＝二の説明をするような調子で答えた。

「しますとも」ロンがディーンよりも大声で言った。

「自慢するつもりはありませんが、ハグリッドの逮捕については、私はウィーズリー君よりいささか、詳しいですよ」ロックハートは自信たっぷりだ。

ロンは――僕、なぜかそうは思いません……と言いかけたが、机の下でハリーに蹴りを入れられて言葉がとぎれた。「僕たち、あの場にはいなかったんだ。いいね？」

そうは言ったものの、ハリーは、ロックハートの浮かれぶりにはむかついた。ハグリッドはよくないやつだといつも思っていたとか、ごたごたはいっさい解決したとか、その自信たっぷりな話しぶりにいらいらして、ハリーは『グールお化けとのクールな散策』を、ロックハートの間抜け顔に、思いきり投げつけたくてたまらなかった。そのかわりに、ロンに走り書きを渡すことで、ハリーはがまんした。

「今夜決行しよう」

ロンはメモを読んでゴクリと生つばをのんだ。そしていつもハーマイオニーが座っていた席を横目で見た。からっぽの席がロンの決心を固めさせたようだ。ロンはうなずいた。

グリフィンドールの談話室は、このごろいつでも混み合っていた。六時以降、ほかに行き場がなかったのだ。それに、話すことはあり余るほどあったので、その結果、談話室は、真夜中過ぎまで人がいることが多かった。

ハリーは夕食後、すぐに透明マントをトランクから取り出してきて、談話室に誰もいなくなるまでマントの上に座って時を待った。フレッドとジョージが、ハリーとロンに「爆発スナップゲーム」の勝負を挑み、ジニーは、ハーマイオニーのお気に入りの席に座り、沈みきってそれを眺めていた。ハリーとロンはわざと負け続けて、ゲームを早く終わらせようとしたが、やっとフレッド、ジョージ、ジニーが寝室に戻ったときには、とうに十二時を過ぎていた。

ハリーとロンは男子寮、女子寮に通じるドアが、二つとも遠くのほうで閉まる音を確かめ、それから「マント」を取り出してかぶり、肖像画の裏の穴を這い上った。

先生方にぶつからないようにしながら城を抜けるのは、今夜もひと苦労だった。やっと玄関ホールにたどり着き、樫《かし》の扉のかんぬきをはずし、蝶番《ちょうつがい》がきしんだ音を立てないよう、そうっと扉を細く開けて、そのすきまを通り、二人は月明かりに照らされた校庭に踏み出した。

「ウン、そうだ」

黒々と広がる草むらを大股で横切りながら、ロンが出し抜けに言った。

「森まで行っても跡をつけるものが見つからないかもしれない。あのクモは森なんかに行かなかったかもしれない。だいたいそっちの方向に向かって移動していたように見えたことは確かだけど、でも……」

ロンの声がそうであってほしいというふうにだんだん小さくなっていった。

ハグリッドの小屋にたどり着いた。真っ暗な窓がいかにももの悲しくさびしかった。ハリーが入口の戸を開けると、二人の姿を見つけたファングが狂ったように喜んだ。ウォン、ウォンと太くとどろくような声で鳴かれたら、城中の人間が起きてしまうのではないかと気が気でなく、二人は急いで暖炉の上の缶から、糖蜜ヌガーを取り出し、ファングに食べさせた――ファングの上下の歯がしっかりくっついた。

ハリーは透明マントをハグリッドのテーブルの上に置いた。真っ暗な森の中では必要がない。

「ファング、おいで。散歩にいくよ」ハリーは、自分のふとももをたたいて合図した。ファングは喜んで飛びはねながら二人について小屋を出て、森の入口までダッシュし、楓《かえで》の大木の下で片足を上げ、用を足した。

ハリーが杖を取り出し「**ルーモス！　光よ！**」と唱えると、杖の先に小さな灯《あか》りがともった。森の小道にクモの通った跡があるかどうかを探すのに、やっと間に合うぐらいの灯りだ。

「いい考えだ」ロンが言った。

「僕もつければいいんだけど、でも、僕のは――爆発したりするかもしれないし……」

ハリーはロンの肩をトントンとたたき、草むらを指差した。はぐれグモが二匹、急いで杖灯りの光を逃れ、木の影に隠れるところだった。

「オーケー」

もう逃れようがないと覚悟したかのように、ロンはため息をついた。

「いいよ。行こう」

二人は森の中へと入っていった。ファングは、木の根や落ち葉をクンクンかぎながら、二人の周りを跳ね回ってついてきた。クモの群れがザワザワと小道を移動する足取りを、二人はハリーの杖の灯りを頼りに追った。小枝の折れる音、木の葉のこすれ合う音のほかに何か聞こえはしないかと、耳をそばだて、二人はだまって歩き続けた。二十分ほど歩いたろうか、やがて、木々がいっそう深々と茂り、空の星さえ見えなくなり、闇の帳《とばり》に光を放つのはハリーの杖だけになった。その時、クモの群れが小道からそれるのが見えた。

ハリーは立ち止まり、クモがどこへ行くのかを見ようとしたが、杖灯りの小さな輪の外は一寸先も見えない暗闇だった。こんなに森の奥まで入り込んだことはなかった。前回森に入ったとき、「道をそれるなよ」とハグリッドに忠告されたことを、ありありと思い出した。しかし、ハグリッドは、いまや遠く離れた所にいる——たぶんアズカバンの独房に、つくねんと座っているのだろう。そのハグリッドが、今度はクモの跡を追えと言ったのだ。

何か湿ったものがハリーの手に触れた。ハリーは思わず飛びずさって、ロンの足を踏んづけてしまった。——ファングの鼻面だった。

「どうする？」杖の灯りを受けて、やっとロンの目だとわかるものに向かって、ハリーが聞いた。

「ここまで来てしまったんだもの」とロンが答えた。

二人はクモのすばやい影を追いかけて、森の茂みの中に入り込んだ。もう速くは動けない。行く手をさえぎる木の根や切り株も、ほとんど見えない真っ暗闇だ。ファングの熱い息が、ハリーの手にかかるのを感じた。二人は何度か立ち止まって、ハリーがかがみ込み、杖灯りに照らされたクモの群れを確認しなければならなかった。

少なくとも三十分ほどは歩いたろう。ローブが低く突き出した枝やとげに何度も引っかかった。しばらくすると、相変わらずうっそうとした茂みだったが、地面が下り坂になっているのに気づいた。

ふいに、ファングが大きく吠《ほ》える声がこだまし、ハリーもロンも飛び上がった。

「なんだ？」ロンは大声を上げ、真っ暗闇を見回し、ハリーのひじをしっかりつかんだ。

「むこうで何かが動いている」ハリーは息をひそめた。「シーッ……何か大きいものだ」

耳を澄ました。右のほう、少し離れた所で、何か大きなものが、枝をバキバキ折りながら木立の間に道をつけて進んでくる。

「もうダメだ」ロンが思わず声をもらした。「もうダメ、もうダメ、ダメ――」

「シーッ！」ハリーが必死で止めた。「君の声が聞こえてしまう」

「僕の声？」ロンがとてつもなく上ずった声を出した。「とっくに聞こえてるよ。ファングの声が！」

恐怖に凍りついて立ちすくみ、ただ待つだけの二人の目玉に、闇が重苦しくのしかかった。

ゴロゴロという奇妙な音がしたかと思うと、急に静かになった。

「何をしているんだろう？」とハリー。

「飛びかかる準備だろう」とロン。

震えながら、金縛りにあったように、二人は待ち続けた。

「行っちゃったのかな？」とハリー。

「さあ――」

突然右のほうにカッと閃光《せんこう》が走った。暗闇の中でのまぶしい光に、二人は反射的に手をかざして目を覆った。ファングはキャンと鳴いて逃げようとしたが、とげにからまってますますキャンキャン鳴いた。

「ハリー！」

ロンが大声で呼んだ。緊張が取れて、ロンの声の調子が変わった。

「僕たちの車だ！」

「**えっ？**」

「行こう！」

ハリーはまごまごとロンのあとについて、すべったり、転んだりしながら光のほうに向かった。まもなく開けた場所に出た。

ウィーズリー氏の車だ。誰も乗っていない。深い木の茂みに囲まれ、木の枝が屋根のように重なり合う下で、ヘッドライトをギラつかせている。ロンが口をあんぐり開けて近づくと、車はゆっくりと、まるで大きなトルコ石色の犬が、飼い主に挨拶するようにすり寄ってきた。

「こいつ、ずっとここにいたんだ！」

ロンが車の周りを歩きながらうれしそうに言った。

「ごらんよ。森の中で野生化しちゃってる……」

車の泥よけは傷だらけで泥んこだった。勝手に森の中をゴロゴロ動き回っていたようだ。ファングは車がお気に召さないようだ。すねっ子のようにハリーにぴったりくっついている。ファングが震えているのが伝わってきた。ようやく呼吸も落ち着いてきたハリーは、杖をローブの中に収めた。

「僕たち、こいつに襲われると思ったんだ！」ロンは車に寄りかかり、やさしくたたいた。「おまえがどこに行っちゃったのかって、ずっと気にしてたよ！」

ハリーはクモの通った跡はないかと、ヘッドライトで照らされた地面をまぶしそうに目を細めて見回した。しかしクモの群れは、ギラギラする明かりから急いで逃げ去ってしまっていた。

「見失っちゃった」ハリーが言った。「さあ、探しにいかなくちゃ」

ロンは何も言わなかった。身動きもしなかった。ハリーのすぐ後ろ、地面から二、三メートル上の一点に、目が釘《くぎ》づけになっている。顔が恐怖で土気色だ。

振り返る間もなかった。カシャッカシャッと大きな音がしたかと思うと、何か長くて毛むくじゃらなものが、ハリーの体をわしづかみにして持ち上げた。ハリーは逆さまに宙吊《づ》りになった。恐怖にとらわれ、もがきながらも、ハリーはまた別のカシャッカシャッという音を聞いた。ロンの足が宙に浮くのが見え、ファングがクィンクィン、ワォンワォン鳴きわめいているのが聞こえた。――次の瞬間、ハリーは暗い木立の中にサッと運び込まれた。

逆さ吊りのまま、ハリーは自分を捕らえているものを見た。六本の恐ろしく長い、毛むくじゃらの肢《あし》が、ザックザックと突き進み、その前の二本の肢でハリーをがっちりはさみ、その上に黒光りする一対の鋏《はさみ》があった。後ろに、もう一匹同じ生き物の気配がする。ロンを運んでいるにちがいない。森の奥へ奥へと行進していく。ファングが三匹めの怪物から逃れようと、キャンキャン鳴きながら、ジタバタもがいているのが聞こえた。ハリーは叫びたくても叫べなかった。あの空き地の車の所に、声を置き忘れてきたらしい。

どのぐらいの間、怪物にはさまれていたのだろうか、真っ暗闇が突然薄明るくなり、地面を覆う木の葉の上に、クモがうじゃうじゃいるのが見えた。首をひねって見ると、だだっ広いくぼ地の縁にたどり着いたのが見える。木を切り払ったくぼ地の中を星明かりが照らし出し、ハリーがこれまでに目にしたことがない、世にも恐ろしい光景が飛び込んできた。

蜘蛛《くも》だ。木の葉の上にうじゃうじゃしている細かいクモとはモノがちがう。馬車馬のような、八つ目の、八本肢の、黒々とした、毛むくじゃらの、巨大な蜘蛛が数匹。ハリーを運んできたその巨大蜘蛛の見本のようなのが、くぼ地のど真ん中にある靄《もや》のようなドーム形の蜘蛛の巣に向かって、急な傾斜をすべり下りた。仲間の巨大蜘蛛が、獲物を見て興奮し、鋏をガチャつかせながら、その周りに集結した。

巨大蜘蛛が鋏を放し、ハリーは四つんばいになって地面に落ちた。ロンもファングも隣にドサッと落ちてきた。ファングはもう鳴くことさえできず、だまってその場にすくみ上がっていた。ロンはハリーの気持ちをそっくり顔で表現していた。声にならない悲鳴を上げ、口が大きく叫び声の形に開いている。目は飛び出していた。

ふと気がつくと、ハリーを捕まえていた蜘蛛が何か話している。一言しゃべるたびに鋏をガチャガチャいわせるので、話しているということにさえ、なかなか気づかなかった。

「アラゴグ！」と呼んでいる。「アラゴグ！」

靄のような蜘蛛の巣のドームの真ん中から、小型の象ほどもある蜘蛛がゆらりと現れた。胴体と肢を覆う黒い毛に白いものがまじり、鋏のついた醜い頭に、八つの白濁した目があった。——盲《めし》いている。

「なんの用だ？」鋏を激しく鳴らしながら、盲目の蜘蛛が言った。

「人間です」ハリーを捕まえた巨大蜘蛛が答えた。

「ハグリッドか？」アラゴグが近づいてきた。八つのにごった目がうつろに動いている。

「知らない人間です」ロンを運んだ蜘蛛が、カシャカシャ言った。

「殺せ」アラゴグはいらいらと鋏を鳴らした。「眠っていたのに……」

「僕たち、ハグリッドの友達です」ハリーが叫んだ。心臓が胸から飛び上がって、のど元で脈を打っているようだった。

カシャッカシャッカシャッ――くぼ地の中の巨大蜘蛛の鋏がいっせいに鳴った。

アラゴグが立ち止まった。

「ハグリッドは一度もこのくぼ地に人をよこしたことはない」ゆっくりとアラゴグが言った。

「ハグリッドが大変なんです」

息を切らしながらハリーが言った。

「それで、僕たちが来たんです」

「大変？」

年老いた巨大蜘蛛の鋏の音が気づかわしげなのを、ハリーは聞き取ったように思った。

「しかし、なぜおまえをよこした？」

ハリーは立ち上がろうとしたが、やめにした。とうてい足が立たない。そこで、地べたに這ったまま、できるだけ落ち着いて話した。

「学校のみんなは、ハグリッドがけしかけて――か、怪――何ものかに、学生を襲わせたと思っているんです。ハグリッドを逮捕して、アズカバンに送りました」

アラゴグは怒り狂って鋏を鳴らした。蜘蛛の群れがそれに従い、くぼ地中に音がこだました。ちょうど拍手喝采のようだったが、普通の拍手なら、ハリーも恐怖で吐き気をもよおすことはなかったろう。

「しかし、それは昔の話だ」アラゴグはいらだった。

「何年も何年も前のことだ。よく覚えている。それでハグリッドは退学させられた。みんながわしのことを、いわゆる『秘密の部屋』に棲《す》む怪物だと信じ込んだ。ハグリッドが『部屋』を開けて、わしを自由にしたのだと考えた」

「それじゃ、あなたは……あなたが『秘密の部屋』から出てきたのではないのですか？」

　ハリーは、額に冷や汗が流れるのがわかった。

「わしが！」アラゴグは怒りで鋏を打ち鳴らした。

「わしはこの城で生まれたのではない。遠い所からやってきた。まだ卵だったわしを、旅人がハグリッドに与えた。ハグリッドはまだ少年だったが、わしの面倒を見てくれた。城の物置に隠し、食事の残り物を集めて食べさせてくれた。ハグリッドはわしの親友だ。いいやつだ。わしが見つかってしまい、女の子を殺した罪を着せられたとき、ハグリッドはわしを護《まも》ってくれた。そのとき以来、わしはこの森に棲み続けている。ハグリッドはいまでもときどき訪ねてきてくれる。妻も探してきてくれた。モサグを。見ろ。わしらの家族はこんなに大きくなった。みんなハグリッドのおかげだ……」

　ハリーはありったけの勇気をしぼり出した。

「それじゃ、一度も――誰も襲ったことはないのですか？」

「一度もない」年老いた蜘蛛はしわがれ声を出した。「襲うのはわしの本能だ。しかし、ハグリッドの名誉のために、わしはけっして人間を傷つけはしなかった。殺された女の子の死体は、トイレで発見された。わしは自分の育った物置の中以外、城のほかの場所はどこも見たことがない。わしらの仲間は、暗くて静かな所を好む……」

「それなら……いったい**何が**女の子を殺したのか知りませんか？　何ものであれ、そいつはいま戻ってきて、またみんなを襲って――」

　カシャカシャという大きな音と、何本もの長い肢が怒りでこすれ合うザワザワという音が湧き起こり、言葉が途中でかき消された。大きな黒いものがハリーを囲んでガサゴソと動いた。

「城に棲むそのものは」アラゴグが答えた。「わしら蜘蛛の仲間が何よりも恐れる、太古の生き物だ。その怪物が、城の中を動き回っている気配を感じたとき、わしを外に出してくれと、ハグリッドにどんなに必死で頼んだか、よく覚えている」

「いったいその生き物は？」ハリーは急《せ》き込んで尋ねた。

また大きなカシャカシャとザワザワが湧いた。蜘蛛がさらに詰め寄ってきたようだ。

「わしらはその生き物の話をしない！」アラゴグが激しく言った。「わしらはその名前さえ口にしない！　ハグリッドに何度も聞かれたが、わしはその恐ろしい生き物の名前を、けっしてハグリッドに教えはしなかった」

ハリーはそれ以上追及しなかった。巨大蜘蛛が、四方八方から詰め寄ってきている。いまはダメだ。アラゴグは話すのにつかれた様子だった。ゆっくりとまた蜘蛛の巣のドームへと戻っていった。しかし仲間の蜘蛛は、じりっじりっと少しずつ二人に詰め寄ってくる。

「それじゃ、僕たちは帰ります」木の葉をガサゴソいわせる音を背後に聞きながら、ハリーは、アラゴグに絶望的な声で呼びかけた。

「帰る？」アラゴグがゆっくりと言った。「それはなるまい……」

「でも――でも――」

「わしの命令で、娘や息子たちはハグリッドを傷つけはしない。しかし、わしらのまっただ中にのこのこ進んで迷い込んできた新鮮な肉を、おあずけにはできまい。さらば、ハグリッドの友人よ」

ハリーは、体を回転させて上を見た。ほんの数十センチ上にそびえ立つ蜘蛛の壁が、鋏をガチャつかせ、醜い黒い頭にたくさんの目をギラつかせている……。

杖に手をかけながらも、ハリーにはむだな抵抗とわかっていた。多勢に無勢だ。それでも戦って死ぬ覚悟で立ち上がろうとしたその時、高らかな長い音とともに、くぼ地にまばゆい光が射し込んだ。

ウィーズリー氏の車が、荒々しく斜面を走り下りてくる。ヘッドライトを輝かせ、クラクションを高々と鳴らし、蜘蛛をなぎ倒し――何匹かは仰向けにひっくり返され、何本もの長い肢を空に泳がせていた。車はハリーとロンの前でキキーッと停まり、ドアがパッと開いた。

「ファングを！」

ハリーは、前の座席に飛び込みながら叫んだ。ロンは、ボアハウンドの胴のあたりをむんずと抱きかかえ、キャンキャン鳴いているのを、後ろの座席に放り込んだ。ドアがバタンと閉まり、ロンがアクセルにさわりもしないのに、車はロンの助けも借りず、エンジンを唸らせ、またまた蜘蛛を引き倒しながら発進した。車は坂を猛スピードで駆け上がり、くぼ地を抜け出し、まもなく森の中へと突っ込んだ。車は勝手に走った。太い木の枝が窓をたたきはしたが、車はどうやら自分の知っている道らしく、巧みに空間の広くあいている所を通った。

ハリーは隣のロンを見た。まだ口は開きっぱなしで、声にならない叫びの形のままだったが、目はもう飛び出してはいなかった。

「大丈夫かい？」

ロンはまっすぐ前を見つめたまま、口がきけない。

森の下生えをなぎ倒しながら車は突進した。ファングは後ろの席で大声で吠えている。大きな樫の木の脇を無理やりすり抜けるとき、ハリーの目の前で、サイドミラーがポッキリ折れた。ガタガタと騒々しいデコボコの十分間が過ぎたころ、木立がややまばらになり、茂みの間からハリーは、再び空を垣間《かいま》見ることができた。

車が急停車し、二人はフロントガラスにぶつかりそうになった。森の入口にたどり着いたのだ。ファングは早く出たくて窓に飛びつき、ハリーがドアを開けてやると、しっぽを巻いたまま、一目散にハグリッドの小屋を目指して、木立の中をダッシュしていった。ハリーも車を降りた。それから一分ぐらいたって、ロンがようやく手足の感覚を取り戻したらしく、まだ首が硬直して前を向いたままだったが、降りてきた。ハリーが感謝を込めて車をなでると、車はまた森の中へとバックしていき、やがて姿が見えなくなった。

ハリーは透明マントを取りにハグリッドの小屋に戻った。ファングは寝床のバスケットで毛布をかぶって震えていた。小屋の外に出ると、ロンがかぼちゃ畑でゲーゲー吐いていた。

「クモの跡をつけろだって」

ロンはそでで口をふきながら弱々しく言った。

「ハグリッドを許さないぞ。僕たち、生きてるのが不思議だよ」

「きっと、アラゴグなら自分の友達を傷つけないと思ったんだよ」ハリーが言った。

「だからハグリッドってダメなんだ！」

ロンが小屋の壁をドンドンたたきながら言った。

「怪物はどうしたって怪物なのに、みんなが、怪物を悪者にしてしまったんだと考えてる。そのつけがどうなったか！　アズカバンの独房だ！」

ロンはいまになってガタガタと震えが止まらなくなっていた。

「僕たちをあんな所に追いやって、いったいなんの意味があった？　何がわかった？　教えてもらいたいよ」

「ハグリッドが『秘密の部屋』を開けたんじゃないってことだ」

ハリーはマントをロンにかけてやり、腕を取って、歩くようにうながしながら言った。

「ハグリッドは無実だった」

ロンはフンと大きく鼻を鳴らした。アラゴグを物置の中で孵《かえ》すなんて、どこが「無実」なもんか、と言いたげだ。

城がだんだん近くに見えてきた。ハリーは透明マントを引っ張って足先まですっぽり隠し、それから、きしむ扉をそっと半開きにした。玄関ホールをこっそりと横切り、大理石の階段を上り、見張り番が目を光らせている廊下を息を殺して通り過ぎて、ようやく安全地帯のグリフィンドールの談話室にたどり着いた。暖炉の火は燃え尽き、灰になった残り火が、わずかに赤みを帯びていた。二人はマントを脱ぎ、曲がりくねった階段を上って寝室に向かった。

ロンは服も脱がずにベッドに倒れ込んだ。しかしハリーはあまり眠くなかった。四本柱つきのベッドの端に腰かけ、アラゴグが言ったことを一生懸命考えた。

城のどこかにひそむ怪物は、ヴォルデモートを怪物にしたようなものかもしれない――。

ほかの怪物でさえ、その名前を口にしたがらない。しかし、ハリーもロンもそれがなんなのか、襲った者をどんな方法で石にするのか、結局のところ皆目わからない。ハグリッドでさえ「秘密の部屋」に何がいたのか知ってはいなかった。

ハリーはベッドの上に足を投げ出し、枕にもたれて、寮塔の窓から、自分の上に射し込む月明かりを眺めた。

ほかに何をしたらよいのかわからない。八方ふさがりだ。リドルはまちがった人間を捕まえた。スリザリンの継承者は逃れ去り、今度「部屋」を開けたのが、はたしてその人物なのか、それともほかの誰かなのか、わからずじまいだ。もう誰も尋ねるべき人はいない。ハリーは横になったまま、アラゴグの言ったことをまた考えた。

とろとろと眠くなりかけたとき、最後の望みとも思える考えがひらめいた。ハリーは、ハッと身を起こした。

「ロン」暗闇の中でハリーは声をひそめて呼んだ。「ロン！」

ロンはファングのようにキャンと言って目を覚まし、きょろきょろとあたりを見回した。そしてハリーに目をとめた。

「ロン——死んだ女の子だけど。アラゴグはトイレで見つかったって言ってた」

ハリーは部屋の隅から聞こえてくる、ネビルの高いびきも気にせず言葉を続けた。

「その子がそれから一度もトイレを離れなかったとしたら？　まだそこにいるとしたら？」

ロンが目をこすり、月明かりの中で眉根を寄せた。そして、ピンときた。

「**もしかして**——まさか『**嘆きのマートル**』？」

第16章　秘密の部屋

「僕たち、あのトイレに何度も入ってたんだぜ。その間、マートルはたった小部屋三つしか離れていなかったんだ」

ロンは翌日の朝食の席で悔しそうに言った。

「あの時なら聞けたのに、いまじゃなぁ……」

クモを探すことさえ簡単にはできなかったのだから、ましてや先生の目を盗んで女子トイレにもぐり込むなど、特に、最初の犠牲者が出た場所のすぐ脇の女子トイレだし、とても無理だった。

ところが、その日最初の授業、変身術で起きた出来事のおかげで、数週間ぶりに「秘密の部屋」など頭から吹っ飛んだ。授業が始まって十分もたったころ、マクゴナガル先生が、一週間後の六月一日から期末試験が始まると発表したのだ。

「**試験**?」シェーマス・フィネガンが叫んだ。「こんな時にまだ**試験**があるんですか?」

ハリーの後ろでバーンと大きな音がした。ネビル・ロングボトムが杖《つえ》を取り落とし、自分の机の脚を一本消してしまった音だった。マクゴナガル先生は、杖のひと振りで脚を元どおりにし、シェーマスの方に向きなおってしかめっ面をした。

「こんな時でさえ学校を閉鎖しないのは、みなさんが教育を受けるためです」

先生は厳しく言った。

「ですから、試験はいつものように行います。みなさん、しっかり復習なさっていることと思いますが」

しっかり復習！　城がこんな状態なのに、試験があるとはハリーは考えてもみなかった。教室中が不満たらたらの声であふれ、マクゴナガル先生はますます怖いしかめっ面をした。

「ダンブルドア校長のお言いつけです。学校はできるだけ普通どおりにやっていきます。つまり、私が指摘するまでもありませんが、この一年間に、みなさんがどれだけ学んだかを確かめるということです」

ハリーは、これからスリッパに変身させるはずの二羽の白ウサギを見下ろした。――今年一年何を学んだのだろう？　試験に役立ちそうなことは、何一つ思い出せないような気がした。ロンはと見ると、禁じられた森に行ってそこに住むようにと、たったいま、命令されたような顔をしている。

「こんなもんで試験が受けられると思うか？」

ロンは、ちょうどピーピー大きな音を立てはじめた自分の杖を持ち上げて、ハリーに問いかけた。

最初のテストの三日前、朝食の席で、マクゴナガル先生がまた発表することがあると言った。

「よい知らせです」

とたんに、シーンとなるどころか、大広間は蜂の巣をつついたようになった。

「ダンブルドアが戻ってくるんだ！」何人かが歓声を上げた。

「スリザリンの継承者を捕まえたんですね！」レイブンクローの女子学生が、黄色い声を上げた。

「クィディッチの試合が再開されるんだ！」ウッドが興奮してウオーッという声を出した。

やっとガヤガヤが静まったとき、先生が発表した。

「スプラウト先生のお話では、とうとうマンドレイクが収穫できるとのことです。今夜、石にされた人たちを蘇生《そせい》させることができるでしょう。言うまでもありませんが、そのうちの誰か一人が、誰に、またはは何に襲われたのか話してくれるかもしれません。私は、この恐ろしい一年が、犯人逮捕で終わりを迎えることができるのではないかと、期待しています」

歓声が爆発した。ハリーがスリザリンのテーブルのほうを見ると、当然のことながらドラコ・マルフォイは喜んではいなかった。逆にロンは、ここしばらく見せたことがなかったような、うれしそうな顔をしている。

「それじゃ、マートルに聞きそびれたこともどうでもよくなった！　目を覚ましたら、たぶんハーマイオニーが全部答えを出してくれるよ！　でもね、あと三日で試験が始まるって聞いたら、きっとあいつあわてふためくぜ。復習してないんだからな。試験が終わるまで、いまのままそっとしておいたほうが親切じゃないかな」

その時、ジニー・ウィーズリーがやってきて、ロンの隣に座った。緊張して落ち着かない様子だ。ひざの上で手をもじもじさせているのにハリーは気がついた。

「どうした？」ロンがオートミールのおかわりをしながら聞いた。

ジニーはだまっている。グリフィンドールのテーブルを端から端まで眺めながら、おびえた表情をしている。どこかで見た表情だとハリーは思ったが、誰の顔か思い出せない。

「言っちまえよ」ロンがジニーを見つめながらうながした。

ハリーは突然、ジニーの表情が誰に似ているか思い出した。椅子に座って、前後に体を揺するしぐさがドビーそっくりだ。言ってはいけないことをもらそうかどうか、ためらっているときのドビーだ。

「あたし、言わなければいけないことがあるの」

ジニーはハリーのほうを見ないようにしながらボソボソ言った。

「なんなの？」ハリーが聞いた。

ジニーはなんと言っていいのか言葉が見つからない様子だ。

「いったい**なんだよ？**」とロン。

ジニーは口を開いた。が、声が出てこない。ハリーは少し前かがみになって、ロンとジニーだけに聞こえるような小声で言った。

『秘密の部屋』に関することなの？　何か見たの？　誰かおかしなそぶりをしているの？」

ジニーはすうっと深呼吸した。その瞬間、折悪《あ》しく、パーシー・ウィーズリーがげっそりつかれきった顔で現れた。

「ジニー、食べ終わったのなら、僕がその席に座るよ。腹ペコだ。巡回見回りが、いま終わったばかりなんだ」

ジニーは椅子に電流が走ったかのように飛び上がって、パーシーのほうをおびえた目でちらっと見るなり、そそくさと立ち去った。パーシーは腰を下ろし、テーブルの真ん中にあったマグカップをガバッとつかんだ。

「パーシー！」ロンが怒った。「ジニーが何か大切なことを話そうとしたとこだったのに！」

紅茶を飲んでいる途中でパーシーはむせ込んだ。

「どんなことだった？」パーシーが咳《せ》き込みながら聞いた。

「僕が何かおかしなものを見たのかって聞いたら、何か言いかけて――」

「ああ――それ――それは『秘密の部屋』には関係ない」パーシーはすぐに言った。

「なんでそう言える？」ロンの眉が吊《つ》り上がった。

「うん、あ、どうしても知りたいなら、ジニーが、あ、この間、僕とばったり出くわして、その時僕が――うん、なんでもない――要するにだ、あの子は僕が何かをするのを見たわけだ。それで、僕が、その、あの子に誰にも言うなって頼んだんだ。あの子は約束を守ると思ったのに。たいしたことじゃないんだ。ほんと。ただ、できれば……」

ハリーは、パーシーがこんなにおろおろするのを初めて見た。

「いったい何をしてたんだ？　パーシー」ロンがニヤニヤした。

「さあ、吐けよ。笑わないから」

パーシーはニコリともしなかった。

「ハリー、パンを取ってくれないか。腹ペコだ」

明日になれば、自分たちが何もしなくても、すべての謎が解けるだろうとハリーは思ったが、マートルと話す機会があるなら逃すつもりはなかった——そして、うれしいことに、その機会がやってきた。午前の授業も半ば終わり、次の魔法史の教室まで引率していたのがギルデロイ・ロックハートだった。ロックハートはこれまで何度も「危険は去った」と宣言し、そのたびに、たちまちそれがまちがいだと証明されてきたのだが、今回は自信満々で、生徒を安全に送り届けるためにわざわざ廊下を引率していくのは、まったくのむだだと思っているようだった。髪もいつものような輝きがなく、五階の見回りでひと晩中起きていた様子だった。

「私《わたくし》の言うことをよく聞いておきなさい」

生徒を廊下の曲がり角まで引率してきたロックハートが言った。

「哀れにも石にされた人たちが最初に口にする言葉は『ハグリッドだった』です。まったく、マクゴナガル先生がまだこんな警戒措置が必要だと考えていらっしゃるのには、驚きますね」

「そのとおりです、先生」ハリーがそう言ったので、ロンは驚いて教科書を取り落とした。

「どうも、ハリー」ハッフルパフ生が、長い列を作って通り過ぎるのをやり過ごしながら、ロックハートが優雅に言った。

「つまり、私たち先生というものは、いろいろやらなければならないことがありましてね。生徒を送ってクラスに連れていったり、ひと晩中見張りに立ったりする以外にも手一杯ですよ」

「そのとおりです」ロンがピンと来てうまくつないだ。

「先生、引率はここまでにしてはいかがですか。あと一つだけ廊下を渡ればいいんですから」

「実は、ウィーズリー君、私もそうしようかと思う。戻って次の授業の準備をしないといけないんでね」

そしてロックハートは足早に行ってしまった。

「授業の準備が聞いてあきれる」ロンがフンと言った。「髪をカールしに、どうせそんなとこだ」

グリフィンドール生を先に行かせ、二人は脇の通路を駆け下りて嘆きのマートルのトイレへと急いだ。しかし、計略がうまく行ったことを、互いにたたえ合っていたその時……。

「ポッター！　ウィーズリー！　何をしているのですか？」

マクゴナガル先生が、これ以上固くは結べまいと思うほど固く唇を真一文字に結んで立っていた。

「僕たち――僕たち――」ロンがもごもご言った。「僕たち、あの――様子を見に――」

「ハーマイオニーの」とハリーが受けた。ロンもマクゴナガル先生もハリーを見つめた。

「先生、もうずいぶん長いことハーマイオニーに会っていません」

ハリーはロンの足を踏んづけながら急いでつけ加えた。

「だから、僕たち、こっそり医務室に忍び込んで、それで、ハーマイオニーにマンドレイクがもうすぐ採れるから、だから、あの、心配しないようにって、そう言おうと思ったんです」

マクゴナガル先生はハリーから目を離さなかった。一瞬、ハリーは先生の雷が落ちるかと思った。しかし、先生の声は奇妙にかすれていた。

「そうでしょうとも」

ハリーは先生の油断のない目に、涙がキラリと光るのを見つけて驚いた。

「そうでしょうとも。襲われた人たちの友達が、一番つらい思いをしてきたことでしょう……よくわかりました。ポッター、もちろん、いいですとも。ミス・グレンジャーのお見舞いを許可します。ビンズ先生には、私からあなたたちの欠席のことをお知らせしておきましょう。マダム・ポンフリーには、私から許可が出たと言いなさい」

ハリーとロンは、罰則を与えられなかったことに半信半疑のまま、その場を立ち去った。角を曲がったとき、マクゴナガル先生が鼻をかむ音が、はっきり聞こえた。

「あれは、君の作り話の中でも最高傑作だったぜ」ロンが熱を込めて言った。

こうなれば、医務室に行って、マダム・ポンフリーに「マクゴナガル先生から許可をもらって、ハーマイオニーの見舞いにきた」と言うほかはない。

マダム・ポンフリーは二人を中に入れたが、しぶしぶだった。

「石になった人に話しかけても**なんにもならない**でしょう」と言われながら、ハーマイオニーのそばの椅子に座ってみると、二人とも「まったくだ」と納得した。見舞客が来ていることに、ハーマイオニーが全然気づいていないのは明らかだった。ベッド脇の小机に「心配するな」と話しかけても、効果は同じかもしれない。

「でも、ハーマイオニーが自分を襲ったやつをほんとうに見たと思うかい？」

ロンが、ハーマイオニーの硬直した顔を悲しげに見ながら言った。

「だって、そいつがこっそり忍び寄って襲ったのだったら、誰も見ちゃいないだろう……」

ハリーはハーマイオニーの顔を見てはいなかった。右手のほうに興味を持った。かがみ込んでよく見ると、毛布の上で固く結んだ右手の拳に、くしゃくしゃになった紙切れを握りしめている。

マダム・ポンフリーがそのあたりにいないことを確認してから、ハリーはロンに、そのことを教えた。

「なんとか取り出してみて」

ロンは、椅子を動かしてハリーがマダム・ポンフリーの目に触れないようにさえぎりながら、ささやいた。

簡単にはいかない。ハーマイオニーの手が紙切れをガッチリ握りしめているので、ハリーは紙を破いてしまいそうだった。ロンを見張りに立て、ハリーは引っ張ったり、ひねったり、緊張の数分のあと、やっと紙を引っ張り出した。

図書館の、とても古い本のページがちぎり取られていた。ハリーはしわを伸ばすのももどかしく、ロンもかがみ込んで一緒に読んだ。


我らが世界を徘徊《はいかい》する多くの怪獣、怪物の中でも、最もめずらしく、最も破壊的であるという点で、バジリスクの右に出るものはない。「毒蛇の王」とも呼ばれる。この蛇は巨大に成長することがあり、何百年も生き長らえることがある。鶏の卵から生まれ、ヒキガエルの腹の下で孵化《ふか》される。殺しの方法は実に驚くべきもので、毒牙による殺傷とは別に、バジリスクのひとにらみは致命的である。その眼《め》からの光線に捕らわれた者は即死する。クモが逃げ出すのはバジリスクが来る前触れである。なぜならバジリスクはクモの宿命の天敵だからである。バジリスクにとって致命的なのは雄鶏《おんどり》が時をつくる声で、唯一それからは逃げ出す。

この下に、ハリーには見覚えのあるハーマイオニーの筆跡で、一言だけ書かれていた。

「パイプ」

まるでハリーの頭の中で、誰かが電灯をパチンとつけたようだった。

「ロン」ハリーが声をひそめて言った。「これだ。これが答えだ。『秘密の部屋』の怪物は**バジリスク**——巨大な毒蛇だ！　**だから**僕があちこちでその声を聞いたんだ。ほかの人には聞こえなかったのに。僕は蛇語がわかるからなんだ……」

ハリーは周りのベッドを見回した。

「バジリスクは視線で人を殺す。でも誰も死んではいない——それは、誰も直接目を見ていないからなんだ。コリンはカメラを通して見た。バジリスクが中のフィルムを焼き切ったけど、コリンは石になっただけだ。ジャスティン——ジャスティンはほとんど首無しニックを通して見たにちがいない！　ニックはまともに光線を浴びたけど、**二回は死ねない**……。ハーマイオニーとレイブンクローの監督生が見つかったとき、そばに鏡が落ちていた。ハーマイオニーは、怪物がバジリスクだってきっと気づいたんだ。絶対まちがいないと思うけど、最初に出会った女子学生に、どこか角を曲がるときには、まず最初に鏡を見るようにって、きっと忠告したんだ！　そしてその学生が鏡を取り出して——そしたら——」

ロンは口をポカンと開けていた。

「それじゃ、ミセス・ノリスは？」ロンが小声で急《せ》き込んで聞いた。

ハリーは考え込んだ。ハロウィーンの夜の場面を頭に描いてみた。

「水だ……」ハリーがゆっくりと答えた。「嘆きのマートルのトイレから水があふれてた。ミセス・ノリスは水に映った姿を見ただけなんだ……」

手に持った紙切れに、ハリーはもう一度、食い入るように目を通した。読めば読むほどつじつまが合ってくる。

『致命的なのは、雄鶏が時をつくる声』！」ハリーは読み上げた。

「ハグリッドの雄鶏が殺された！『秘密の部屋』が開かれたからには『スリザリンの継承者』は城の周辺に雄鶏はいてほしくない！『クモが逃げ出すのは前触れ』！何もかもぴったりだ！」

「だけど、バジリスクはどうやって城の中を動き回っていたんだろう？」ロンはつぶやいた。

「とんでもない大蛇だし……誰かに見つかりそうな……」

「パイプだ」ハリーが言った。「パイプだよ……ロン、やつは水道の配管を使ってたんだ。僕には壁の中からあの声が聞こえてた……」

ロンは突如ハリーの腕をつかんだ。

「『秘密の部屋』への入口だ！」ロンの声がかすれている。「もしトイレの中だったら？もし、あの——」

「——**嘆きのマートルのトイレだったら**」とハリーが続けた。

信じられないような話だった。体中を興奮が走り、二人はそこにじっと座っていた。

「……ということは」ハリーが口を開いた。「この学校で蛇語を話せるのは、僕だけじゃないはずだ。『スリザリンの継承者』も話せる。そうやってバジリスクを操ってきたんだ」

「これからどうする？」ロンの目が輝いている。「すぐにマクゴナガルの所へ行こうか？」

「職員室へ行こう」ハリーがはじけるように立ち上がった。「あと十分で、マクゴナガル先生が戻ってくるはずだ。まもなく休み時間だ」

二人は階段を下りた。どこかの廊下でぐずぐずしているところを、また見つかったりしないよう、まっすぐに誰もいない職員室に行った。広い壁を羽目板飾りにした部屋には、黒っぽい木の椅子がたくさんあった。ハリーとロンは興奮で座る気になれず、室内を往《い》ったり来たりして待った。

ところが休み時間のベルが鳴らない。かわりに、マクゴナガル先生の声が魔法で拡声され、廊下に響き渡った。

「**生徒は全員、それぞれの寮にすぐに戻りなさい。教師は全員、職員室に大至急お集まりください**」

ハリーはくるっと振り向き、ロンと目を見合わせた。

「また襲われたのか？　いまになって？」

「どうしよう？」ロンが愕然《がくぜん》として言った。「寮に戻ろうか？」

「いや」ハリーはすばやく周りを見回した。左側に、やぼったい洋服かけがあって、先生方のマントがぎっしり詰まっていた。

「さあ、この中に。いったい何が起こったのか聞こう。それから僕たちの発見したことを話すんだ」

二人はその中に隠れて、頭の上を何百人もの人が、ガタガタと移動する音を聞いていた。やがて職員室のドアがバタンと開いた。かび臭いマントのひだの間からのぞくと、先生方が次々と部屋に入ってくるのが見えた。当惑した顔、おびえきった顔。やがて、マクゴナガル先生がやってきた。

「とうとう起こってしまいました」

しんと静まった職員室でマクゴナガル先生が話しだした。

「生徒が一人、怪物に連れ去られました。『秘密の部屋』そのものの中へです」

フリットウィック先生が思わず悲鳴を上げた。スプラウト先生は口を手で覆った。

スネイプは椅子の背をギュッと握りしめ、「なぜそんなにはっきり言えるのかな？」と聞いた。

「『スリザリンの継承者』がまた伝言を書き残しました」

マクゴナガル先生は蒼白《そうはく》な顔で答えた。

「最初に残された文字のすぐ下にです。――**彼女の白骨は永遠に『秘密の部屋』に横たわるであろう**――」

フリットウィック先生はワッと泣きだした。

「誰ですか？」腰が抜けたように、椅子にへたり込んだマダム・フーチが聞いた。「どの子ですか？」

「ジニー・ウィーズリー」マクゴナガル先生が言った。

ハリーは隣で、ロンが声もなくへなへなと崩れ落ちるのを感じた。

「全校生徒を明日、帰宅させせなければなりません」マクゴナガル先生だ。「ホグワーツはこれでおしまいです。ダンブルドアはいつもおっしゃっていた……」

職員室のドアがもう一度バタンと開いた。一瞬ドキリとして、ハリーはダンブルドアにちがいないと思った。しかし、それはロックハートだった。ニッコリほほえんでいるではないか。

「大変失礼しました――ついうとうとと――何か聞き逃してしまいましたか？」

先生方が、どう見ても憎しみとしか言えない目つきでロックハートを見ていることにも気づかないらしい。スネイプが一歩進み出た。

「なんと、適任者が」スネイプが言った。「まさに適任だ。ロックハート、女子学生が怪物に拉致された。『秘密の部屋』そのものに連れ去られた。いよいよあなたの出番が来ましたぞ」

ロックハートの血の気が引いた。

「そのとおりだわ、ギルデロイ」スプラウト先生が口をはさんだ。「昨夜でしたね、確か、『秘密の部屋』への入口がどこにあるか、とっくに知っているとおっしゃったのは？」

「私は――その、私は――」ロックハートはわけのわからない言葉を口走った。

「そうですとも。『部屋』の中に何がいるか知っていると、自信たっぷりに私に話しませんでしたか？」

フリットウィック先生が口をはさんだ。

「い、言いましたか？　覚えていませんが……」

「我輩は確かに覚えておりますぞ。ハグリッドが捕まる前に、自分が怪物と対決するチャンスがなかったのは、残念だとかおっしゃいましたな」スネイプが言った。「何もかも不手際だった、最初から、自分の好きなようにやらせてもらうべきだったとか？」

ロックハートは、石のように非情な先生方の顔を見つめた。

「私は……何もそんな……あなたの誤解では……」

「それでは、ギルデロイ、あなたにお任せしましょう」マクゴナガル先生が言った。「今夜こそ絶好のチャンスでしょう。誰にもあなたの邪魔をさせはしませんとも。お一人で怪物と取り組むことができますよ。お望みどおり、お好きなように」

ロックハートは絶望的な目で周りをじいっと見つめていたが、誰も助け舟を出さなかった。いまのロックハートはハンサムからはほど遠かった。唇はわなわな震え、歯を輝かせたいつものニッコリが消えた顔は、うらなりびょうたんのようだった。

「よ、よろしい」ロックハートが言った。「へ、部屋に戻って、し――支度をします」

ロックハートが出ていった。

「さてと」マクゴナガル先生は鼻の穴をふくらませて言った。「これでやっかい払いができました。寮監の先生方は寮に戻り、生徒に何が起こったかを知らせてください。明日一番のホグワーツ特急で生徒を帰宅させる、とおっしゃってください。ほかの先生方は、生徒が一人たりとも寮の外に残っていないよう見回ってください」

先生たちは立ち上がり、一人また一人と出ていった。

その日は、ハリーの生涯で最悪の日だったかもしれない。ロン、フレッド、ジョージたちとグリフィンドールの談話室の片隅に腰かけ、互いに押しだまっていた。パーシーはそこにはいなかった。ウィーズリーおじさん、おばさんにふくろう便を飛ばしにいったあと、自分の部屋に閉じこもってしまった。

午後の時間がこんなに長かったことはいまだかつてなく、これほど混み合っているグリフィンドールの談話室がこんなに静かだったことも、いまだかつてなかった。

日没近く、フレッドとジョージは、そこにじっとしていることがたまらなくなって、寝室に上がっていった。

「ジニーは何か知っていたんだよ、ハリー」

職員室の洋服かけに隠れて以来、初めてロンが口をきいた。

「だから連れていかれたんだ。パーシーのバカバカしい何かの話じゃなかったんだ。何か『秘密の部屋』に関することを見つけたんだ。きっとそのせいでジニーは――」

ロンは激しく目をこすった。

「だって、ジニーは純血だ。ほかに理由があるはずがない」

ハリーは夕陽《ゆうひ》を眺めた。地平線の下に血のように赤い太陽が沈んでいく――最悪だ。こんなに落ち込んだことはない。何かできないのか……なんでもいい――。

「ハリー」ロンが話しかけた。「ほんのわずかでも可能性があるだろうか。つまり――ジニーがまだ――」

ハリーはなんと答えてよいかわからなかった。ジニーがまだ生きているとはとうてい思えない。

「そうだ！　ロックハートに会いにいくべきじゃないかな？」ロンが言った。

「僕たちの知っていることを教えてやるんだ。ロックハートはなんとかして『秘密の部屋』に入ろうとしているんだ。それがどこにあるか、僕たちの考えを話して、バジリスクがそこにいるって教えよう」

ほかにいい考えも思いつかなかったし、とにかく何かしたいという思いで、ハリーは、ロンの考えに賛成した。談話室にいたグリフィンドール生は、すっかり落ち込み、ウィーズリー兄弟が気の毒で何も言えず、二人が立ち上がっても止めようとしなかったし、二人が談話室を横切り、肖像画の出入口から出ていくのを、誰も止めはしなかった。

ロックハートの部屋に向かって歩くうちに、あたりが闇に包まれはじめた。ロックハートの部屋の中は取り込み中らしい。カリカリ、ゴツンゴツンに加えてあわただしい足音が聞こえた。

ハリーがノックすると、中が急に静かになった。それからドアがほんの少しだけ開き、ロックハートの目がのぞいた。

「あぁ……ポッター君……ウィーズリー君……」ドアがまたほんのわずか開いた。

「私はいま、少々取り込み中なので、急いでくれると……」

「先生、僕たち、お知らせしたいことがあるんです」とハリーが言った。「先生のお役に立つと思うんです」

「あー――いや――いまはあまり都合が――」

やっと見える程度のロックハートの横顔が、非常に迷惑そうだった。

「つまり――いや――いいでしょう」

ロックハートはドアを開け、二人は中に入った。

部屋の中はほとんどすべて取り片づけられていた。床には大きなトランクが二個置いてあり、片方にはローブが、翡翠《ひすい》色、藤色、群青色など、あわててたたんで突っ込んであり、もう片方には本がごちゃまぜに放り込まれていた。壁いっぱいに飾られていた写真は、いまや机の上にいくつか置かれた箱に押し込まれていた。

「どこかへいらっしゃるのですか？」ハリーが聞いた。

「うー、あー、そう」ロックハートはドアの裏側から等身大の自分のポスターをはぎ取り、丸めながらしゃべった。

「緊急に呼び出されて……しかたなく……行かなければ……」

「僕の妹はどうなるんですか？」ロンが愕然として言った。

「そう、そのことだが——まったく気の毒なことだ」

ロックハートは二人の目を見ないようにし、引き出しをぐいと開け、中のものをひっくり返してバッグに入れながら言った。

「誰よりも私が一番残念に思っている——」

「『闇の魔術に対する防衛術』の先生じゃありませんか！」ハリーが言った。「こんな時にここから出ていけないでしょう！　これほどの闇の魔術がここで起こっているというのに！」

「いや、しかしですね……私がこの仕事を引き受けたときは……」

ロックハートは今度はソックスをローブの上に積み上げながら、もそもそ言った。

「職務内容には何も……こんなことは予想だに……」

「先生、**逃げ出す**っておっしゃるんですか？」

ハリーは信じられなかった。

「本に書いてあるように、あんなにいろいろなことをなさった先生が？」

「本は誤解を招く」ロックハートは微妙な言い方をした。

「ご自分が書かれたのに！」ハリーが叫んだ。

「まあまあ坊や」ロックハートが背筋を伸ばし、顔をしかめてハリーを見た。

「ちょっと考えればわかることだ。私の本があんなに売れるのは、中に書かれていることを全部**私が**やったと思うからでね。もしアルメニアの醜い年寄りの魔法戦士の話だったら、たとえ狼男《おおかみおとこ》から村を救ったのがその人でも、本は半分も売れなかったはずです。本人が表紙を飾ったら、とても見られたものじゃない。ファッション感覚ゼロだ。バンドンの泣き妖怪を追い払った魔女は、あごが毛だらけだった。要するに、そんなものですよ……」

「それじゃ、先生はほかのたくさんの人たちのやった仕事を、自分の手柄になさったんですか？」

ハリーはとても信じる気になれなかった。

「ハリーよ、ハリー」

ロックハートはじれったそうに首を振った。

「そんなに単純なものではない。仕事はしましたよ。まずそういう人たちを探し出す。どうやって仕事をやり遂げたのかを聞き出す。それから『忘却術』をかける。するとその人たちは自分がやった仕事のことを忘れる。私に自慢できるものがあるとすれば、『忘却術』ですね。ハリー、大変な仕事ですよ。本にサインをしたり、広告写真を撮ったりすればすむわけではないんですよ。有名になりたければ、うまずたゆまず、長くつらい道のりを歩む覚悟がいる」

ロックハートはトランクを全部バチンとしめ、鍵をかけた。

「さてと。これで全部でしょう。いや、一つだけ残っている」

ロックハートは杖を取り出し、二人に向けた。

「坊ちゃんたちには気の毒ですがね、『忘却術』をかけさせてもらいますよ。私の秘密をペラペラそこら中でしゃべったりされたら、もう本が一冊も売れなくなりますからね……」

ハリーは自分の杖に手をかけた。間一髪、ロックハートの杖が振り上げられる直前に、ハリーが大声で叫んだ。

「**エクスペリアームス！　武器よ去れ！**」

ロックハートは後ろに吹っ飛んで、トランクに足をすくわれ、その上に倒れた。杖は高々と空中に弧を描き、それをロンがキャッチし、窓から外に放り投げた。

「スネイプ先生にこの術を教えさせたのが、まちがいでしたね」

ハリーは、ロックハートのトランクを脇のほうに蹴飛ばしながら、激しい口調で言った。ロックハートは、また弱々しい表情に戻ってハリーを見上げていた。ハリーは、ロックハートに杖を突きつけたままだった。

「私に何をしろと言うのかね？」

ロックハートが力なく言った。

「『秘密の部屋』がどこにあるかも知らない。私には何もできない」

「運のいい人だ」ハリーは杖を突きつけてロックハートを立たせながら言った。「**僕たちは**そのありかを知っていると思う。**その上**、中に何がいるかもね。さあ、行こう」

ロックハートを追い立てるようにして部屋を出て、一番近い階段を下り、例の壁の文字が闇の中に光る暗い廊下を通り、三人は嘆きのマートルの女子トイレの入口にたどり着いた。

まずロックハートを先に入らせた。ロックハートが震えているのを、ハリーはいい気味だと思った。

嘆きのマートルは、一番奥の小部屋のトイレの水タンクの上に座っていた。

「あら、あんただったの」ハリーを見るなりマートルが言った。「今度はなんの用？」

「君が死んだときの様子を聞きたいんだ」

マートルの顔つきがたちまち変わった。こんなに誇らしく、うれしい質問をされたことがないという顔をした。

「オォォォゥ、怖かったわ」

マートルはたっぷり味わうように言った。

「まさにここだったの。この小部屋で死んだのよ。よく覚えてるわ。オリーブ・ホーンビーがわたしのめがねのことをからかったものだから、ここに隠れたの。鍵をかけて泣いていたら、誰かが入ってきたわ。何か変なことを言ってた。外国語だった、と思うわ。とにかく、いやだったのは、しゃべってるのが男子だったってこと。だから、出ていけ、男子トイレを使えって言うつもりで、鍵を開けて、そしたら——」

マートルはえらそうにそっくり返って、顔を輝かせた。

「**死んだの**」

「どうやって？」ハリーが聞いた。

「わからない」

マートルがヒソヒソ声になった。

「覚えてるのは大きな黄色い目玉が二つ。体全体がギュッと金縛りにあったみたいで、それからふーっと浮いて……」

マートルは夢見るようにハリーを見た。

「そして、また戻ってきたの。だって、オリーブ・ホーンビーに取り憑《つ》いてやるって固く決めてたから。あぁ、オリーブったら、わたしのめがねを笑ったこと後悔してたわ」

「その目玉、正確にいうとどこで見たの？」とハリーが聞いた。

「あのあたり」マートルは小部屋の前の、手洗い台のあたりを漠然と指差した。

ハリーとロンは急いで手洗い台に近寄った。ロックハートは顔中に恐怖の色を浮かべて、ずっと後ろのほうに下がっていた。

普通の手洗い台と変わらないように見えた。二人は隅々まで調べた。内側、外側、下のパイプのはてまで。そして、ハリーの目に入ったのは——銅製の蛇口の脇の所に、引っかいたような小さな蛇の形が彫ってある。

「その蛇口、壊れっぱなしよ」ハリーが蛇口をひねろうとすると、マートルが機嫌よく言った。

「ハリー、何か言ってみろよ。何かを蛇語で」ロンが言った。

「でも——」ハリーは必死で考えた。なんとか蛇語が話せたのは、本物の蛇に向かっているときだけだった。小さな彫り物をじっと見つめて、ハリーはそれが本物であると想像してみた。

「開け」

ロンの顔を見ると、首を横に振っている。

「普通の言葉だよ」

ハリーはもう一度蛇を見た。本物の蛇だと思い込もうとした。首を動かしてみると、ろうそくの明かりで、彫り物が動いているように見えた。

「開け」もう一度言った。

言ったはずの言葉は聞こえてこなかった。かわりに奇妙なシューシューという音が、口から出た。そして、蛇口がまばゆい白い光を放ち、回りはじめた。次の瞬間、手洗い台が動きだした。手洗い台が沈み込み、見る見る消え去ったあとに、太いパイプがむき出しになった。大人一人がすべり込めるほどの太さだ。

ハリーはロンが息をのむ声で、再び目を上げた。何をすべきか、もうハリーの心は決まっていた。

「僕はここを降りて行く」ハリーが言った。

行かないではいられない。「秘密の部屋」への入口が見つかった以上、ほんのわずかな、かすかな可能性でも、ジニーがまだ生きているかもしれない以上、行かなければ。

「僕も行く」ロンが言った。

一瞬の空白があった。

「さて、私はほとんど必要ないようですね」

ロックハートが、得意のスマイルの残骸のような笑いを浮かべた。

「私はこれで――」

ロックハートがドアの取っ手に手をかけたが、ロンとハリーが、同時に杖をロックハートに向けた。

「先に降りるんだ」ロンがすごんだ。

顔面蒼白で杖もなく、ロックハートはパイプの入口に近づいた。

「君たち」ロックハートは弱々しい声で言った。「ねえ、君たち、それがなんの役に立つと言うんだね？」

ハリーはロックハートの背中を杖でこづいた。ロックハートは両足をパイプにすべり込ませた。

「ほんとうになんの役にも――」

ロックハートがまた言いかけたが、ロンが押したので、ロックハートはすべり落ちて見えなくなった。すぐあとにハリーが続いた。ゆっくりとパイプの中に入り込み、それから手を放した。

ちょうど、はてしのない、ぬるぬるした暗いすべり台を急降下していくようだった。あちこちで四方八方に枝分かれしているパイプが見えたが、自分たちが降りていくパイプより太いものはなかった。そのパイプは曲がりくねりながら、下に向かって急勾配で続いている。ハリーは学校の下を深く、地下牢《ろう》よりもいっそう深く落ちていくのがわかった。あとから来るロンがカーブを通るたびにドスンドスンと軽くぶつかる音を立てるのが聞こえた。

底に着陸したらどうなるのだろうと、ハリーが不安に思いはじめたその時、パイプが平らになり、出口から放り出され、ドスッと湿った音を立てて、暗い石のトンネルのじめじめした床に落ちた。トンネルは立ち上がるに充分な高さだった。ロックハートが少し離れた所で、全身べとべとになって、ゴーストのように白い顔をして立ち上がるところだった。ロンもヒューッと降りてきたので、ハリーはパイプの出口の脇によけた。

「学校の何キロもずうっと下のほうにちがいない」ハリーの声がトンネルの闇に反響した。

「湖の下だよ。たぶん」暗いぬるぬるした壁を目を細めて見回しながら、ロンが言った。

三人とも、目の前に続く闇をじっと見つめた。

「**ルーモス！　光よ！**」ハリーが杖に向かってつぶやくと、杖に灯《あか》りがともった。

「行こう」ハリーがあとの二人に声をかけ、三人は歩きだした。足音が、湿った床にピシャッピシャッと大きく響いた。

トンネルは真っ暗で、目と鼻の先しか見えない。杖灯りで湿っぽい壁に映る三人の影が、おどろおどろしかった。

「みんな、いいかい」そろそろと前進しながら、ハリーが低い声で言った。「何かが動く気配を感じたら、すぐ目をつぶるんだ……」

しかし、トンネルは墓場のように静まり返っていた。最初に耳慣れない音を聞いたのは、ロンが何かを踏んづけたバリンという大きな音で、それはネズミの頭がい骨だった。ハリーが杖を床に近づけてよく見ると、小さな動物の骨がそこら中に散らばっていた。ジニーが見つかったとき、どんな姿になっているのだろう……そんな思いを必死で振り払いながら、ハリーは暗いトンネルのカーブを、先頭に立って曲がった。

「ハリー、あそこに何かある……」

ロンの声がかすれ、ハリーの肩をギュッとつかんだ。三人は凍りついたように立ち止まって、行く手を見つめた。トンネルをふさぐように、何か大きくて曲線を描いたものがあった。輪郭だけがかろうじて見える。そのものはじっと動かない。

「眠っているのかもしれない」

ハリーは息をひそめ、後ろの二人をちらりと振り返った。ロックハートは両手でしっかりと目を押さえていた。ハリーはまた前方を見た。心臓の鼓動が痛いほど速くなった。

ゆっくりと、ぎりぎり物が見える程度に、できるかぎり目を細くし、ハリーは杖を高く掲げて、その物体にじりじりと近寄った。

杖灯りが照らし出したのは、巨大な蛇の抜け殻だった。毒々しい鮮やかな緑色の皮が、トンネルの床にとぐろを巻いて横たわっている。脱皮した蛇はゆうに六メートルはあるにちがいない。

「なんてこった」ロンが力なく言った。

後ろのほうで急に何かが動いた。ギルデロイ・ロックハートが腰を抜かしていた。

「立て」ロンが、ロックハートに杖を向け、きつい口調で言った。ロックハートは立ち上がり――ロンに飛びかかって床になぐり倒した。

ハリーが前に飛び出したが、間に合わなかった。ロックハートは肩で息をしながら立ち上がった。ロンの杖を握り、輝くようなスマイルが戻っている。

「坊やたち、お遊びはこれでおしまいだ！　私はこの皮を少し学校に持って帰り、女の子を救うには遅すぎたとみんなに言おう。君たち二人はズタズタになった無残な死骸を見て、哀れにも精神に異常をきたしたと言おう。さあ、記憶に別れを告げるがいい！」

　ロックハートはスペロテープで張りつけたロンの杖を頭上にかざし、ひと声叫んだ。

「**オブリビエイト！　忘れよ！**」

　杖は小型爆弾並みに爆発した。トンネルの天井から、大きな塊が、雷のような轟音《ごうおん》を上げてバラバラと崩れ落ちてきた。ハリーは、両手ですばやく頭を覆い、とぐろを巻いた蛇の抜け殻ですべりながら逃げた。次の瞬間、岩の塊が固い壁のようにたちふさがっているのをじっと見ながら、ハリーはたった一人でそこに立っていた。

「**ローン！**」ハリーは叫んだ。「大丈夫か？　ロン！」

「ここだよ！」ロンの声は崩れ落ちた岩石の裏側からぼんやりと聞こえた。

「僕は大丈夫だ。でもこっちのバカはダメだ——杖で吹っ飛ばされた」

　ドンと鈍い音に続いて「アイタッ！」と言う大きな声が聞こえた。ロンがロックハートのむこうずねを蹴飛ばしたような音だった。

「さあ、どうする？」ロンの困り果てた声がした。「こっちからは行けないよ。何年もかかってしまう……」

　ハリーはトンネルの天井を見上げた。巨大な割れ目ができている。ハリーはこれまで、こんな岩石の山のような大きなものを、魔法で砕いてみたことがなかった。初めてそれに挑戦するのには、タイミングがよいとは言えない——トンネル全体が崩れたらどうする？

　岩のむこうから、また「ドン」が聞こえ、「アイタッ！」が聞こえた——時間がむだに過ぎていく。ジニーが「秘密の部屋」に連れ去られてから何時間もたっている——ハリーには道は一つしかないことがわかっていた。

「そこで待ってて」

ハリーはロンに呼びかけた。

「ロックハートと一緒に待っていて。僕が先に進む。一時間たって戻らなかったら……」

物言いたげな沈黙があった。

「僕は少しでもここの岩を取り崩してみるよ」

ロンは、懸命に落ち着いた声を出そうとしているようだった。

「そうすれば君が――帰りにここを通れる。だからハリー――」

「それじゃ、またあとでね」

ハリーは震える声に、なんとか自信をたたき込むように言った。そして、ハリーはたった一人、巨大な蛇の皮を越えて先に進んだ。

ロンが力を振りしぼって、岩石を動かそうとしている音もやがて遠くなり、聞こえなくなった。トンネルはくねくねと何度も曲がった。体中の神経がきりきりと不快に痛んだ。ハリーはトンネルの終わりが来ればよいと思いながらも、その時に何が見つかるかを思うと、恐ろしくもあった。またもう一つの曲がり角をそっと曲がったとたん、ついに前方に固い壁が見えた。二匹の蛇がからみ合った彫刻がほどこしてあり、蛇の目には輝く大粒のエメラルドがはめ込んであった。

ハリーは近づいていった。のどがカラカラだ。今度は石の蛇を本物だと思い込む必要はなかった。蛇の目が妙に生き生きしている。

何をすべきか、ハリーには想像がついた。咳払《せきばら》いをした。するとエメラルドの目がチラチラと輝いたようだった。

「開け」低く幽《かす》かなシューシューという音だった。

壁が二つに裂け、からみ合っていた蛇が分かれ、両側の壁が、するするとすべるように見えなくなった。ハリーは頭のてっぺんから足のつま先まで震えながらその中に入っていった。

第17章　スリザリンの継承者

ハリーは細長く奥へと伸びる、薄明かりの部屋の端に立っていた。またしても蛇がからみ合う彫刻をほどこした石の柱が、上へ上へとそびえ、暗闇に吸い込まれて見えない天井を支え、怪しい緑がかった幽明の間に、黒々とした影を落としていた。

早鐘のように鳴る胸を押さえ、ハリーは凍るような静けさに耳をすましていた——バジリスクは、柱の影の暗い片隅にひそんでいるのだろうか？　ジニーはどこにいるのだろう？

杖《つえ》を取り出し、ハリーは左右一対になった蛇の柱の間を前進した。一歩一歩そっと踏み出す足音が、薄暗い壁に反響した。目を細めて、わずかな動きでもあればすぐに閉じられるようにした。彫り物の蛇のうつろな眼窩《がんか》が、ハリーの姿をずっと追っているような気がする。一度ならず、蛇の目がぎろりと動いたような気がして、胃がザワザワした。

最後の一対の柱の所まで来ると、部屋の天井に届くほど高くそびえる石像が、壁を背に立っているのが目に入った。

巨大な石像の顔を、ハリーは首を伸ばして見上げた。年老いた猿のような顔に、細長いあごひげが、その魔法使いの流れるような石のローブのすそのあたりまで延び、その下に灰色の巨大な足が二本、なめらかな床を踏みしめている。そして、足の間に、燃えるような赤毛の、黒いローブの小さな姿が、うつぶせに横たわっていた。

「**ジニー！**」

ハリーはその姿のそばに駆け寄り、ひざをついて小声で名を呼んだ。

「ジニー！　死んじゃだめだ！　お願いだから生きていて！」

ハリーは杖を脇に投げ捨て、ジニーの肩をしっかりつかんで仰向けにした。ジニーの顔は大理石のように白く冷たく、目は固く閉じられていたが、石にされてはいなかった。しかし、それならジニーはもう……。

「ジニー、お願いだ。目を覚まして」

ハリーはジニーを揺さぶり、必死でつぶやいた。ジニーの頭はだらりと虚《むな》しく垂れ、ぐらぐらと揺すられるままに動いた。

「その子は目を覚ましはしない」

物静かな声がした。

ハリーはぎくりとして、ひざをついたまま振り返った。

背の高い、黒髪の少年が、すぐそばの柱にもたれてこちらを見ていた。まるで曇りガラスのむこうにいるかのように、輪郭が奇妙にぼやけている。しかし、紛れもなくあの人物だ。

「トム――**トム・リドル？**」

ハリーの顔から目を離さず、リドルはうなずいた。

「目を覚まさないって、どういうこと？」

ハリーは絶望的になった。

「ジニーはまさか――まさか――？」

「その子はまだ生きている。しかし、かろうじてだ」

ハリーはリドルをじっと見つめた。トム・リドルがホグワーツにいたのは五十年前だ。それなのに、リドルがそこに立っている。薄気味の悪いぼんやりした光が、その姿の周りに漂っている。十六歳のまま、一日も日がたっていないかのように。

「君はゴーストなの?」ハリーはわけがわからなかった。

「記憶だよ」リドルが静かに言った。「日記の中に、五十年間残されていた記憶だ」

リドルは、石像の巨大な足の指のあたりの床を指差した。ハリーが嘆きのマートルのトイレで見つけた小さな黒い日記が、開かれたまま置いてあった。一瞬、ハリーはいったいどうしてここにあるんだろうと不思議に思ったが――いや、もっと緊急にしなければならないことがある。

「トム、助けてくれないか」

ハリーはジニーの頭をもう一度持ち上げながら言った。

「ここからジニーを運び出さなけりゃ。バジリスクがいるんだ……。どこにいるかはわからないけど、いまにも出てくるかもしれない。お願い、手伝って……」

リドルは動かない。ハリーは汗だくになって、やっとジニーの体を半分床から持ち上げ、杖を拾うのにもう一度体をかがめた。

杖がない。

「君、知らないかな、僕の――」

ハリーが見上げると、リドルはまだハリーを見つめていた――すらりとした指でハリーの杖をくるくるもてあそんでいる。

「ありがとう」ハリーは手を、杖のほうに伸ばした。

リドルが口元をキュッと上げてほほえんだ。じっとハリーを見つめ続けたまま、所在なげに杖をくるくる回し続けている。

「聞いてるのか」ハリーは急《せ》き立てるように言った。ぐったりしているジニーの重みで、ひざががくりとなりそうだった。

「**ここを出なきゃいけないんだよ！**　もしもバジリスクが来たら……」

「呼ばれるまでは、来やしない」リドルが落ち着き払って言った。

ハリーはジニーをまた床に下ろした。もう支えていることができなかった。

「なんだって？　さあ、杖をよこしてよ。必要になるかもしれないんだ」

リドルのほほえみがますます広がった。

「君には必要にはならないよ」

ハリーはリドルをじっと見た。

「どういうこと？　必要にはならないって？」

「僕はこの時をずっと待っていたんだ。ハリー・ポッター。君に会えるチャンスをね。君と話すのをね」

「いいかげんにしてくれ」ハリーはいよいよがまんできなくなった。「君にはわかっていないようだ。いま、僕たちは『**秘密の部屋**』の中にいるんだよ。話ならあとでできる」

「いま、話すんだよ」

リドルは相変わらず笑いを浮かべたまま、ハリーの杖をポケットにしまい込んだ。

ハリーは驚いてリドルを見た。確かに、何かおかしなことが起こっている。

「ジニーはどうしてこんなふうになったの？」ハリーがゆっくりと切り出した。

「そう、それはおもしろい質問だ」リドルが愛想よく言った。

「しかも話せば長くなる。ジニー・ウィーズリーがこんなふうになったほんとうの原因は、誰なのかわからない目に見えない人物に心を開き、自分の秘密を洗いざらい打ち明けたことだ」

「言っていることがわからないけど？」

「あの日記は、**僕の**日記だ。ジニーのおチビさんは、何か月も何か月もその日記にバカバカしい心配事や悩み事を書き続けた。兄さんたちが**からかう**、お下がりの本やローブで学校に行かなきゃならない、それに――」リドルの目がキラッと光った。「有名な、すてきな、偉大なハリー・ポッターが、自分のことを好いてくれることは絶対にないだろうとか……」

こうして話しながらも、リドルの目は、一瞬もハリーの顔から離れなかった。貪るような視線だった。

「十一歳の小娘のたわいない悩み事を聞いてあげるのは、まったく**うんざり**だったよ」

リドルの話は続く。

「でも僕はしんぼう強く返事を書いた。同情してあげたし、親切にもしてあげた。ジニーはもう**夢中**になった。『トム、あなたほどあたしのことをわかってくれる人はいないわ……なんでも打ち明けられるこの日記があってどんなにうれしいか……まるでポケットの中に入れて運べる友達がいるみたい……』」

リドルは声を上げて笑った。似つかわしくない、冷たいかん高い笑いだった。ハリーは背筋がゾクッとした。

「自分で言うのもどうかと思うけれど、ハリー、僕は必要となれば、いつでも誰でもひきつけることができた。だからジニーは、僕に心を打ち明けることで、自分の魂を僕に注ぎ込んだのだ。ジニーの魂、それこそ僕の欲しいものだった。僕はジニーの心の深層の恐れ、暗い秘密を餌食にして、だんだん強くなった。ウィーズリーのおチビちゃんとは比較にならないぐらい強力になった。充分に力が満ちたとき、**僕の**秘密をチビに少しだけ与え、**僕の**魂を**おチビちゃん**に注ぎ込みはじめた……」

「それはどういうこと？」ハリーはのどがカラカラだった。

「まだ気づかないのかい？　ハリー・ポッター？」リドルの口調はやわらかだ。

「ジニー・ウィーズリーが『秘密の部屋』を開けた。学校の雄鶏《おんどり》をしめ殺したのも、壁に脅迫の文字を書きなぐったのもジニー。『スリザリンの蛇』を四人の『穢《けが》れた血』や『できそこない』の飼い猫に仕掛けたのもジニーだ」

「まさか」ハリーはつぶやいた。

「そのまさかだ」リドルは落ち着き払っていた。

「ただし、ジニーは初めのうち、自分がやっていることをまったく**自覚していなかった**。おかげで、なかなかおもしろかった。しばらくして日記に何を書きはじめたか、君に読ませてやりたかったよ……前よりずっとおもしろくなった……。『親愛なるトム――』」

ハリーの愕然《がくぜん》とした顔を眺めながら、リドルは空で、読み上げはじめた。

「あたし、記憶喪失になったみたい。ローブが鶏の羽根だらけなのに、どうしてそうなったのかわからないの。ねえ、トム、ハロウィーンの夜、自分が何をしたか覚えてないの。でも、猫が襲われて、あたしのローブの前にペンキがべっとりついてたの。ねえ、トム、パーシーがあたしの顔色がよくないって、なんだか様子がおかしいって、しょっちゅうそう言うの。きっとあたしを疑ってるんだわ……。今日もまた一人襲われたのに、あたし、自分がどこにいたか覚えてないの。トム、どうしたらいいの？　あたし、どうかしちゃったんじゃないかしら……。トム、きっとみんなを襲ってるのは、あたしなんだわ！」

ハリーは、爪が手のひらに食い込むほどギュッと拳を握りしめた。

「バカなジニーのチビが日記を信用しなくなるまでに、ずいぶん時間がかかった。しかし、とうとう変だと疑いはじめ、捨てようとした。そこへ、ハリー、君が登場した。君が日記を見つけたんだ。僕は最高にうれしかったよ。こともあろうに、君が拾ってくれた。僕が会いたいと思っていた**君が**……」

「それじゃ、どうして僕に会いたかったんだ？」

怒りが体中を駆けめぐり、声を落ち着かせることとさえ難しかった。

「そうだな。ジニーが、ハリー、君のことをいろいろ聞かせてくれたからね。君の**すばらしい**経歴をだ」

リドルの目が、ハリーの額の稲妻形の傷のあたりをなめるように見た。貪るような表情がいっそうあらわになった。

「君のことをもっと知らなければ、できれば会って、話をしなければならないと、僕にはわかっていた。だから君を信用させるため、あのウドの大木のハグリッドを捕まえた有名な場面を見せてやろうと決めた」

「ハグリッドは僕の友達だ」ハリーの声はついにわなわなと震えだした。

「それなのに、君はハグリッドをはめたんだ。そうだろう？　僕は君が勘ちがいしただけだと思っていたのに……」

リドルはまたかん高い笑い声をあげた。

「ハリー、僕の言うことを信じるか、ハグリッドを信じるか、二つに一つだった。アーマンド・ディペットじいさんが、それをどういうふうに取ったか、わかるだろう。一人はトム・リドルという、貧しいが優秀な生徒。孤児だが**勇敢**そのものの監督生で模範生。もう一人は、図体ばかりでかくてドジなハグリッド。一週間おきに問題を起こす生徒だ。狼人間《おおかみ》の仔《こ》をベッドの下で育てようとしたり、こっそり抜け出して禁じられた森に行ってトロールとすもうを取ったり。しかし、あんまり計画どおりに運んだので、張本人の**僕**が驚いたことは認めるよ。誰か一**人ぐらい**、ハグリッドが『スリザリンの継承者』ではありえないと気づくにちがいないと思っていた。この**僕でさえ**、『秘密の部屋』について、できるかぎりのことを探り出し、秘密の入口を発見するまでに五年もかかったんだ……ハグリッドにそんな脳みそがあるか！　そんな力があるか！」

「たった一人、変身術のダンブルドア先生だけが、ハグリッドは無実だと考えたらしい。ハグリッドを学校に置き、家畜番、森番として訓練するようにディペットを説得した。そう、たぶんダンブルドアには察しがついていたんだ。ほかの先生方はみな僕がお気に入りだったが、ダンブルドアだけはちがっていたようだ」

「きっとダンブルドアは、君のことをとっくにお見透《みとお》しだったんだ」

ハリーはギュッと歯を食いしばった。

「そうだな。ハグリッドが退学になってから、ダンブルドアは、確かに僕をしつこく監視するようになった」

リドルはこともなげに言った。

「僕の在学中に『秘密の部屋』を再び開けるのは危険だと、僕にはわかっていた。しかし、探索に費やした長い年月をむだにするつもりはない。日記を残して、十六歳の自分をその中に保存しようと決心した。いつか、時がめぐってくれれば、誰かに僕の足跡を追わせて、サラザール・スリザリンの、崇高な仕事を成しとげることができるだろうと」

「君はそれを成しとげてはいないじゃないか」ハリーは勝ち誇ったように言った。

「今度は誰も死んではいない。猫一匹たりとも。あと数時間すればマンドレイク薬が出来上がり、石にされた者は、みんな無事、元に戻るんだ」

「まだ言ってなかったかな？」リドルが静かに言った。

「『穢れた血』の連中を殺すことは、もう僕にとってはどうでもいいことだって。この数か月間、僕の新しいねらいは――**君だった**」

ハリーは目を見張ってリドルを見た。

「それからしばらくして、僕の日記をまた開いて書き込んだのが、君ではなくジニーだった。僕はどんなに怒ったか。ジニーは君が日記を持っているのを見て、パニック状態になった――君が日記の使い方を見つけてしまったら？　僕が君に、ジニーの秘密を全部しゃべってしまうかもしれない。もっと悪いことに、もし僕が君に、鶏をしめ殺した犯人を教えたらどうしよう？――そこで、バカな小娘は、君たちの寝室に誰もいなくなるのを見はからって、日記を取り戻しにいった。しかし、僕には自分が何をすべきかがわかっていた。君がスリザリンの継承者の手がかりを確実に追跡していると、僕にははっきりわかっていた。ジニーから君のことをいろいろ聞かされていたから、君ならどんなことをしてでも謎を解くだろうと僕にはわかっていた――君の仲良しの一人が襲われたのだからなおさらだ。それに、君が蛇語を話すというので、学校中が大騒ぎだと、ジニーが教えてくれた……」

「そこで僕は、ジニーに自分の遺書を壁に書かせ、ここに下りてきて待つように仕向けた。ジニーは泣いたりわめいたり、まったく退屈でうんざりだったよ。しかし、この子の命はもうあまり残されてはいない。あまりにも日記に注ぎ込んでしまった。つまりこの僕に。僕は、おかげでついに日記を抜け出すまでになった。ジニーがここに来てからずっと、君が現れるのを待っていた。君が来ることはわかっていたよ。ハリー・ポッター、僕は君にいろいろ聞きたいことがある」

「何を？」ハリーは拳を固く握ったまま、吐き捨てるように言った。

「そうだな」リドルは愛想よく微笑しながら言った。「これといって特別な魔力も持たない赤ん坊が、不世出の偉大な魔法使いをどうやって破った？　ヴォルデモート卿《きょう》の力が打ち砕かれたのに、**君のほうは**、たった一つの傷痕だけで逃れたのはなぜなのだ？」

貪るような目に、奇妙な赤い光がチラチラと漂っている。

「僕がなぜ逃れたのか、どうして君が気にするんだ？」

ハリーは慎重に言った。

「ヴォルデモートは君よりあとに出てきた人だろう」

「ヴォルデモートは」リドルの声は静かだ。「僕の過去であり、現在であり、未来なのだ……、ハリー・ポッターよ」

ポケットからハリーの杖を取り出し、リドルは空中に文字を書いた。三つの名前が揺らめきながら淡く光った。

TOM MARVOLO RIDDLE
（トム・マールヴォロ・リドル）

もう一度杖をひと振りした。名前の文字が並び方を変えた。

I AM LORD VOLDEMORT
（俺様はヴォルデモート卿だ）

「わかったね？」

リドルがささやいた。

「この名前はホグワーツ在学中にすでに使っていた。もちろん親しい友人にしか明かしていないが。汚らわしいマグルの父親の姓を、僕がいつまでも使うと思うかい？　母方の血筋にサラザール・スリザリンその人の血が流れているこの僕が？　汚らしい俗なマグルの名前を、僕が生まれる前に、魔女だというだけで母を捨てたやつの名前を、僕がそのまま使うと思うかい？　ハリー、ノーだ。僕は自分の名前を自分で付けた。ある日必ずや魔法界のすべてが口にすることを恐れる名前を。その日が来ることを僕は知っていた。僕が世界一偉大な魔法使いになるその日が！」

ハリーは脳が停止したような気がした。まひしたような頭でリドルを見つめた。この孤児の少年がやがて大人になり、ハリーの両親を、そしてほかの多くの魔法使いを殺したのだ。

しばらくして、ハリーはやっと口を開いた。

「ちがうな」静かな声に万感の憎しみがこもっていた。

「何が？」リドルが切り返した。

「君は世界一偉大な魔法使いじゃない」

ハリーは息を荒らげていた。

「君をがっかりさせて気の毒だけど、世界一偉大な魔法使いはアルバス・ダンブルドアだ。みんながそう言っている。君が強大だったときでさえ、ホグワーツを乗っ取ることはおろか、手出しさえできなかった。ダンブルドアは、君が在学中は君のことをお見透しだったし、君がどこに隠れていようと、いまだに君はダンブルドアを恐れている」

ほほえみが消え、リドルの顔が醜悪になった。

「ダンブルドアは、単なる**記憶**にすぎない僕によって追放され、この城からいなくなった！」

リドルはすごみをきかせた。

「ダンブルドアは、君の思っているほど、遠くに行ってはいないぞ！」ハリーが言い返した。

リドルを怖がらせるために、とっさに思いついた言葉だった。本当にそうだと確信しているというよりは、そうあってほしいと願っていた。

リドルは口を開いたが、その顔が凍りついた。

どこからともなく音楽が聞こえてきたのだ。リドルはくるりと振り返り、がらんとした部屋をずっと奥まで見渡した。音楽はだんだん大きくなった。怪しい、背筋がぞくぞくするような、この世のものとも思えない旋律だった。ハリーの毛はザワッと逆立ち、心臓が二倍の大きさにふくれ上がったような気がした。やがてその旋律が高まり、ハリーの胸の中で肋骨《ろっこつ》を震わせるように感じたとき、すぐそばの柱の頂上から炎が燃え上がった。

白鳥ほどの大きさの深紅の鳥が、ドーム形の天井に、その不思議な旋律を響かせながら姿を現した。孔雀《くじゃく》の羽のように長い金色の尾羽を輝かせ、まばゆい金色の爪にぼろぼろの包みをつかんでいる。

一瞬の後、鳥はハリーのほうにまっすぐに飛んできて、運んできたぼろぼろのものをハリーの足元に落とし、その肩にずしりと止まった。大きな羽をたたんで、肩に止まっている鳥を、ハリーは見上げた。長く鋭い金色のくちばしに、真っ黒な丸い目が見えた。

鳥は歌うのをやめ、ハリーのほおにじっとその温かな体を寄せてしっかりとリドルを見すえた。

「不死鳥だな……」

リドルは鋭い目で鳥をにらみ返した。

「**フォークスか？**」

ハリーはそっとつぶやいた。すると金色の爪が、肩をやさしくギュッとつかむのを感じた。

「そして、**それは――**」リドルがフォークスの落としたぼろに目をやった。

「それは古い『組分け帽子』だ」

そのとおりだった。継ぎはぎだらけでほつれた薄汚い帽子は、ハリーの足元でピクリともしなかった。リドルがまた笑いはじめた。その高笑いが暗い部屋にガンガン反響し、まるで十人のリドルが一度に笑っているようだった。

「ダンブルドアが送ってきた護衛はそんなものか！　歌い鳥に古帽子じゃないか！　ハリー・ポッター、さぞかし心強いだろう？　もう安心だと思うか？」

ハリーは答えなかった。フォークスや組分け帽子が、なんの役に立つのかはわからなかったが、もうハリーはひとりぼっちではなかった。リドルが笑いやむのを待つうちに、ふつふつと勇気がたぎってきた。

「ハリー、本題に入ろうか」

リドルは余裕たっぷりに笑みを浮かべている。

「二回も――**君**の過去に、**僕**にとっては未来にだが――僕たちは出会った。そして二回とも僕は君を殺しそこねた。君は**どうやって生き残った？**　すべて聞かせてもらおうか」

そしてリドルは静かにつけ加えた。

「長く話せば、君はそれだけ長く生きていられることになる」

ハリーはすばやく考えをめぐらし、勝つ見込みを計算した。リドルは杖を持っている。ハリーにはフォークスと組分け帽子があるが、どちらも決闘の役に立つとは思えない。完全に不利だ。しかし、リドルがそうしてそこに立っているうちに、ジニーの命はますますすり減っていく……。その一方、リドルの輪郭がよりはっきり、そしてくっきりしてきたことにハリーは突然気がついた――自分とリドルとの一騎打ちになるなら、一刻も早いほうがいい――。

「君が僕を襲ったとき、どうして君が力を失ったのか、誰にもわからない」

ハリーは唐突に話しはじめた。

「僕自身もわからない。でも、なぜ君が僕を**殺せなかったか**、僕にはわかる。母が、僕をかばって死んだからだ。母は普通の、**マグル生まれ**の母だ」

ハリーは、怒りをおさえつけるのにわなわな震えていた。

「君が僕を殺すのを、母が食い止めたんだ。僕はほんとうの君を見たぞ。去年のことだ。落ちぶれた残骸だ。かろうじて生きている。君の力のなれのはてだ。君は逃げ隠れしている。醜い！　汚らわしい！」

リドルの顔がゆがんだ。それから無理やり、ぞっとするような笑顔を取りつくろった。

「そうか。母親が君を救うために死んだ。なるほど。それは呪いに対する強力な反対呪文だ。わかったぞ――結局君自身には特別なものは何もないわけだ。実は何かあるのかと思っていたのだ。ハリー・ポッター、何しろ僕たちには不思議と似た所がある。君も気づいただろう。二人とも純血ではなく、孤児で、マグルに育てられた。偉大なるスリザリン様ご自身以来、ホグワーツに入学した生徒の中で蛇語を話せるのは、たった二人だけだろう。**見た目も**どこか似ている……。しかし、僕の手から逃れられたのは、結局、幸運だったからにすぎないのか。それだけわかれば充分だ」

ハリーはいまにもリドルが杖を振り上げるだろうと、体を固くした。しかし、リドルのゆがんだ笑いはまたもや広がった。

「さて、ハリー。すこしもんでやろう。サラザール・スリザリンの継承者、ヴォルデモート卿の力と、ダンブルドアがくださった精一杯の武器を持った、有名なハリー・ポッターとのお手合わせを願おうか」

リドルはフォークスと組分け帽子をからかうように、ちらっと見てその場を離れた。ハリーは感覚のなくなった両足に恐怖が広がっていくのを感じながら、リドルを見つめた。リドルは一対の高い柱の間で立ち止まり、ずっと上のほうで、半分暗闇に覆われているスリザリンの石像の顔を見上げた。横に大きく口を開くと、シューシューという音がもれた——ハリーにはリドルが何を言っているのかわかった。

「スリザリンよ。ホグワーツ四強の中で最強の者よ。我に話したまえ」

ハリーは向きを変えて石像を見上げた。フォークスもハリーの肩の上で揺れた。

スリザリンの巨大な石の顔が動いている。恐怖に打ちのめされながら、ハリーは石像の口がだんだん広がっていき、ついに大きな黒い穴になるのを見ていた。

何かが、石像の口の中でうごめいていた。何かが、奥のほうからずるずると這《は》い出してきた。

ハリーは「秘密の部屋」の暗い壁にぶつかるまで、あとずさりした。目を固く閉じたとき、フォークスが飛び立ち、翼がほおをこするのを感じた。ハリーは「僕を一人にしないで！」と叫びたかった。しかし、蛇の王の前で、不死鳥に勝ち目などあるだろうか？

何か巨大なものが部屋の石の床に落ち、床の振動が伝わってきた。何が起こっているのか、ハリーにはわかっていた。感覚でわかる。巨大な蛇がとぐろを解きながらスリザリンの口から出てくるのが目に見えるような気がした。リドルの低いシューッという声が聞こえてきた。

「あいつを殺せ」

バジリスクがハリーに近づいてくる。ほこりっぽい床をずるっとずっしりした胴体をすべらせる音が聞こえた。ハリーは目をしっかり閉じたまま、手を伸ばし、手探りで横に走って逃げようとした。リドルの笑う声がする……。

ハリーはつまずき、石の床でしたたかに顔を打ち、口の中で血の味がした。毒蛇はすぐそばまで来ている。近づく音が聞こえる。

ハリーの真上で破裂するようなシャーッシャーッという大きな音がした。何か重いものがハリーにぶつかり、その強烈な衝撃でハリーは壁に打ちつけられた。いまにも毒牙が体にズブリと突き刺さるかと覚悟したとき、ハリーの耳に荒れ狂うシューシューという音と、のた打ち回って、柱をたたきつける音が聞こえた。

もうがまんできなかった。ハリーはできるだけ細く目を開け、何が起こっているのか見ようとした。巨大な蛇だ。テラテラと毒々しい緑色の、樫《かし》の木のように太い胴体を、高々と宙にくねらせ、その巨大な鎌首は酔ったように柱と柱の間を縫って動き回っていた。ハリーは身震いし、蛇がこちらを見たら、すぐに目をつぶろうと身がまえた。その時、ハリーは何が蛇の気をそらせていたのかを見た。

フォークスが、蛇の鎌首の周りを飛び回り、バジリスクはサーベルのように長く鋭い毒牙で激しく何度も空をかんでいた。

フォークスが急降下した。長い金色のくちばしが何かにズブリと突き刺さり、急に見えなくなった。そのとたん、どす黒い血が噴き出しボタボタと床に降り注いだ。毒蛇の尾がのたうち、危うくハリーを打ちそうになった。目を閉じる間もなく蛇はこちらを振り向いた。ハリーは真正面から蛇の頭を――そして、その目を見た。大きな黄色い球のような目は、両眼とも不死鳥につぶされていた。おびただしい血が床に流れ、バジリスクは苦痛にのたうち回っていた。

「ちがう！」リドルが叫ぶ声が聞こえた。「鳥にかまうな！　ほっておけ！　小僧は後ろだ！　においでわかるだろう！　殺せ！」

盲目の蛇は混乱して、ふらふらしてはいたが、まだ危険だった。フォークスが蛇の頭上を輪を描きながら飛び、不思議な旋律を歌いながら、バジリスクのうろこで覆われた鼻面をあちこちつついた。バジリスクのつぶれた目からは、ドクドクと血が流れ続けていた。

「助けて。助けて。誰か、誰か！」ハリーは夢中で口走った。

バジリスクの尾が、また大きくひと振りして床の上を掃いた。ハリーが身をかわしたその時、何かやわらかいものがハリーの顔に当たった。

バジリスクの尾が、組分け帽子を吹き飛ばしてハリーの腕に放ってよこしたのだ。ハリーはそれをしっかりつかんだ。もうこれしか残されていない。最後の頼みの綱だ。ハリーは「帽子」をぐいっとかぶり、床にぴったりと身を伏せた。その頭上を掃くように、バジリスクの尾がまた通り過ぎた。

「**助けて……助けて……**」

帽子の中でしっかりと目を閉じ、ハリーは祈った。

「**お願い、助けて**」

答えはなかった。しかし、誰かの見えない手がギュッとしぼったかのように、帽子が縮んだ。固くてずしりと重いものがハリーの頭のてっぺんに落ちてきた。ハリーは危うく気を失いそうになり、目から火花を飛ばしながら、帽子のてっぺんをつかんでぐいっと脱いだ。長くて固い何かが手に触れた。

帽子の中から、まばゆい光を放つ銀の剣《つるぎ》が出てきた。柄《つか》には卵ほどもあるルビーがいくつも輝いている。

「小僧を殺せ！　鳥にかまうな！　小僧はすぐ後ろだ！　においだ――かぎだせ！」

ハリーはすっくと立って身がまえた。バジリスクは胴体をハリーのほうにひねりながら柱をたたきつけ、とぐろをくねらせながら鎌首をもたげた。バジリスクの頭がハリー目がけて落ちてくる。巨大な両眼から血を流しているのが見える。丸ごとハリーを飲み込むほど大きく口をカッと開けているのが見える。ずらりと並んだ、ハリーの剣ほど長い鋭い牙が、ぬめぬめと毒々しく光って……。

バジリスクがやみくもにハリーに襲いかかってきた。ハリーは危うくかわし、蛇は壁にぶつかった。再び襲ってきた。今度は、裂けた舌先がハリーの脇腹に打ち当たった。ハリーは諸手《もろて》で剣を、高々と掲げた。

三度目の攻撃は、狙いたがわず、まともにハリーをとらえていた。ハリーは全体重を剣に乗せ、剣のつばまで届くほど深く、毒蛇の口にズブリと突き刺した。

生暖かい血がハリーの両腕をどっぷりとぬらしたとたん、ひじのすぐ上に焼けつくような痛みが走った。長い毒牙が一本、ハリーの腕に突き刺さり、徐々に深く食い込んでいくところだった。バジリスクはドッと横ざまに倒れ、毒牙はハリーの腕に刺さったまま折れた。毒蛇は床に伸びてヒクヒクとけいれんしていた。

ハリーは壁にもたれたまま、ずるずると崩れ落ちた。体中に毒をまき散らしている牙をしっかりつかみ、力のかぎりぐいっと引き抜いた。しかし、もう遅すぎることはわかっていた。傷口からずきずきと、灼熱《しゃくねつ》の痛みがゆっくり、しかし確実に広がっていった。牙を捨て、ローブが自分の血で染まっていくのを見つめたときから、もうハリーの目はかすみはじめていた。「秘密の部屋」がぼんやりした暗色の渦の中に消え去りつつあった。

真紅の影がすっと横切った。そしてハリーのかたわらでカタカタと静かな爪の音が聞こえた。

「フォークス」ハリーはもつれる舌でつぶやいた。「君はすばらしかったよ、フォークス」

毒蛇の牙が貫いた腕の傷に、フォークスがその美しい頭を預けるのをハリーは感じた。

足音が響くのが聞こえ、ハリーの前に暗い影が立った。

「ハリー・ポッター、君は死んだ」

上のほうからリドルの声がした。

「死んだ。ダンブルドアの鳥にさえそれがわかるらしい。鳥が何をしているか、見えるかい？　泣いているよ」

ハリーは瞬《まばた》きした。フォークスの頭が一瞬はっきり見え、すぐまたぼやけた。真珠のような涙がポロポロと、そのつややかな羽毛を伝って滴り落ちていた。

「ハリー・ポッター、僕はここに座って、君の臨終を見物させてもらおう。ゆっくりやってくれ。僕は急ぎはしない」

ハリーは眠かった。周りのものがすべてくるくると回っているようだった。

「これで有名なハリー・ポッターもおしまいだ」遠くのほうでリドルの声がする。

「たった一人、『秘密の部屋』で、友人にも見捨てられ、愚かにも挑戦した闇の帝王に、ついに敗北して。もうすぐ、『穢れた血』の恋しい母親の元に戻れるよ、ハリー……。君の命を、十二年延ばしただけだった母親に……。しかし、ヴォルデモート卿は結局君の息の根を止めた。そうなることは、君もわかっていたはずだ」

――これが死ぬということなら、そんなに悪くない――ハリーは思った。痛みさえ薄らいでいく……。

――しかし、これが死ぬということなのか?――真っ暗闇になるどころか、「秘密の部屋」がまたはっきりと見えだした。ハリーは頭を振ってみた。フォークスがそこにいた。ハリーの腕にその頭を休めたままだ。傷口の周りがぐるりと真珠のような涙で覆われていた――しかも、その傷さえ**消えている**。

「鳥め、どけ」

突然リドルの声がした。

「そいつから離れろ。聞こえないのか。**どけ!**」

ハリーが頭を起こすと、リドルがハリーの杖をフォークスに向けていた。鉄砲のようなバーンという音がして、フォークスは金色と真紅の輪を描きながら、再び舞い上がった。

「不死鳥の涙……」リドルが、ハリーの腕をじっと見つめながら低い声で言った。

「そうだ……癒しの力……忘れていた……」リドルはハリーの顔をじっと見た。「しかし、結果は同じだ。むしろこのほうがいい。一対一だ。ハリー・ポッター……二人だけの勝負だ……」

リドルが杖を振り上げた。

するると、激しい羽音とともに、フォークスが頭上に舞い戻って、ハリーのひざに何かをポトリと落とした——**日記だ**。

ほんの一瞬、ハリーも杖を振り上げたままのリドルも、日記を見つめた。そして、何も考えず、ためらいもせず、まるで初めからそうするつもりだったかのように、ハリーはそばに落ちていたバジリスクの牙をつかみ、日記帳の真芯にズブリと突き立てた。

恐ろしい、耳をつんざくような悲鳴が長々と響いた。日記帳からインクが激流のようにほとばしり、ハリーの手の上を流れ、床を浸した。リドルは身をよじり、もだえ、悲鳴を上げながらのたうち回って……消えた。

ハリーの杖が床に落ちてカタカタと音を立て、そして静寂が訪れた。インクが日記帳からしみ出し、**ポタッポタッ**と落ち続ける音だけが静けさを破っていた。バジリスクの猛毒が、日記帳の真ん中を貫いて、ジュウジュウと焼けただれた穴を残していた。

体中を震わせ、ハリーはやっと立ち上がった。煙突飛行粉で、何キロも旅をしたあとのようにくらくらしていた。ゆっくりとハリーは杖を拾い、組分け帽子を拾い、そして満身の力で、バジリスクの上あごを貫いていたまばゆい剣を引き抜いた。

「秘密の部屋」の隅のほうからかすかなうめき声が聞こえてきた。ジニーが動いていた。ハリーが駆け寄ると、ジニーは身を起こした。とろんとした目で、ジニーはバジリスクの巨大な死骸を見、ハリーを見、血に染まったハリーのローブに目をやった。そしてハリーの手にある日記を見た。とたんにジニーは身震いして大きく息をのんだ。それから涙がどっとあふれた。

「ハリー――あぁ、ハリー――あたし、朝食のときあなたに打ち明けようとしたの。でも、パーシーの前では、い、**言えなかった**。ハリー、**あたし**がやったの――でも、あたし――そ、そんなつもりじゃなかった。う、うそじゃないわ――リ、リドルがやらせたの。あたしに乗り移ったの――そして――いったい**どうやって**あれをやっつけたの――あんなすごいものを？　リドルはど、どこ？　リドルが日記帳から出てきて、そのあとのことは、お、覚えていないわ――」

「もう大丈夫だよ」

ハリーは日記を持ち上げ、その真ん中の毒牙で焼かれた穴を、ジニーに見せた。

「リドルはおしまいだ。見てごらん！　リドル、**それに**バジリスクもだ。おいで、ジニー。早くここを出よう――」

「あたし、退学になるわ！」

ハリーはさめざめと泣くジニーを、ぎこちなく支えて立ち上がらせた。

「あたし、ビ、ビルがホグワーツに入ってからずっと、この学校に入るのを楽しみにしていたのに、も、もう退学になるんだわ――**パパやママが、な、なんて言うかしら？**」

フォークスが入口の上を浮かぶように飛んで、二人を待っていた。ハリーはジニーをうながして歩かせ、死んで動かなくなったバジリスクのとぐろを乗り越え、薄暗がりに足音を響かせ、トンネルへと戻ってきた。背後で石の扉が、シューッと低い音を立てて閉じるのが聞こえた。

暗いトンネルを数分歩くと、遠くのほうからゆっくりと岩がずれ動く音が聞こえてきた。

「ロン！」ハリーは足を速めながら叫んだ。「ジニーは無事だ！　ここにいるよ！」

ロンが、胸の詰まったような歓声を上げるのが聞こえた。二人は次の角を曲がった。崩れ落ちた岩の間に、ロンが作った、かなり大きなすきまのむこうから、待ちきれないようなロンの顔がのぞいていた。

「**ジニー！**」

ロンがすきまから腕を突き出して、最初にジニーを引っ張った。

「生きてたのか！　夢じゃないだろうな！　いったい何があったんだ？」

ロンが抱きしめようとすると、ジニーはしゃくりあげ、ロンを寄せつけなかった。

「でも、ジニー、もう大丈夫だよ」

ロンがニッコリ笑いかけた。

「もう終わったんだよ、もう――あの鳥はどっから来たんだい？」

フォークスがジニーのあとからすきまをスイーッとくぐって現れた。

「ダンブルドアの鳥だ」ハリーが狭いすきまをくぐり抜けながら答えた。

「それに、どうして**剣**なんか持ってるんだ？」

ロンはハリーの手にしたまばゆい武器をまじまじと見つめた。

「ここを出てから説明するよ」ハリーはジニーのほうをちらっと横目で見ながら言った。

「でも――」

「あとにして」ハリーが急いで言った。

誰が「秘密の部屋」を開けたのかを、いま、ロンに話すのは好ましくないと思ったし、いずれにしても、ジニーの前では言わないほうがよいと考えたのだ。

「ロックハートはどこ？」

「あっちのほうだ」

ロンはニヤッとして、トンネルからパイプへと向かう道筋をあごでしゃくった。

「調子が悪くてね。来て見てごらん」

フォークスの広い真紅の翼が闇に放つ、柔らかな金色の光に導かれ、三人はパイプの出口の所まで引き返した。ギルデロイ・ロックハートが一人でおとなしく鼻歌を歌いながらそこに座っていた。

「記憶をなくしてる。『忘却術』が逆噴射して、僕たちでなく自分にかかっちゃったんだ。自分が誰なのか、いまどこにいるのか、僕たちが誰なのか、チンプンカンプンさ。ここに来て待ってるように言ったんだ。この状態で一人で放っておくと、けがしたりして危ないからね」

ロックハートは人のよさそうな顔で、闇をすかすようにして三人を見上げた。

「やあ、なんだか変わった所だね。ここに住んでいるの？」ロックハートが聞いた。

「いや」ロンはハリーのほうにちょっと眉を上げて目配せした。

ハリーはかがんで、上に伸びる長く暗いパイプを見上げた。

「どうやって上まで戻るか、考えてた？」ハリーが聞いた。

ロンは首を横に振った。すると、不死鳥のフォークスがすうっとハリーの後ろから飛んできて、ハリーの前に先回りして羽をパタパタいわせた。丸い賢そうな目が闇に明るく輝いている。長い金色の尾羽を振っている。ハリーはポカンとしてフォークスを見た。

「つかまれって言ってるように見えるけど……」ロンが当惑した顔をした。

「でも鳥が上まで引っ張り上げるには、君は重すぎるな」

「フォークスは普通の鳥じゃない」ハリーはハッとしてみんなに言った。

「みんなで手をつながなきゃ。ジニー、ロンの手につかまって。ロックハート先生は――」

「君のことだよ」ロンが強い口調でロックハートに言った。

「先生は、ジニーのあいてるほうの手につかまって」

ハリーは剣と組分け帽子をベルトにはさんだ。ロンは、ハリーのローブの背中の所につかまり、ハリーは手を伸ばして、フォークスの不思議に熱い尾羽をしっかりつかんだ。

全身が異常に軽くなったような気がした。次の瞬間、ヒューッと風を切って、四人はパイプの中を上に向かって飛んでいた。下のほうにぶら下がっているロックハートが、「すごい！　すごい！　まるで魔法のようだ！」と驚く声がハリーに聞こえてきた。ひんやりした空気がハリーの髪を打った。ゆっくり楽しむ間もなく、飛行はすぐに終わった――四人は嘆きのマートルのトイレの湿った床に着地した。ロックハートが帽子をまっすぐにかぶりなおしている間に、パイプを覆い隠していた手洗い台がするすると元の位置に戻った。

マートルがじろじろと四人を見た。

「生きてるの」マートルはポカンとしてハリーに言った。

「そんなにがっかりした声を出さなくてもいいじゃないか」

ハリーは、めがねについた血やべとべとをぬぐいながら、真顔で言った。

「あぁ……わたし、ちょうど考えてたの。もしあんたが死んだら、わたしのトイレに一緒に住んでもらったらうれしいって」

マートルはほおをポッと銀色に染めた。

「ウヘー！」トイレから出て、暗い人気のない廊下に立ったとき、ロンが言った。「ハリー、マートルは君に**熱を上げてるぜ**！　ジニー、ライバルだ！」

しかし、ジニーは声も立てずに、まだボロボロ涙を流していた。

「さあ、どこへ行く？」

ジニーを心配そうに見ながら、ロンが言った。ハリーは指で示した。

フォークスが金色の光を放って、廊下を先導していた。四人は急ぎ足でフォークスに従った。まもなくマクゴナガル先生の部屋の前に出た。

ハリーはノックして、ドアを押し開いた。

第18章　ドビーのごほうび

ハリー、ロン、ジニー、ロックハートが、泥まみれのねとねとで（ハリーはその上血まみれで）戸口に立つと、一瞬沈黙が流れた。そして叫び声が上がった。

「**ジニー！**」

ウィーズリー夫人だった。暖炉の前に座り込んで泣き続けていたウィーズリー夫人が、飛び上がってジニーに駆け寄り、ウィーズリー氏もすぐあとに続いた。二人は娘に飛びついて抱きしめた。

しかし、ハリーの目は、ウィーズリー親子を通り越したむこうを見ていた。ダンブルドア先生が暖炉のそばにマクゴナガル先生と並んで立ち、ニッコリしている。マクゴナガル先生は胸を押さえて、すうっと大きく深呼吸し、落ち着こうとしていた。フォークスはハリーの耳元をヒュッとかすめ、ダンブルドアの肩にとまった。それと同時に、ハリーもロンもウィーズリー夫人にきつく抱きしめられていた。

「あなたたちがあの子を助けてくれた！　あの子の命を！　**どうやって助けたの？**」

「私《わたくし》たち全員がそれを知りたいと思っていますよ」マクゴナガル先生がぽつりと言った。

ウィーズリー夫人がハリーから腕を離した。ハリーはちょっとためらったが、マクゴナガル先生の机まで歩いていき、組分け帽子とルビーのちりばめられた剣《つるぎ》、それにリドルの日記の残骸をその上に置いた。

ハリーは一部始終を語りはじめた。十五分も話したろうか、聞き手は魅せられたようにシーンとして聞き入った。姿なき声を聞いたこと、それが水道管の中を通るバジリスクだと、ハーマイオニーがついに気づいたこと、ロンと二人でクモを追って森に入ったこと、アラゴグが、バジリスクの最後の犠牲者がどこで死んだかを話してくれたこと、嘆きのマートルがその犠牲者ではないか、そして、トイレのどこかに、「秘密の部屋」の入口があるのではないかとハリーが考えたこと……。

「そうでしたか」

マクゴナガル先生は、ハリーがちょっと息を継いだときに、先をうながすように言った。

「それで入口を見つけたわけですね――その間、約百もの校則を粉々に破ったと言っておきましょう――でもポッター、**一体全体**どうやって、全員生きてその部屋を出られたというのですか?」

さんざん話して声がかすれてきたが、ハリーは話を続けた。フォークスがちょうどよい時に現れたこと、組分け帽子が、剣をハリーにくれたこと。しかし、ここでハリーは言葉をとぎらせた。それまではリドルの日記のこと――ジニーのこと――に触れないようにしてきた。ジニーは、ウィーズリーおばさんの肩に頭をもたせかけて立っている。まだ涙がポロポロと静かにほおを伝って落ちていた――ジニーが退学させられたらどうしよう? 混乱した頭でハリーは考えた。リドルの日記はもう何もできない……。ジニーがやったことは、リドルがやらせていたのだと、どうやって証明できるだろう?

本能的に、ハリーはダンブルドアを見た。ダンブルドアがかすかにほほえみ、暖炉の火が、半月形のめがねにチラチラと映った。

「**わしが**一番興味があるのは」ダンブルドアがやさしく言った。「ヴォルデモート卿《きょう》が、どうやってジニーに魔法をかけたかということじゃな。わしの個人的情報によれば、ヴォルデモートは、現在アルバニアの森に隠れているらしいが」

――よかった――温かい、すばらしい、うねるような安堵《あんど》感が、ハリーの全身を包んだ。

「な、なんですって?」ウィーズリー氏がキョトンとした声を上げた。「『**例のあの人**』が? **ジニーに、**

ま、魔法をかけたと？　でも、ジニーはそんな……ジニーはこれまでそんな……それともほんとうに？」

「この日記だったんです」ハリーは急いでそう言うと、日記を取り上げ、ダンブルドアに見せた。

「リドルは十六歳のときに、これを書きました」

ダンブルドアはハリーの手から日記を取り、長い折れ曲がった鼻の上から日記を見下ろし、焼け焦げ、ブヨブヨになったページを熱心に眺め回した。

「見事じゃ」ダンブルドアが静かに言った。「確かに、彼はホグワーツ始まって以来の最高の秀才だったと言えるじゃろう」

次にダンブルドアは、さっぱりわからないという顔をしているウィーズリー一家のほうに向きなおった。

「ヴォルデモート卿が、かつてトム・リドルと呼ばれていたことを知る者は、ほとんどいない。わし自身が五十年前、ホグワーツでトムを教えた。卒業後、トムは消えてしまった……遠くへ。そしてあちこちへ旅をした……闇の魔術にどっぷりと沈み込み、魔法界で最も好ましからざる者たちと交わり、危険な変身を何度もへて、ヴォルデモート卿として再び姿を現したときには、昔の面影はまったくなかった。あの聡明でハンサムな少年、かつてここで首席だった子を、ヴォルデモート卿と結びつけて考える者は、ほとんどいなかった」

「でも、ジニーが」ウィーズリー夫人が聞いた。「うちのジニーが、その――**その人と**――なんの関係が？」

「その人の、に、日記なの！」ジニーがしゃくりあげた。「あたし、いつもその日記に、か、書いていたの。そしたら、その人が、あたしに今学期中ずっと、返事をくれたの――」

「**ジニー！**」ウィーズリー氏が仰天して叫んだ。「パパはおまえに、なんにも教えてなかったというのかい？　パパがいつも言ってただろう？　**脳みそがどこにあるか見えないのに、**一人で勝手に考えることができるものは信用しちゃいけないって、教えただろう？　どうして日記をパパかママに見せなかったの？　そんな怪しげなものには、闇の魔術が詰まっていることが**はっきり**しているのに！」

「あたし、し、知らなかった」ジニーがまたしゃくりあげた。「ママが準備してくれた本の中にこれがあったの。あたし、誰かがそこに置いていって、すっかり忘れてしまったんだろうって、そ、そう思った……」

「ミス・ウィーズリーはすぐに医務室に行きなさい」ダンブルドアが、きっぱりした口調でジニーの話を中断した。「過酷な試練じゃったろう。処罰はなし。もっと年上の、もっと賢い魔法使いでさえ、ヴォルデモート卿にたぶらかされてきたのじゃ」

ダンブルドアはツカツカと出口まで歩いていって、ドアを開けた。

「安静にして、それに、熱い湯気の出るようなココアをマグカップ一杯飲むがよい。わしはいつもそれで元気が出る」

ダンブルドアはキラキラ輝く目でやさしくジニーを見下ろしていた。

「マダム・ポンフリーはまだ起きておる。マンドレイクのジュースをみんなに飲ませたところでな――きっと、バジリスクの犠牲者たちが、いまにも目を覚ますじゃろう」

「じゃ、ハーマイオニーは大丈夫なんだ！」ロンがうれしそうに言った。

「回復不能の傷害は何もなかった」ダンブルドアが答えた。

ウィーズリー夫人がジニーを連れて出ていった。ウィーズリー氏も、まだ動揺がやまない様子だったが、あとに続いた。

「のう、ミネルバ」ダンブルドアが、マクゴナガル先生に向かって考え深げに話しかけた。「これは一つ、盛大に**祝宴**をもよおす価値があると思うんじゃが。厨房《ちゅうぼう》にそのことを知らせにいってはくれまいか？」

「わかりました」マクゴナガル先生はきびきびと答え、ドアのほうに向かった。

「ポッターとウィーズリーの処置は先生にお任せしてよろしいですね？」

「もちろんじゃ」ダンブルドアが答えた。

マクゴナガル先生もいなくなり、ハリーとロンは不安げにダンブルドア先生を見つめた。

――マクゴナガル先生が「**処置は任せる**」って、どういう意味なんだろう？　まさか――**まさか**――僕たち処罰されるなんてことはないだろうな？

「わしの記憶では、君たちがこれ以上校則を破ったら、二人を退校処分にせざるをえないと言いましたな」ダンブルドアが言った。

ロンは恐怖で口がパクリと開いた。

「どうやら誰にでも過ちはあるものじゃな。わしも前言撤回じゃ」

ダンブルドアはほほえんでいる。

「二人とも『ホグワーツ特別功労賞』が授与される。それに――そうじゃな――ウム、一人につき二〇〇点ずつグリフィンドールに与えよう」

ロンの顔が、まるでロックハートのバレンタインの花のように、明るいピンク色に染まった。口も閉じた。

「しかし、一人だけ、この危険な冒険の自分の役割について、恐ろしく物静かな人がいるようじゃ」ダンブルドアが続けた。「ギルデロイ、ずいぶんと控え目じゃな。どうした？」

ハリーはびっくりした。ロックハートのことをすっかり忘れていた。振り返ると、ロックハートは、まだあいまいなほほえみを浮かべて、部屋の隅に立っていた。ダンブルドアに呼びかけられると、ロックハートは肩越しに自分の後ろを見て、誰が呼びかけられたのかを見ようとした。

「ダンブルドア先生」ロンが急いで言った。「『秘密の部屋』で事故があって、ロックハート先生は――」

「私が、先生？」ロックハートがちょっと驚いたように言った。「おやまあ、私は役立たずのダメ先生だったでしょうね？」

「ロックハート先生が『忘却術』をかけようとしたら、杖《つえ》が逆噴射したんです」

ロンは静かにダンブルドアに説明した。

「なんと」ダンブルドアは首を振り、長い銀色の口ひげがおかしそうに小刻みに震えた。

「自らの剣に貫かれたか、ギルデロイ！」

「剣？」ロックハートがぼんやりと言った。「剣なんか持っていませんよ。でも、その子が持っています」ギルデロイはハリーを指差した。「その子が剣を貸してくれますよ」

「ロックハート先生も医務室に連れていってくれんかね？」ダンブルドアがロンに頼んだ。「わしはハリーとちょっと話したいことがある……」

ロックハートはのんびりと出ていった。ロンはドアを閉めながら、ダンブルドアとハリーを好奇心の目でちらっと見た。

ダンブルドアは暖炉のそばの椅子に腰かけた。

「ハリー、お座り」ダンブルドアに言われて、ハリーは胸騒ぎを覚えながら椅子に座った。

「まずは、ハリー、お礼を言おう」ダンブルドアの目がまたキラキラと輝いた。「『秘密の部屋』の中で、君はわしに真の信頼を示してくれたにちがいない。それでなければ、フォークスは君の所に呼び寄せられなかったはずじゃ」

ダンブルドアは、ひざの上で羽を休めている不死鳥をなでた。ハリーはダンブルドアに見つめられ、ぎこちなくニコッとした。

「それで、君はトム・リドルに会ったわけだ」ダンブルドアは考え深げに言った。「たぶん、君に**並々ならぬ**関心を示したことじゃろうな……」

ハリーの心にしくしく突き刺さっていた何かが、突然口をついで飛び出した。

「ダンブルドア先生……。僕が自分に似ているってリドルが言ったんです。不思議に似通っているって、そう言ったんです……」

「**ほお**、そんなことを？」ダンブルドアはふさふさした銀色の眉の下から、思慮深い目をハリーに向けた。「それで、ハリー、君はどう思うかね？」

「僕、あいつに似ているとは思いません！」ハリーの声は自分でも思いがけないほど大きかった。「だって、僕は――僕は**グリフィンドール生**です。僕は……」

しかし、ハリーはふと口をつぐんだ。ずっともやもやしていた疑いがまた首をもたげた。

「先生」しばらくしてまたハリーは口を開いた。「組分け帽子が言ったんです。僕が、僕がスリザリンでうまくやって行けただろうにって。みんなは、しばらくの間、僕をスリザリンの継承者だと思っていました……僕が蛇語が話せるから……」

「ハリー」ダンブルドアが静かに言った。「君は確かに蛇語を話せる。なぜなら、ヴォルデモート卿が――サラザール・スリザリンの最後の子孫じゃが――蛇語を話せるからじゃ。わしの考えがだいたい当たっているなら、ヴォルデモートが君にその傷を負わせたあの夜、自分の力の一部を君に移してしまった。もちろん、そうしようと思ってしたことではないが……」

「ヴォルデモートの一部が**僕に？**」ハリーは雷に打たれたような気がした。

「どうもそのようじゃ」

「それじゃ、僕はスリザリンに**入るべきなんだ**」

ハリーは絶望的な目でダンブルドアの顔を見つめた。

「組分け帽子が僕の中にあるスリザリンの力を見抜いて、それで――」

「君をグリフィンドールに入れたのじゃ」

ダンブルドアは静かに言った。

「ハリー、よくお聞き。サラザール・スリザリンが自ら選び抜いた生徒は、スリザリンが誇りに思っていたさまざまな資質を備えていた。君もたまたまそういう資質を持っておる。スリザリン自身のまれにみる能力である蛇語……機知に富む才知……断固たる決意……やや規則を無視する傾向」

ダンブルドアはまた口ひげをいたずらっぽく震わせた。

「それでも組分け帽子は君をグリフィンドールに入れた。君はその理由を知っておる。考えてごらん」

「『帽子』が僕をグリフィンドールに入れたのは」ハリーは打ちのめされたような声で言った。「僕がスリザリンに入れないでって頼んだからにすぎないんだ……」

「**そのとおり**」

ダンブルドアがまたニッコリした。

「それだからこそ、君がトム・リドルと**ちがう者**だという証拠になるのじゃ。ハリー、自分がほんとうに何者かを示すのは、持っている能力ではなく、自分がどのような選択をするかということなんじゃよ」

ハリーはぼうぜんとして、身動きもせず椅子に座っていた。

「君がグリフィンドールに属するという証拠が欲しいなら、ハリー、**これを**もっとよおく見てみるとよい」

ダンブルドアはマクゴナガル先生の机の上に手を伸ばして血に染まったあの銀の剣を取り上げ、ハリーに手渡した。ハリーはぼんやりと剣を裏返した。ルビーが暖炉の灯《あか》りできらめいた。その時、つばのすぐ下に名前が刻まれているのが目に入った。

ゴドリック・グリフィンドール

「真のグリフィンドール生だけが、帽子から、思いもかけないこの剣を取り出してみせることができるのじゃよ、ハリー」ダンブルドアはそれだけを言った。

一瞬、二人とも無言だった。それから、ダンブルドアがマクゴナガル先生の引き出しを開け、羽根ペンとインクつぼを取り出した。

「ハリー、君には食べ物と睡眠が必要じゃ。お祝いの宴《うたげ》に行くがよい。わしはアズカバンに手紙を書く――森番を返してもらわねばのう。それに、『日刊予言者新聞』に出す広告を書かねば」

ダンブルドアは考え深げに言葉を続けた。

「『闇の魔術に対する防衛術』の新しい先生が必要じゃ。なんとまあ、またまたこの学科の先生がいなくなってしもうた。のう?」

ハリーは立ち上がってドアの所へ行った。取っ手に手をかけたとたん、ドアが勢いよくむこう側から開いた。あまりに乱暴に開いたので、ドアが壁に当たって跳ね返ってきた。ルシウス・マルフォイが怒りをむき出しにして立っていた。その腕の下で、包帯でぐるぐる巻きになって縮こまっているのは、**ドビーだ。**

「こんばんは、ルシウス」ダンブルドアが機嫌よく挨拶した。

マルフォイ氏は、サッと部屋の中に入ってきた。その勢いでハリーを突き飛ばしそうになった。恐怖の表情を浮かべたみじめなドビーが、その後ろから、マントのすその下に這《は》いつくばるようにして小走りについてきた。

「それで！」ルシウス・マルフォイがダンブルドアを冷たい目で見すえた。「お帰りになったわけだ。理事たちが停職処分にしたのに、まだ自分がホグワーツ校に戻るのにふさわしいとお考えのようで」

「はて、さて、ルシウスよ」ダンブルドアは静かにほほえんでいる。「今日、君以外の十一人の理事がわしに連絡をくれた。正直なところ、まるでふくろうのどしゃ降りにあったかのようじゃった。アーサー・ウィーズリーの娘が殺されたと聞いて、理事たちがわしに、すぐ戻ってほしいと頼んできた。結局、この仕事に一番向いているのはこのわしだと思ったらしいのう。奇妙な話をみんなが聞かせてくれての。もともとわしを停職処分にしたくはなかったが、それに同意しなければ、家族を呪ってやるとあなたに脅された、と考えておる理事が何人かいるのじゃ」

マルフォイ氏の青白い顔がいっそう蒼白《そうはく》になった。しかし、その細い目はまだ激しい怒りに燃えていた。

「すると――あなたはもう襲撃をやめさせたとでも？」マルフォイ氏があざけるように言った。「犯人を捕まえたのかね？」

「捕まえたとも」ダンブルドアはほほえんだ。

「**それで？**」マルフォイ氏が鋭く言った。「誰なのかね？」

「前回と同じ人物じゃよ、ルシウス。しかし、今回のヴォルデモート卿は、ほかの者を使って行動した。この日記を利用してのう」

ダンブルドアは真ん中に大きな穴の開いた、小さな黒い本を取り上げた。その目はマルフォイ氏を見すえていた。しかし、ハリーはドビーを見つめていた。

しもべ妖精はまったく奇妙なことをしていた。大きな目で、いわくありげにハリーのほうをじっと見て、日記を指差しては次にマルフォイ氏を指差し、それから拳で自分の頭をガンガンなぐりつけるのだ。

「なるほど……」マルフォイ氏はしばらく間を置いてから言った。

「狡猾《こうかつ》な計画じゃ」ダンブルドアはマルフォイ氏の目をまっすぐ見つめ続けながら、落ち着いた声で続けた。「なぜなら、もし、このハリーが――」

マルフォイ氏はハリーにちらりと鋭い視線を投げた。

「友人のロンとともに、この日記を見つけておらなかったら、おぉ――ジニー・ウィーズリーがすべての責めを負うことになったかもしれん。ジニー・ウィーズリーが自分の意思で行動したのではないと、いったい誰が証明できようか……」

マルフォイ氏は無言だった。突然能面のような顔になった。

「そうなれば」ダンブルドアの言葉が続いた。「いったい何が起こったか、考えてみるがよい……。ウィーズリー一家は純血の家族の中でも最も著名な一族の一つじゃ。アーサー・ウィーズリーと、その手によってできた『マグル保護法』にどんな影響があるか、考えてみるがよい。自分の娘がマグル出身の者を襲い、殺していることが明るみに出たらどうなったか。幸いなことに日記は発見され、リドルの記憶は日記から消し去られた。さもなくば、いったいどういう結果になっていたか想像もつかん……」

マルフォイ氏は無理やり口を開いた。

「それは幸運な」ぎこちない言い方だった。

その背後で、ドビーはまだ指差し続けていた。まず日記帳、それからルシウス・マルフォイを指し、それから自分の頭にパンチを食らわせていた。

ハリーは突然理解した。ドビーに向かってうなずくと、ドビーは隅のほうに引っ込み、自分を罰するのに今度は耳をひねりはじめた。

「マルフォイさん。ジニーがどうやって日記を手に入れたか、知りたいと思われませんか？」

ハリーが言った。

ルシウス・マルフォイがハリーのほうを向いて食ってかかった。

「バカな小娘がどうやって日記を手に入れたか、私がなんで知らなきゃならんのだ？」

「あなたが日記をジニーに与えたからです」ハリーが答えた。

「フローリシュ・アンド・ブロッツ書店で。ジニーの古い『変身術』の教科書を拾い上げて、その中に日記をすべり込ませた。そうでしょう？」

マルフォイ氏の蒼白になった両手がギュッと握られ、また開かれるのを、ハリーは見た。

「何を証拠に」食いしばった歯の間からマルフォイ氏が言った。

「あぁ、誰も証明はできんじゃろう」ダンブルドアはハリーにほほえみながら言った。「リドルが日記から消え去ってしまったいまとなっては。しかし、ルシウス、忠告しておこう。ヴォルデモート卿の昔の学用品をバラまくのはもうやめにすることじゃ。もし、またその類《たぐい》のものが、罪もない人の手に渡るようなことがあれば、誰よりもまずアーサー・ウィーズリーが、その入手先をあなただと突き止めることじゃろう……」

ルシウス・マルフォイは一瞬立ちすくんだ。杖に手を伸ばしたくてたまらないというふうに、右手がピクピク動くのが、ハリーにははっきりと見えた。しかし、かわりにマルフォイ氏はしもべ妖精のほうを向いた。

「ドビー、帰るぞ！」

マルフォイ氏はドアをぐいっとこじ開け、ドビーがあわててマルフォイのそばまでやってくると、ドアのむこう側までドビーを蹴飛ばした。廊下を歩いている間中、ドビーが痛々しい叫び声を上げているのが聞こえてきた。ハリーは一瞬立ち尽くしたまま、必死で考えをめぐらせた。そして、思いついた。

「ダンブルドア先生」ハリーが急いで言った。「その日記をマルフォイさんに**お返しして**もよろしいでしょうか？」

「よいとも、ハリー」ダンブルドアが静かに言った。「ただし、急ぐがよい。宴会じゃ。忘れるでないぞ」

ハリーは日記をわしづかみにし、部屋から飛び出した。ドビーの苦痛の悲鳴が廊下の角を曲がって遠のきつつあった。

――はたしてこの計画はうまく行くだろうか――急いでハリーは靴を脱ぎ、どろどろに汚れたソックスの片方を脱ぎ、日記をその中に詰めた。それから暗い廊下を走った。ハリーは階段の一番上で二人に追いついた。

「マルフォイさん」ハリーは息をはずませ、急に止まったので横すべりしながら呼びかけた。

「僕、あなたに差し上げるものがあります」

そしてハリーはプンプンにおうソックスをマルフォイ氏の手に押しつけた。

「なんだ――？」

マルフォイ氏はソックスを引きちぎるようにはぎ取り、中の日記を取り出し、ソックスを投げ捨て、それから怒りをむき出して日記の残骸からハリーに目を移した。

「君もそのうち親と同じに不幸な目にあうぞ。ハリー・ポッター」口調はやわらかだった。「連中もお節介の愚か者だった」

　マルフォイ氏は立ち去ろうとした。

「ドビー、来い。**来い**と言ってるのが聞こえんか！」

　ドビーは動かなかった。ハリーのどろどろの汚らしいソックスを握りしめ、それが貴重な宝物でもあるかのようにじっと見つめていた。

「ご主人様がドビーめにソックスを片方くださった」しもべ妖精は驚きに打ちのめされていた。「ご主人様が、これをドビーにくださった」

「なんだと？」マルフォイ氏が吐き捨てるように言った。「いま、なんと言った？」

「ドビーがソックスの片方をいただいた」信じられないという口調だった。「ご主人様が投げてよこした。ドビーが受け取った。だからドビーは――ドビーは**自由だ**！」

　ルシウス・マルフォイはしもべ妖精を見つめ、その場に凍りついたように立ちすくんだ。それからハリーに飛びかかった。

「小僧め、よくも私の召使いを！」

　しかし、ドビーが叫んだ。

「ハリー・ポッターに手を出すな！」

　バーンと大きな音がして、マルフォイ氏は後ろ向きに吹っ飛び、階段を一度に三段ずつ、もんどり打って転げ落ち、くしゃくしゃになって下の踊り場に落ちた。怒りの形相で立ち上がり、杖を引っ張り出したが、ドビーが長い人差し指を、脅すようにマルフォイに向けた。

「すぐ立ち去れ」ドビーがマルフォイ氏に指を突きつけるようにして、激しい口調で言った。「ハリー・ポッターに指一本でも触れてみろ。早く立ち去れ」

ルシウス・マルフォイは従うほかなかった。いまいましそうに二人に最後の一瞥《いちべつ》を投げ、マントをひるがえして身に巻きつけ、マルフォイ氏は急いで立ち去った。

「ハリー・ポッターがドビーを自由にしてくださった！」近くの窓から月の光が射《さ》し込み、ドビーの球のような両目に映った。その目でしっかりとハリーを見つめ、しもべ妖精はかん高い声で言った。

「ハリー・ポッターが、ドビーを解放してくださった！」

「ドビー、せめてこれぐらいしか、してあげられないけど」ハリーはニヤッと笑った。

「ただ、もう僕の命を救おうなんて、二度としないって、約束してくれよ」

しもべ妖精の醜い茶色の顔が、急にぱっくりと割れたように見え、歯の目立つ大きな口がほころんだ。

「ドビー、一つだけ聞きたいことがあるんだ」

ドビーが震える両手で片方の靴下をはくのを見ながら、ハリーが言った。

「君は、『名前を言ってはいけないあの人』は今度のことにいっさい関係ないって言ったね。覚えてる？　それなら――」

「あれはヒントだったのでございます」

そんなことは明白だと言わんばかりに、ドビーは目を見開いて言った。

「ドビーはあなたにヒントを差し上げました。闇の帝王は、名前を変える前でしたら、その名前を自由に言ってかまわなかったわけですからね。おわかりでしょう？」

「そんなことだったの……」ハリーは力なく答えた。

「じゃ、僕、行かなくちゃ。宴会があるし、友達のハーマイオニーも、もう目覚めてるはずだし……」

ドビーはハリーの胴のあたりに腕を回し、抱きしめた。

「ハリー・ポッターは、ドビーが考えていたよりずーっと偉大でした」

ドビーはすすり泣きながら言った。

「さようなら、ハリー・ポッター！」

そして、最後にもう一度パチッという大きな音を残し、ドビーは消えた。


これまで何度かホグワーツの宴会に参加したハリーにとっても、こんなのは初めてだった。みんなパジャマ姿で、お祝いは夜どおし続いた。ハリーにはうれしいことだらけで、どれが一番うれしいのか、自分でもわからなかった。ハーマイオニーが「あなたが解決したのね！　やったわね！」と叫びながらハリーに駆け寄ってきたこと。ジャスティンがハッフルパフのテーブルから急いでハリーの所にやってきて、疑ってすまなかったと、ハリーの手を握り、何度も何度も謝り続けたこと。ハグリッドが明け方の三時半に現れて、ハリーとロンの肩を強くポンとたたいたので、二人ともトライフル・カスタードの皿に顔を突っ込んでしまったこと。ハリーとロンがそれぞれ二〇〇点ずつグリフィンドールの点を増やしたので、寮対抗優勝杯を二年連続で獲得できたこと。マクゴナガル先生が立ち上がり、学校からのお祝いとして期末試験がキャンセルされたと全生徒に告げたこと（「えぇっ、**そんな！**」とハーマイオニーが叫んだ）。ダンブルドアが「残念ながらロックハート先生は来学期、学校に戻ることはできない。学校を去り、記憶を取り戻す必要があるから」と発表したこと——かなり多くの先生がこの発表で生徒と一緒に歓声を上げた——。

「残念だ」ロンがジャムドーナツに手を伸ばしながらつぶやいた。「せっかくあいつになじんできたところだったのに」


夏学期の残りの日々は、焼けるような太陽で、もうろうとしているうちに過ぎた。ホグワーツ校は正常に戻ったが、いくつか小さな変化があった。「闇の魔術に対する防衛術」の授業はキャンセルになった（ハーマイオニーは不満でブツブツ言ったが、ロンは「だけど、僕たち、これに関してはずいぶん実技をやったじゃないか」と、なぐさめた）。ルシウス・マルフォイは理事を辞めさせられた。ドラコは学校をわがもの顔にのし歩くのをやめ、逆に恨みがましくすねているようだった。一方、ジニー・ウィーズリーは再び元気いっぱいになった。

あまりにも早く時が過ぎ、もうホグワーツ特急に乗って家に帰るときがきた。ハリー、ロン、ハーマイオニー、フレッド、ジョージ、ジニーは一つのコンパートメントを独占し、魔法を使うことを許された夏休み前の最後の数時間を、みんなで充分に楽しんだ。「爆発スナップゲーム」をしたり、フレッドとジョージが持っていた最後の「花火」に火をつけたり、お互いに魔法で武器を取り上げる練習をしたりした。ハリーは武装解除術がうまくなっていた。

キングズ・クロス駅に着く直前、ハリーはあることを思い出した。

「ジニー――パーシーが何かしてるのを君、見たよね。パーシーが誰にも言わないように口止めしたって、どんなこと？」

「あぁ、あのこと」ジニーがクスクス笑った。「あのね――パーシーに**ガールフレンド**がいるの」

「**なんだって？**」フレッドがジョージの頭に本をひと山落とした。

「レイブンクローの監督生、ペネロピー・クリアウォーターよ」ジニーが言った。「パーシーは夏休みの間、ずっとこの人にお手紙書いてたわけ。学校のあちこちで、二人でこっそり会ってたわ。ある日二人がからっぽの教室でキスしてるところに、たまたまあたしが入っていったの。ペネロピーが――ほら――襲われたとき、パーシーはとっても落ち込んでた。みんな、パーシーをからかったりしないわよね？」

ジニーが心配そうに聞いた。

「夢にも思わないさ」そう言いながらフレッドは、まるで誕生日がひと足早くやってきたという顔をしていた。

「絶対しないよ」ジョージがニヤニヤ笑いながら言った。


ホグワーツ特急は速度を落とし、とうとう停車した。

ハリーは羽根ペンと羊皮紙の切れ端を取り出し、ロンとハーマイオニーのほうを向いて言った。

「これ、電話番号って言うんだ」番号を二回走り書きし、その羊皮紙を二つに裂いて二人に渡しながら、ハリーがロンに説明した。

「去年の夏休みに、君のパパに電話の使い方を教えたから、パパが知ってるよ。ダーズリーの所に電話くれよ。オーケー？　あと二か月もダドリーしか話す相手がいないなんて、僕、耐えられない……」

「でも、あなたのおじさんもおばさんも、あなたのこと誇りに思うんじゃない？」

汽車を降り、魔法のかかった壁まで人波に交じって歩きながら、ハーマイオニーが言った。

「今学期、あなたがどんなことをしたか聞いたら、そう思うんじゃない？」

「誇りに？」ハリーが言った。

「正気で言ってるの？　僕がせっかく死ぬ機会が何度もあったのに、僕が死にそこなったっていうのに？　あの連中はカンカンだよ……」

そして三人は一緒に壁を通り抜け、マグルの世界へと戻っていった。

J.K. ローリング

J.K. ローリングは、不朽の人気を誇る「ハリー・ポッター」シリーズの著者。1990年、旅の途中の遅延した列車の中で「ハリー・ポッター」のアイデアを思いつくと、全7冊のシリーズを構想して執筆を開始。1997 年に第1巻『ハリー・ポッターと賢者の石』が出版、その後、完結までにはさらに10年を費やし、2007年に第7巻となる『ハリー・ポッターと死の秘宝』が出版された。シリーズは現在85の言語に翻訳され、発行部数は6億部を突破、オーディオブックの累計再生時間は10億時間以上、制作された8本の映画も大ヒットとなった。また、シリーズに付随して、チャリティのための短編『クィディッチ今昔』と『幻の動物とその生息地』（ともに慈善団体〈コミック・リリーフ〉と〈ルーモス〉を支援）、『吟遊詩人ビードルの物語』（〈ルーモス〉を支援）も執筆。『幻の動物とその生息地』は魔法動物学者ニュート・スキャマンダーを主人公とした映画「ファンタスティック・ビースト」シリーズが生まれるきっかけとなった。大人になったハリーの物語は舞台劇『ハリー・ポッターと呪いの子』へと続き、ジョン・ティファニー、ジャック・ソーンとともに執筆した脚本も書籍化された。その他の児童書に『イッカボッグ』（2020年）『クリスマス・ピッグ』（2021年）があるほか、ロバート・ガルブレイスのペンネームで発表し、ベストセラーとなった大人向け犯罪小説「コーモラン・ストライク」シリーズも含め、その執筆活動に対し多くの賞や勲章を授与されている。J.K. ローリングは、慈善信託〈ボラント〉を通じて多くの人道的活動を支援するほか、性的暴行を受けた女性の支援センター〈ベイラズ・プレイス〉、子供向け慈善団体〈ルーモス〉の創設者でもある。
J.K. ローリングに関するさらに詳しい情報はjkrowlingstories.comで。

松岡佑子 訳

翻訳家。国際基督教大学卒、モントレー国際大学院大学国際政治学修士。日本ペンクラブ会員。スイス在住。訳書に「ハリー・ポッター」シリーズ全7巻のほか、「少年冒険家トム」シリーズ、映画オリジナル脚本版「ファンタスティック・ビースト」シリーズ、『ブーツをはいたキティのはなし』、『とても良い人生のために』『イッカボッグ』『クリスマス・ピッグ』（以上静山社）がある。

ハリー・ポッターと秘密の部屋〈25周年記念特装版〉

2024年12月1日　第1刷発行

著者　J.K. ローリング
訳者　松岡佑子
発行者　松岡佑子
発行所　株式会社静山社
〒102-0073 東京都千代田区九段北1-15-15
電話・営業 03-5210-7221　https://www.sayzansha.com

装丁　城所潤+大谷浩介（ジュン・キドコロ・デザイン）
装画　カワグチタクヤ
組版　アジュール
印刷　中央精版印刷株式会社
製本　株式会社ブックアート